CB040683

A PESTE

ALBERT CAMUS

A PESTE

tradução de
VALERIE RUMJANEK

43ª edição

2024

EDITORA EXECUTIVA
Renata Pettengill

SUBGERENTE EDITORIAL
Mariana Ferreira

ASSISTENTE EDITORIAL
Pedro de Lima

AUXILIAR EDITORIAL
Juliana Brandt

PROJETO GRÁFICO DE BOXE E CAPAS
Leonardo Iaccarino

DIAGRAMAÇÃO
Beatriz Carvalho

TÍTULO ORIGINAL
La peste

IMAGEM DE CAPA
Roc Canals / Getty Images

CIP-BRASIL. CATALOGAÇÃO NA PUBLICAÇÃO
SINDICATO NACIONAL DOS EDITORES DE LIVROS, RJ

Camus, Albert, 1913-1960
C218p A peste / Albert Camus; tradução de Valerie Rumjanek Cardoso.
43ª ed. – 43ª ed. – Rio de Janeiro: Record, 2024.

Tradução de: La peste
ISBN 978-65-55-87125-8

1. Ficção francesa. I. Rumjanek, Valerie. II. Título.

CDD: 843
20-65706 CDU: 82-3(44)

Camila Donis Hartmann – Bibliotecária – CRB-7/6472

Texto revisado segundo o novo Acordo Ortográfico da Língua Portuguesa.

Direitos exclusivos de publicação em língua portuguesa somente para o Brasil adquiridos pela
EDITORA RECORD LTDA.
Rua Argentina, 171 – Rio de Janeiro, RJ – 20921-380 – Tel.: (21) 2585-2000,
que se reserva a propriedade literária desta tradução.

Impresso no Brasil

ISBN 978-65-55-87125-8

Il est aussi raisonnable de représenter une espèce d'emprisonnement par une autre que de représenter n'importe quelle chose qui existe réellement par quelque chose qui n'existe pas.

Daniel Defoe
(Tradução para o francês de Albert Camus)

(É tão válido representar um modo de aprisionamento por outro quanto representar qualquer coisa que de fato existe por alguma coisa que não existe.)

1

Os curiosos acontecimentos que são o objeto desta crônica ocorreram em 194... em Orã. Segundo a opinião geral, estavam deslocados, já que fugiam um pouco à norma. À primeira vista, Orã é, na verdade, uma cidade comum e não passa de uma prefeitura francesa na costa argelina.

A própria cidade, vamos admitir, é feia. Com o seu aspecto tranquilo, é preciso algum tempo para se perceber o que a torna diferente de tantas outras vilas comerciais em todas as latitudes. Como imaginar, por exemplo, uma cidade sem pombos, sem árvores e sem jardins, onde não se encontra o rumor de asas nem de folhas quebradas? Em resumo: um lugar neutro. Apenas no céu se lê a mudança das estações. A primavera só se anuncia pela qualidade do ar ou pelas cestas de flores que os pequenos vendedores trazem dos subúrbios: é uma primavera que se vende nos mercados. Durante o verão, o sol incendeia as casas muito secas e cobre as paredes de uma poeira cinzenta; então só é possível viver à sombra das persianas fechadas. No outono, ao contrário, é um dilúvio de lama. Os dias bonitos só chegam no inverno.

Uma forma conveniente de travar conhecimento com uma cidade é procurar saber como se trabalha, como se ama e como se morre. Na nossa pequena cidade, talvez por efeito do clima, tudo se faz ao mesmo tempo, com o mesmo ar frenético e distante. Isto é: aqui, as pessoas se entediam e se dedicam a criar hábitos. Nossos concidadãos trabalham muito, mas apenas para enriquecer. Interessam-se sobretudo pelo comércio e ocupam-se, em primeiro lugar, segundo a sua própria expressão, de fazer negócios. Naturalmente, apreciam prazeres simples, gostam de mulheres, de cinema e de banhos de mar. Muito sensatamente, porém, reservam os prazeres para os domingos e os sábados à noite, procurando, nos outros dias da semana, ganhar muito dinheiro. À tarde, quando saem dos escritórios, reúnem-se a uma determinada hora nos cafés, passeiam na mesma avenida ou instalam-se nas suas varandas. Os desejos dos mais jovens são violentos e breves, enquanto os vícios dos mais velhos não vão além das associações de *boulomanes*,* dos banquetes das

---

* Neologismo que designa os entusiastas de um jogo muito popular na França. *(N. do E.)*

*amicales** e dos ambientes em que se aposta alto no jogo de cartas.

Dir-se-á, sem dúvida, que nada disso é exclusivo de nossa cidade e que, em suma, todos os nossos contemporâneos são assim. Nada mais natural, hoje em dia, do que ver as pessoas trabalharem da manhã à noite e optarem, em seguida, por desperdiçar no jogo, nos cafés e em tagarelices o tempo que lhes resta para viver. Mas há cidades e países em que as pessoas, de vez em quando, suspeitam que exista algo mais. Isso, em geral, não muda a vida delas. Simplesmente houve a suspeita, o que já é alguma coisa. Orã, ao contrário, é uma cidade aparentemente moderna. Não é necessário, portanto, definir a maneira como se ama entre nós. Os homens e as mulheres ou se devoram rapidamente, no que se convencionou chamar de ato de amor, ou se entregam ao hábito de uma longa vida a dois. Tampouco isso é original. Em Orã, como no resto do mundo, por falta de tempo e de reflexão, somos obrigados a amar sem saber.

O que é mais original na nossa cidade é a dificuldade que se pode ter para morrer. Dificuldade, aliás, não é o

---

* Associações formadas por integrantes de categorias profissionais. (*N. do E.*)

termo exato: seria mais certo falar em desconforto. Nunca é agradável ficar doente, mas há cidades e países que nos amparam na doença e onde podemos, de certo modo, nos entregar. O doente precisa de carinho, ter algo em que se apoiar. Isso é muito natural. Em Orã, porém, os excessos do clima, a importância dos negócios, a insignificância do cenário, a rapidez do crepúsculo e a qualidade dos prazeres, tudo exige boa saúde. Lá o doente fica muito só. O que dizer então daquele que vai morrer, apanhado na armadilha por detrás das paredes crepitantes de calor, enquanto, no mesmo minuto, toda uma população, ao telefone ou nos cafés, fala de câmbio, de notas fiscais ou de descontos? Compreende-se o que há de desconfortável na morte, mesmo nos dias de hoje, quando ela chega assim a um lugar seco.

Essas poucas indicações talvez deem uma ideia da nossa cidade. Aliás, é necessário não exagerar. O importante é ressaltar o aspecto banal da cidade e da vida. Mas os dias passam sem dificuldades, desde que se tenha criado hábitos. Partindo-se do princípio que a nossa cidade favorece justamente os hábitos, pode-se dizer que tudo vai bem. Sob esse aspecto, sem dúvida, a vida não é muito emocionante. Ao menos desconhece-se a desordem. E a nossa população franca, simpática e ativa sempre despertou no viajante uma estima considerável. Esta cidade sem pitoresco, sem vegetação e sem alma acaba parecendo repousante e afinal adormece-se nela. Mas é justo acrescentar que está enxertada numa paisagem sem igual, no meio de um planalto nu, rodeada de colinas luminosas, diante de uma baía de desenho perfeito. Pode-se apenas lamentar que tenha sido construída de costas para essa baía e que, portanto, seja impossível ver o mar. É sempre preciso ir procurá-lo.

Agora podemos admitir sem pesar que nada podia fazer nossos concidadãos preverem os incidentes que se deram na primavera desse ano e que foram, como compreendemos depois, os primeiros sinais dos graves acontecimentos cuja crônica nos propusemos fazer aqui. Esses fatos parecerão a alguns perfeitamente naturais e a outros, ao contrário, inverossímeis. Mas, afinal, um cronista não pode levar em conta essas contradições. Sua tarefa é apenas dizer "Isso aconteceu", quando sabe que isso, na verdade, aconteceu; que isso interessou à vida de todo um povo e que, portanto, há milhares de testemunhas que irão avaliar nos seus corações a verdade do que ele conta.

Aliás, o narrador, que se revelará no momento oportuno, não disporia de meios para lançar-se num empreendimento deste gênero se o acaso não o tivesse posto em condições de recolher um certo número de depoimentos e se a força das circunstâncias não o tivesse envolvido em tudo o que pretende relatar. É isso que o autoriza a agir como historiador. É claro que um historiador, mesmo que não passe de um amador, tem sempre documentos. O narrador desta história tem, portanto, os seus: em primeiro lugar, o seu testemunho; em seguida, o de outros, visto que, pelo seu papel, foi levado a recolher as confidências de todos os personagens desta crônica; e, finalmente, os textos que acabaram caindo em suas mãos. Pretende servir-se deles quando lhe parecer útil e utilizá-los como lhe aprouver. Propõe-se ainda... Mas talvez seja tempo de abandonar os comentários e as precauções de linguagem para passar ao assunto em si. O relato dos primeiros dias exige certa minúcia.

Na manhã do dia 16 de abril, o Dr. Bernard Rieux saiu do consultório e tropeçou num rato morto, no meio do patamar. Naquele momento, afastou-o sem prestar atenção e desceu a escada. Ao chegar à rua, porém, veio-lhe a ideia de que esse rato não estava em seu devido lugar e voltou para avisar o porteiro. Diante da reação do velho Michel, pôde perceber o que a sua descoberta tinha de insólito. A presença do rato morto parecera-lhe apenas estranha, enquanto para o porteiro constituía um escândalo. A posição deste último era, aliás, categórica: não havia ratos na casa. Por mais que o médico lhe garantisse que havia um no patamar do primeiro andar, provavelmente morto, a convicção de Michel permanecia firme. Não havia ratos na casa e certamente esse tinha sido trazido de fora. Em resumo, tratava-se de uma brincadeira.

Nessa mesma noite, Bernard Rieux, de pé no corredor do prédio, procurava as chaves antes de subir para seu apartamento quando viu surgir, do fundo escuro do corredor, um rato enorme, de passo incerto e pelo molhado. O animal parou, parecendo buscar o equilíbrio, correu em direção ao médico, parou de novo, deu uma cambalhota com um pequeno guincho e parou, por fim, lançando sangue pela boca entreaberta. O médico contemplou-o por um momento e subiu.

Não era no rato que ele pensava. Aquele sangue fazia-o voltar à sua preocupação. Sua mulher, doente havia um ano, devia partir no dia seguinte para uma estação de montanha. Como ela lhe pedira, quando foi encontrá-la no quarto onde descansava antes da viagem. Ela sorria.

— Sinto-me muito bem — disse ela.

O médico olhou o rosto voltado para ele, à luz da lâmpada de cabeceira. Para Rieux, aos 30 anos e a despeito das marcas da doença, esse rosto seria sempre o da mocidade, por causa, talvez, do sorriso que dominava todo o restante.

— Veja se consegue dormir — disse ele. — A enfermeira virá às onze horas e eu vou levá-las para pegarem o trem do meio-dia.

Beijou-lhe a testa ligeiramente úmida. O sorriso acompanhou-o até a porta.

No dia seguinte, 17 de abril, às oito horas, o porteiro deteve o médico e acusou paspalhões de mau gosto de haverem posto três ratos mortos no meio do corredor. Deviam tê-los apanhado com grandes ratoeiras, pois estavam cheios de sangue. O porteiro ficara algum tempo à porta, segurando os ratos pelas patas, esperando que os culpados se traíssem por algum deslize. Mas nada acontecera.

— Ah — disse Michel —, mas eu vou pegá-los.

Intrigado, Rieux decidiu começar suas visitas pelo subúrbio onde moravam os pacientes mais pobres. A coleta do lixo era feita muito tarde naquela área e o carro, que corria ao longo das ruas retas e poeirentas do bairro, roçava os caixotes de detritos deixados à beira da calçada. Numa dessas ruas, o médico contou 12 ratos jogados sobre restos de legumes e trapos sujos.

Encontrou o primeiro paciente na cama, num quarto que dava para a rua e que servia ao mesmo tempo de sala de jantar. Era um velho espanhol de rosto duro e vincado. Tinha à frente, sobre a coberta, duas marmitas cheias de ervilhas. No momento em que o médico entrou, o doente, semierguido no leito, inclinava-se para trás na tentativa de recuperar o fôlego penoso de velho asmático. A mulher trouxe uma bacia.

— Então, doutor — disse ele durante a injeção —, eles estão saindo, já viu?

— É verdade — confirmou a mulher —, o vizinho apanhou três.

O velho esfregava as mãos.

— Começam a sair, veem-se em todas as latas de lixo. É a fome.

Rieux não teve dificuldade em constatar, em seguida, que todo o bairro falava dos ratos. Terminadas as visitas, voltou para casa.

— Há um telegrama para o senhor lá em cima — informou Michel.

O médico perguntou-lhe se tinha visto mais ratos.

— Ah, não — disse o porteiro. — É que estou tomando conta, compreende, e esses safados não se atrevem.

O telegrama informava Rieux da chegada de sua mãe no dia seguinte. Vinha ocupar-se da residência do filho durante a ausência da esposa. Quando o médico entrou em casa, a enfermeira já estava lá. Rieux viu sua mulher de pé, de *tailleur*, já maquiada e pronta para sair.

— Está bem — disse —, muito bem.

Pouco depois, na estação ferroviária, instalava-a no carro-leito. Ela percorreu com o olhar o compartimento.

— É caro demais para nós, não é verdade?

— É preciso — respondeu Rieux.

— Que história é essa de ratos?

— Não sei. É estranho, mas vai passar.

Depois disse-lhe de modo muito rápido que lhe pedia perdão, que devia ter olhado por ela e que se descuidara muito. Ela sacudia a cabeça, como se fosse lhe dizer que se calasse. Mas Rieux acrescentou:

— Tudo correrá melhor quando você voltar. Vamos recomeçar.

— Sim — concordou ela, com os olhos brilhantes —, vamos recomeçar.

Um instante depois, ela voltava-lhe as costas e olhava pela vidraça. Na plataforma, as pessoas apressavam-se aos empurrões. O guincho da locomotiva chegava até eles. O médico chamou a mulher pelo nome e, quando ela se voltou, ele notou o rosto coberto de lágrimas.

— Não — disse ele, carinhosamente.

Sob as lágrimas voltou o sorriso, um pouco crispado. Ela inspirou profundamente.

— Vá embora, tudo correrá bem.

Rieux abraçou-a e, na plataforma, nada via senão o seu sorriso.

— Cuide-se, por favor — pediu.

Mas ela não podia ouvi-lo.

Perto da saída, Rieux encontrou o Sr. Othon, o juiz de instrução, que trazia pela mão o filho pequeno. O médico perguntou-lhe se ia viajar. Othon, alto e escuro, parecendo em parte o que se chamava outrora de um homem de sociedade e de outra parte um coveiro, respondeu numa voz amável mas breve:

— Estou à espera da Sra. Othon, que foi apresentar suas condolências à minha família.

A locomotiva apitou.

— Os ratos... — disse o juiz.

Rieux fez um movimento na direção do trem, mas voltou-se para a saída.

— Sim, não é nada.

Tudo o que guardou desse momento foi a passagem de um empregado que levava debaixo do braço um caixote cheio de ratos mortos.

Na tarde do mesmo dia, Rieux, no início de suas consultas, atendeu um rapaz que lhe disseram ser jornalista e que já viera de manhã. Chamava-se Raymond Rambert. Baixo, ombros largos, ar decidido, olhos claros e inteligentes, Rambert vestia roupa esporte e parecia de bem com a vida. Foi direto ao assunto. Fazia uma pesquisa para um grande jornal de Paris sobre as condições de vida dos árabes e queria informações a respeito de sua situação sanitária. Rieux informou-o de que não era nada boa, mas quis saber, antes de prosseguir, se o jornalista publicaria a verdade.

— Certamente — disse o outro.

— Quero dizer, pode fazer a condenação total?

— Total, não, devo dizê-lo. Mas creio que essa condenação não teria fundamento.

Com delicadeza Rieux disse que, na verdade, semelhante condenação não teria fundamento, mas que, ao fazer essa pergunta, procurava apenas saber se o testemunho de Rambert podia ou não ser dado sem reservas.

— Só admito os testemunhos sem reservas. Não estou, portanto, disposto a apoiar o seu com as minhas informações.

— É a linguagem de Saint-Just* — disse o jornalista sorrindo.

Sem elevar a voz, Rieux disse que não sabia nada sobre isso, mas que era a linguagem de um homem cansado do mundo em que vivia, que amava, contudo, os seus semelhantes e estava decidido a recusar, de sua parte, a injustiça das concessões. Rambert, com o pescoço enterrado nos ombros, olhava para o médico.

* Revolucionário francês do século XVIII. (*N. do E.*)

— Creio que o compreendo — disse por fim, levantando-se.

O médico acompanhou-o até a porta.

— Agradeço-lhe por aceitar as coisas assim.

Rambert pareceu impaciente.

— Sim, eu compreendo, perdoe-me o incômodo.

O médico apertou sua mão e informou-o de que haveria uma interessante reportagem a fazer sobre a quantidade de ratos mortos que se encontravam na cidade nesse momento.

— Ah! — exclamou Rambert. — Isso de fato me interessa.

Às cinco horas, ao sair para novas visitas, o médico encontrou na escada um homem ainda novo, de aspecto pesado, rosto fechado e cansado, riscado por sobrancelhas espessas. Tinha-o encontrado algumas vezes na casa dos bailarinos espanhóis que moravam no último andar do seu prédio. Jean Tarrou fumava com empenho um cigarro e contemplava as últimas convulsões de um rato que morria num degrau a seus pés. Levantou para o médico o olhar calmo e um pouco fixo nos olhos cinzentos e acrescentou que aquela aparição de ratos era algo bastante curioso.

— É verdade — respondeu Rieux —, mas acaba por tornar-se irritante.

— Num sentido, doutor, só num sentido. Nunca vimos nada semelhante, eis tudo, mas eu acho isso interessante, sim, positivamente interessante. — Tarrou passou a mão pelos cabelos, para atirá-los para trás, olhou de novo para o rato agora imóvel e depois sorriu para Rieux. — Mas, afinal, doutor, essa é sobretudo a tarefa do porteiro.

De fato, o médico encontrou o porteiro na frente do prédio, encostado à parede, perto da entrada, com uma expressão de cansaço no rosto habitualmente congestionado.

— Bem sei — disse o velho Michel a Rieux, que lhe comunicava a nova descoberta. — Encontram-se agora aos grupos de dois e três. Mas nas outras casas é a mesma coisa.

Parecia abatido e preocupado, esfregando o pescoço num gesto maquinal. Rieux perguntou-lhe como ia de saúde. O porteiro não podia dizer, na verdade, que não ia bem. Simplesmente não se sentia em forma. Em sua opinião, era o moral que estava um pouco abatido. Aqueles ratos tinham-no perturbado e tudo ficaria melhor quando tivessem desaparecido.

Mas no dia seguinte, 18 de abril, pela manhã, o médico, ao voltar com a mãe da estação, encontrou Michel com uma expressão ainda mais abatida: do porão ao sótão, uma dezena de ratos jazia nas escadas. As latas de lixo das casas vizinhas estavam cheias deles. A mãe do médico tomou conhecimento da notícia sem se admirar.

— São coisas que acontecem. — Era uma senhora de cabelos grisalhos, olhos negros e meigos. — Estou satisfeita por voltar a vê-lo, Bernard. Os ratos nada podem contra isso.

Ele concordava. Era verdade que com ela tudo lhe parecia sempre fácil.

Entretanto Rieux telefonou para o serviço de desratização, cujo diretor conhecia. Já ouvira falar desses ratos que vinham em grande número morrer ao ar livre? Mercier, o diretor, tinha ouvido falar nisso e, no seu próprio serviço, instalado próximo ao cais, haviam sido encontrados uns cinquenta. Perguntava a si próprio se o fato teria importância. Rieux não podia decidir, mas pensava que se impunha uma intervenção do serviço de Mercier.

— Sim — disse Mercier —, com uma ordem. Se acha que vale realmente a pena, posso tentar obter essa ordem.

— Sempre vale a pena — respondeu Rieux.

Sua empregada acabava de lhe comunicar que tinham apanhado várias centenas de ratos mortos na fábrica onde o marido trabalhava.

Foi mais ou menos nessa época que os nossos concidadãos começaram a inquietar-se com o caso, pois, a partir do dia 18, das fábricas e dos depósitos jorraram centenas de cadáveres de ratos. Em alguns casos, ainda foi necessário matar os roedores, pois a agonia era demasiado longa. Mas desde o subúrbio até o centro da cidade, por onde o Dr. Rieux passava, por toda parte onde os nossos concidadãos se reuniam, os ratos esperavam aos montes, nas lixeiras ou junto às sarjetas, em longas filas. A imprensa ocupou-se do caso a partir desse dia e perguntou se a administração municipal se propunha ou não agir e que medidas de urgência tencionava adotar para proteger a população dessa repugnante invasão. A Câmara nada se tinha proposto e nada previra, mas começou por reunir-se em conselho para deliberar. Foi dada ordem ao serviço de desratização para recolher os ratos mortos todas as madrugadas. Em seguida, dois carros designados para o serviço deveriam transportar os roedores até o forno de incineração de lixo a fim de serem queimados.

Mas, nos dias que se seguiram, a situação agravou-se. O número de roedores apanhados ia crescendo e a coleta era a cada manhã mais abundante. A partir do quarto dia, os ratos começaram a sair para morrer em grupos. Dos porões, das adegas, dos esgotos, subiam em longas filas titubeantes, para virem vacilar à luz, girar sobre si mesmos e morrer perto dos seres humanos. À noite, nos becos ou nas ruelas, ouviam-se distintamente os seus guinchos de agonia. De manhã, nos subúrbios, encontravam-se estendidos nas sarjetas com uma pequena flor de sangue nos focinhos pontiagudos; uns, inchados e pútridos; outros, rígidos e com os bigodes ainda eriçados. Na própria cidade eram encontrados em pequenos montes nos patamares ou nos pátios. Vinham também morrer isoladamente na entrada das repartições, nos pátios das escolas, por vezes nos terraços dos cafés. Nossos concidadãos, estupefatos, encontravam-nos nos locais mais frequentados da cidade. A Praça de Armas, as avenidas, o Passeio de Front-de-Mer pareciam desonrados. Limpa ao amanhecer dos roedores mortos, a cidade voltava a encontrá-los pouco a pouco, cada vez mais numerosos, durante o dia. Nas calçadas também ocorria a mais de um notívago sentir sob os pés a massa elástica de um cadáver ainda fresco. Dir-se-ia que a própria terra onde estavam construídas as nossas casas se purgava dos seus humores, deixando subir à superfície furúnculos que até então a minavam por dentro. Imaginem só o espanto da nossa pequena cidade, antes tão tranquila, transtornada em poucos dias, como um homem saudável cujo sangue espesso se pusesse de repente em revolução!

As coisas foram tão longe que a Agência Ransdoc (informações, documentação, todas as informações sobre qualquer assunto) anunciou, na emissão radiofônica de informações gratuitas, 6.231 ratos recolhidos e queimados, só no dia 25. Esse número, que dava um claro sentido ao espetáculo cotidiano que a cidade tinha diante dos olhos, aumentou a agitação. Até então as pessoas tinham apenas se queixado de um episódio que provocava mal-estar. Compreendia-se agora que esse fenômeno, cuja amplitude não se podia ainda avaliar e cuja origem era desconhecida, tinha qualquer coisa de ameaçador. Só o velho espanhol asmático continuava a esfregar as mãos e a repetir com uma alegria senil: "Eles estão saindo, eles estão saindo."

Entretanto, em 28 de abril, a Ransdoc anunciou uma coleta de aproximadamente 8 mil ratos e a ansiedade atingiu o auge. Exigiam-se medidas radicais, acusavam-se as autoridades e alguns que tinham casa na praia já falavam em retirar-se para lá. Mas, no dia seguinte, a agência informou que o fenômeno cessara bruscamente e que o serviço de desratização apanhara apenas uma quantidade insignificante de ratos mortos. A cidade respirou aliviada.

Contudo, foi nessa mesma data, ao meio-dia, que o Dr. Rieux, ao parar o carro na porta de casa, viu ao fundo da rua o porteiro que caminhava com dificuldade, de cabeça baixa, com os braços e as pernas afastados, parecendo um fantoche. O velho apoiava-se no braço de um padre que o doutor reconheceu. Era o reverendo Paneloux, um jesuíta erudito e militante que ele já encontrara algumas vezes e que era muito estimado na nossa cidade, mesmo por aqueles que não são religiosos. Esperou-os. O velho Michel tinha os olhos brilhantes e a respiração ruidosa. Não se sentia muito bem e tinha saído para tomar ar, mas dores agudas no pescoço, nas axilas e nas virilhas tinham-no obrigado a voltar e a pedir auxílio ao padre Paneloux.

— São uns inchaços — disse. — Devo ter feito algum esforço.

Esticando o braço, o médico apalpou o pescoço que o outro lhe estendia. Tinha-se formado uma espécie de nó.

— Deite-se e monitore a temperatura. Venho vê-lo esta tarde.

Quando o porteiro partiu, o médico perguntou ao padre Paneloux o que achava daquela história de ratos.

— Oh — respondeu o padre —, deve ser uma epidemia.

E os olhos sorriram por detrás dos óculos redondos.

Depois do almoço, Rieux relia o telegrama da casa de saúde que lhe anunciava a chegada de sua mulher quando o telefone tocou. Era um dos seus antigos pacientes, empregado da Câmara, que o chamava. Sofrera durante muito tempo de um estreitamento da aorta e, como era pobre, Rieux tratara-o de graça.

— Sim — disse ele —, sei que se lembra de mim. Mas é de outra pessoa que se trata. Venha depressa. Aconteceu alguma coisa na casa do meu vizinho.

Falava numa voz cansada. Rieux pensou no porteiro e decidiu que o veria depois. Alguns minutos mais tarde, atravessava a porta de uma casa baixa da rua Faidherbe, num subúrbio. No meio da escada, úmida e malcheirosa, encontrou Joseph Grand, o empregado da Câmara, que vinha ao seu encontro. Era um homem dos seus 50 anos, de bigode amarelo, alto e curvado, com ombros estreitos e braços magros.

— Agora está melhor — disse, ao chegar perto de Rieux —, mas achei que ele fosse morrer.

Assoou o nariz. No segundo e último andar, na porta da esquerda, Rieux leu, escrito com giz vermelho: "Entre. Eu me enforquei."

Entraram. Uma corda estava pendurada por cima de uma cadeira caída; a mesa fora empurrada para um canto. Mas a corda pendia no vazio.

— Desatei-o a tempo — disse Grand, que parecia sempre rebuscar as palavras, embora falasse a linguagem mais simples. — Ia justamente sair quando ouvi um ruído. Ao ver a inscrição, como explicar-lhe? Achei que se tratava de uma brincadeira. Mas ele soltou um gemido engraçado, até mesmo sinistro, se assim pode se dizer. — Coçou a cabeça. — Na minha opinião, a operação deve ser dolorosa. Naturalmente, entrei.

Tinham empurrado uma porta e encontravam-se à entrada de um quarto claro mas desprovido de mobília. Um homenzinho gordo estava deitado na cama de ferro. Respirava com esforço e olhava-os com olhos congestionados. O médico deteve-se. Nos intervalos da respiração, parecia-lhe ouvir guinchos de ratos. Mas nada se mexia pelos cantos. Rieux aproximou-se do leito. O homem não tinha caído de muito alto, nem muito bruscamente, e as vértebras resistiram. Na verdade, tinha só um pouco de asfixia. Seria necessário fazer uma radiografia. O médico deu-lhe uma injeção de óleo canforado e disse que tudo estaria bem dentro de alguns dias.

— Obrigado, doutor — agradeceu o homem numa voz sufocada.

Rieux perguntou a Grand se tinha avisado o comissário, e o empregado ficou com um ar confuso.

— Não, não! Pensei que o mais urgente...

— Sem dúvida! — interrompeu Rieux. — Vou fazê-lo agora.

Nesse momento, porém, o doente agitou-se e ergueu-se no leito, protestando que estava melhor e que não valia a pena.

— Acalme-se — disse Rieux. — Não tem importância, acredite, mas é necessário que eu faça a minha declaração.

— Oh! — exclamou o outro.

E atirou-se para trás, chorando com soluços curtos. Grand, que no momento anterior cofiava o bigode, aproximou-se dele.

— Vamos, Sr. Cottard, tente compreender. Pode-se dizer que o doutor é responsável. Se, por exemplo, o senhor tiver vontade de recomeçar...

Mas Cottard, entre lágrimas, disse que não recomeçaria, que fora apenas um momento de loucura e que só desejava que o deixassem em paz. Rieux redigia uma receita.

— Entendido. Vamos esquecer isso. Voltarei daqui a dois ou três dias. Mas não faça bobagem.

À porta, disse a Grand que era obrigado a fazer a declaração, mas que pediria ao comissário que só procedesse ao inquérito dali a dois dias.

— É preciso vigiá-lo esta noite. Ele tem família?

— Não a conheço. Mas posso vigiá-lo eu mesmo. — Balançava a cabeça. — Também não posso dizer que o conheço, veja bem. Mas é preciso nos ajudarmos uns aos outros.

Nos corredores da casa, Rieux olhou maquinalmente para os cantos e perguntou a Grand se os ratos tinham desaparecido totalmente do seu bairro. O funcionário nada sabia. Tinham-lhe falado, na verdade, dessa história, mas ele não prestava atenção aos boatos do bairro.

— Tenho mais com que me preocupar — afirmou.

Rieux já lhe apertava a mão. Tinha pressa de ver o porteiro antes de escrever à mulher.

Os vendedores dos jornais vespertinos anunciavam que a invasão dos ratos tinha parado. Mas Rieux encontrou o seu paciente quase caindo do leito, com uma das mãos no ventre e a outra em volta do pescoço, vomitando, em grandes golfadas, uma bílis rosada numa lata de lixo. Após muito esforço, sem fôlego, o porteiro voltou a deitar-se. A temperatura era de 39,5 graus, os gânglios do pescoço, os braços e as pernas estavam inchados, duas manchas escuras alastravam-se pelo flanco. Queixava-se agora de uma dor interna.

— Está ardendo — dizia ele —, esta porcaria está ardendo.

A boca fuliginosa obrigava-o a mastigar as palavras e ele voltava para o médico uns olhos protuberantes, dos quais a dor de cabeça fazia correr lágrimas. A mulher do porteiro olhava com ansiedade para Rieux, que continuava mudo.

— Doutor — perguntou ela —, que é isso?

— Pode ser uma série de coisas. Mas não há ainda nada de certo. Até esta noite, dieta e depurativo. Ele precisa beber muito líquido.

De fato, o porteiro sentia-se devorado pela sede.

Ao voltar para casa, Rieux telefonou para o seu colega Richard, um dos médicos mais importantes da cidade.

— Não — disse Richard —, não vi nada de extraordinário.

— Nem febre com inflamações locais?

— Ah! Sim, na verdade, dois casos de gânglios muito inflamados.

— Anormalmente?

— Sim — respondeu Richard —, o normal, você sabe...

À noite o porteiro delirava e, com 40 graus de febre, queixava-se dos ratos. Rieux tentou um abscesso de fixação.

Sob a queimadura da terebintina, o porteiro berrou:

— Ah, são uns safados!

Os gânglios tinham aumentado, estavam duros e fibrosos ao tato. A mulher do porteiro afligia-se:

— Fique junto dele — ordenou o médico — e, se for necessário, pode me chamar.

No dia seguinte, 30 de abril, uma brisa já morna soprava sob um céu azul e úmido. Trazia um cheiro de flores que vinha dos bairros mais afastados. Nas ruas, os ruídos da manhã pareciam mais vivos, mais alegres do que habitualmente. Em toda a nossa pequena cidade, liberta da apreensão em que tinha vivido durante a semana, esse era o dia da renovação. O próprio Rieux, tranquilizado por uma carta da mulher, desceu até a casa do porteiro. E na verdade, de manhã, a febre caíra para 38 graus. Enfraquecido, o doente sorria no leito.

— Está melhor, não é verdade, doutor? — perguntou a mulher.

— Vamos esperar um pouco.

Ao meio-dia, porém, a febre subira bruscamente a 40 graus, o paciente delirava sem cessar e os vômitos tinham recomeçado. Os gânglios do pescoço eram dolorosos ao tato e o doente parecia querer manter a cabeça o mais afastada possível do corpo. A mulher estava sentada ao pé da cama, segurando levemente os pés do doente. Olhava para Rieux.

— Ouça — disse ele —, é preciso isolá-lo e tentar um tratamento mais radical. Vou telefonar para o hospital e vamos levá-lo de ambulância.

Duas horas depois, na ambulância, o médico e a mulher curvavam-se sobre o doente. Da boca, coberta de fungosidades, saíam fragmentos de palavras: "Os ratos", dizia ele. Esverdeado, com os lábios descorados, as pálpebras pesadas, a respiração entrecortada e breve, dilacerado pelos gânglios, abatido no fundo da maca, como se quisesse fechá-la em torno de si ou como se qualquer coisa vinda do fundo da terra o chamasse sem descanso, o porteiro sufocava sob um peso invisível. A mulher chorava.

— Não há mais esperança, doutor?

— Está morto — disse Rieux.

A morte do porteiro, pode-se dizer, marcou o fim desse período cheio de sinais desconcertantes e o início de um outro, relativamente mais difícil, em que a surpresa dos primeiros tempos se transformou, pouco a pouco, em pânico. Os nossos concidadãos — a partir de então eles se davam conta disso — nunca tinham pensado que nossa pequena cidade pudesse ser um lugar particularmente designado para que os ratos morressem ao sol e os porteiros perecessem de doenças estranhas. Desse ponto de vista, era evidente que estavam errados e que suas ideias precisavam ser revistas. Se tudo tivesse ficado por aí, os hábitos, sem dúvida, teriam vencido. Mas outros concidadãos nossos, nem sempre porteiros ou pobres, tiveram de seguir o caminho que Michel fora o primeiro a tomar. Foi a partir desse momento que começou o medo e com ele, a reflexão.

Entretanto, antes de entrar nos detalhes desses novos acontecimentos, o narrador acha útil dar, sobre o período que acaba de ser descrito, a opinião de outra testemunha. Jean Tarrou, que já encontramos no início deste relato, fixara-se em Orã havia algumas semanas e morava, desde então, em um grande hotel no Centro. Parecia ser suficientemente próspero para viver dos seus rendimentos. Mas, embora a cidade se tivesse habituado a ele pouco a pouco, ninguém sabia dizer de onde vinha nem por que estava lá. Era encontrado em todos os lugares públicos. A partir do início da primavera, fora visto muitas vezes nas praias, nadando frequentemente e com visível satisfação. Bonachão, sempre sorridente, parecia ser amigo de todos os prazeres normais, sem ser escravo deles. Na realidade, o único hábito seu que conheciam era a convivência assídua com os bailarinos e músicos espanhóis, bastante numerosos na nossa cidade.

Seus apontamentos, de certa forma, constituem também uma espécie de crônica desse período difícil. Mas trata-se de uma crônica muito especial que parece obedecer a uma ideia preconcebida de insignificância. À primeira vista, poderíamos achar que Tarrou se empenhara em ver as coisas e os seres por um binóculo invertido. Na confusão geral, ele se empenhara, em suma, em ser o historiador do que não tem história. Pode-se, sem dúvida, deplorar esse preconceito e suspeitar certa dureza de coração. Nem por isso é menos verdade que os seus cadernos podem fornecer, para uma crônica desse período, uma grande quantidade de pormenores secundários que têm contudo importância; a sua própria singularidade impedirá que se julgue de modo precipitado esse interessante personagem.

As primeiras notas de Tarrou datam da sua chegada a Orã. Mostram desde o princípio uma curiosa satisfação por se encontrar numa cidade em si tão feia. Há uma descrição pormenorizada dos dois leões de bronze que ornam a Câmara Municipal, considerações benévolas sobre a ausência de árvores, as casas sem graça e o plano absurdo da cidade. Tarrou mistura ainda diálogos ouvidos nos bondes e nas ruas, sem acrescentar comentários, exceto um pouco mais adiante, em relação às conversas a respeito de um tal Camps. Tarrou assistira à conversa de dois condutores de bonde:

— Você conheceu Camps — dizia um.

— Camps? Um alto, de bigode preto?

— Exatamente. Trabalhava no controle.

— Sim, isso mesmo.

— Pois bem, morreu.

— Ah! E quando foi isso?

— Depois da história dos ratos.

— Veja só! E que foi que ele teve?

— Não sei. Febre. Além disso, não era forte. Teve abscessos debaixo dos braços. Não resistiu.

— No entanto, parecia um homem como os outros.

— Não, tinha o peito fraco e tocava no Orfeão. Soprar num pistom acaba com a pessoa.

— Ah! — concluiu o segundo. — Quando se é doente, não se deve tocar um instrumento de sopro.

Depois dessas poucas indicações, Tarrou perguntava a si mesmo por que razão Camps tinha entrado para o Orfeão contra o seu próprio interesse e quais eram as razões profundas que o tinham levado a arriscar a vida pelos desfiles dominicais.

Tarrou parecia, em seguida, ter sido favoravelmente impressionado por uma cena que se desenrolava muitas vezes na varanda que ficava em frente à sua janela. Na verdade, o seu quarto dava para uma rua transversal, onde os gatos dormiam à sombra dos muros. Mas todos os dias, depois do almoço, na hora em que a cidade inteira cochilava no calor, um velhinho aparecia numa varanda do outro lado da rua. Com os cabelos brancos e bem penteados, reto e austero nas suas roupas de corte militar, chamava os gatos com um "Bichano... bichano" ao mesmo tempo meigo e distante. Os gatos levantavam os olhos pálidos de sono, sem se perturbarem. O outro rasgava pedacinhos de papel e os jogava para a rua; os bichos, atraídos por essa chuva de borboletas brancas, avançavam para o meio da calçada, estendendo uma pata hesitante para os últimos pedaços de papel. O velhinho escarrava, então, sobre os gatos, com força e precisão. Se um dos escarros atingia o alvo, ele ria.

Por fim, Tarrou parecia ter sido definitivamente seduzido pelo caráter comercial da cidade, cuja aparência, animação e até os prazeres pareciam comandados pelas necessidades do negócio. Essa singularidade (é o termo empregado nos cadernos) recebia a aprovação de Tarrou e uma de suas observações elogiosas chegava a terminar com esta exclamação: "Finalmente!" São os únicos pontos em que as notas do viajante, nessa data, parecem assumir um caráter pessoal. É difícil avaliar o seu significado e seriedade. Foi assim que, depois de ter relatado que a descoberta de um rato morto levara o caixa do hotel a cometer um erro na sua conta, Tarrou acrescentara, com uma letra menos nítida que de costume: "Pergunta: como fazer para não se perder tempo? Resposta: senti-lo em toda a sua extensão. Meios: passar os dias na sala de espera de um dentista, numa cadeira desconfortável; viver as tardes de domingo na varanda; ouvir conferências numa língua que não se compreende; escolher os itinerários de trem mais longos e menos cômodos e viajar de pé, naturalmente; fazer fila nas bilheterias dos espetáculos e não ocupar o seu lugar etc." Mas de repente, após essas digressões de linguagem e de pensamento, os cadernos começam uma descrição detalhada dos bondes da nossa cidade, da sua forma de bote, da sua cor indefinida, da sua sujeira habitual, terminando essas considerações por um "É notável!" que nada explica.

Eis, em todo caso, as explicações dadas por Tarrou sobre a história dos ratos:

— Hoje, o velhinho que mora em frente está perturbado. Já não há gatos. Desapareceram, na verdade, excitados pela grande quantidade de ratos mortos que se descobrem nas ruas. Na minha opinião, é impossível que os gatos comam ratos mortos. Lembro-me de que os meus detestam isso. O que não impede que eles corram pelos porões e que o velhinho esteja perturbado. Está menos bem penteado, menos vigoroso. Sente-se que está inquieto. Demorou-se apenas um momento e entrou. Só que, dessa vez, escarrara no vazio.

"Na cidade, pararam um bonde hoje porque se descobriu um rato morto que, não se sabe como, fora parar lá. Duas ou três mulheres desceram. Jogou-se fora o rato. O bonde voltou a funcionar.

"No hotel, o vigia da noite, que é homem digno de confiança, disse-me que, com todos esses ratos, esperava uma desgraça. 'Quando os ratos abandonam o navio...' Disse-lhe que era verdade no caso dos navios, mas que nunca se tinha verificado isso com as cidades. No entanto, a sua convicção persiste. Perguntei-lhe que desgraça, em sua opinião, se podia esperar. Não sabia. É impossível prever a desgraça. Mas não se admiraria se fosse um tremor de terra. Reconheci que era possível e ele perguntou-me se isso não me inquietava.

"A única coisa que me interessa, respondi-lhe, é encontrar a paz interior.

"Ele compreendeu-me perfeitamente.

"No restaurante do hotel há uma família bastante interessante. O pai é um homem alto e magro, vestido de preto, de colarinho engomado. Tem o meio do crânio calvo e dois tufos de cabelos grisalhos, à direita e à esquerda. Uns olhinhos redondos e duros, o nariz fino e a boca reta dão-lhe um ar de uma coruja bem-educada. É sempre o primeiro a chegar à porta do restaurante. Afasta-se, deixa passar a mulher pequenina como um rato preto e então entra, trazendo atrás um rapaz e uma mocinha vestidos como cachorros comportados. Ao chegar à mesa, espera que a mulher se tenha sentado, senta-se, e os dois cachorrinhos podem finalmente empoleirar-se nas cadeiras. Trata a mulher e os filhos de 'a senhora', 'o senhor', 'a senhorita'; dirige gracejos bem-educados à primeira e palavras decisivas aos herdeiros.

"Nicole, você está soberanamente antipática!

"A menina está prestes a chorar. É só o que falta.

"Esta manhã, o rapaz estava todo agitado com a história dos ratos. Quis dizer qualquer coisa à mesa.

"Não se fala de ratos à mesa, Felipe. Proíbo-o, daqui em diante, de pronunciar essa palavra.

"Seu pai tem razão, disse a rata preta.

"Os dois cãezinhos meteram os narizes nos pratos e a coruja agradeceu com um sinal de cabeça que não queria dizer muita coisa.

"Apesar desse belo exemplo, na cidade fala-se muito dessa história de ratos. O jornal ocupou-se do caso. A crônica local, que é habitualmente muito variada, é agora totalmente dedicada a uma campanha contra a Câmara: 'Compreenderam os nossos vereadores o perigo que podiam representar os cadáveres podres desses roedores?' O diretor do hotel não consegue falar de outra coisa. Mas é também porque se sente envergonhado. Descobrir ratos no elevador de um hotel respeitável parece-lhe inconcebível. Para consolá-lo, eu lhe disse: 'Mas acontece o mesmo a todos!'

"Justamente, respondeu-me, somos agora como todos os outros.

"Foi ele que me falou dos primeiros casos dessa febre que começou a se tornar inquietante. Uma das camareiras do hotel foi atacada.

"Mas, evidentemente, não é contagioso, apressou-se a declarar.

"Respondi-lhe que isso me era indiferente.

"Ah, compreendo, o senhor é como eu, o senhor é fatalista.

"Eu não tinha dito nada parecido e, aliás, não sou fatalista. E eu lhe disse isso...!"

É a partir desse ponto que os cadernos de Tarrou começam a falar com alguns pormenores dessa febre desconhecida com que o público já se inquietava. Ao notar que o velhinho voltara a encontrar os gatos com o desaparecimento dos ratos e que retificava pacientemente os seus tiros, Tarrou acrescentava que já se podia citar uma dezena de casos dessa febre, a maior parte dos quais tinha sido mortal.

A título documental, pode-se enfim reproduzir o retrato do Dr. Rieux feito por Tarrou. Até onde o narrador pode julgar, ele é bastante fiel:

"Aparenta 35 anos. Estatura mediana. Ombros fortes. Rosto quase retangular. Olhos escuros e diretos, maxilares proeminentes. O nariz forte é regular. Cabelos pretos, cortados muito curtos. A boca é arqueada com os lábios cheios e sempre fechados. Tem um pouco o ar de um camponês siciliano com a pele queimada, o cabelo preto e as roupas sempre de cor escura, mas que lhe ficam bem.

"Anda depressa. Desce as calçadas sem mudar de passo, mas duas vezes em cada três sobe a calçada em frente com um pequeno salto. Distrai-se ao volante do automóvel e deixa muitas vezes as setas ligadas, mesmo depois de ter feito a curva. Sempre de cabeça descoberta, tem aspecto de pessoa bem-informada."

Os números de Tarrou eram exatos. O Dr. Rieux sabia alguma coisa a esse respeito. Isolado o corpo do porteiro, telefonara a Richard para interrogá-lo sobre essas febres inguinais.

— Não compreendo nada — respondera Richard. — Dois mortos, um em 48 horas, o outro, em três dias. Eu tinha deixado o último, uma manhã, com todos os indícios de convalescença.

— Avise-me se houver outros casos — disse Rieux.

Telefonou ainda para outros médicos. Essa sindicância mostrou uns vinte casos semelhantes em alguns dias. Quase todos tinham sido fatais. Pediu então a Richard, secretário do Sindicato dos Médicos de Orã, o isolamento dos novos doentes.

— Mas não posso fazer nada — respondeu Richard. — Essas providências são com a Prefeitura. Além disso, quem lhe diz que há risco de contágio?

— Ninguém, mas os sintomas são inquietantes.

Richard, entretanto, achava que não tinha "competência". Tudo o que podia fazer era falar com o prefeito.

Porém, enquanto se falava, perdia-se tempo. No dia seguinte à morte do porteiro, grandes brumas cobriam o céu. Chuvas diluvianas e rápidas abateram-se sobre a cidade, seguindo-se a esses bruscos aguaceiros um calor de tempestade. O próprio mar perdera o azul profundo e, sob o céu brumoso, tinha reflexos de prata ou de ferro, doloroso à vista. O calor úmido dessa primavera nos fazia desejar os ardores do verão. Na cidade, construída em caracol sobre um planalto, quase fechada para o mar, reinava um morno torpor. No meio dos seus longos muros caiados, entre as ruas de vitrines poeirentas, nos bondes de um amarelo sujo, as pessoas sentiam-se um pouco prisioneiras do céu. Só o velho doente de Rieux dominava a asma para se regozijar com esse tempo.

— Está pegando fogo — dizia ele. — É bom para os brônquios.

Queimava, na verdade, mas nem mais nem menos do que uma febre. Toda a cidade estava com febre. Era essa, pelo menos, a impressão que perseguia o Dr. Rieux na manhã em que se dirigiu à rua Faidherbe a fim de assistir ao inquérito sobre a tentativa de suicídio de Cottard. Mas essa impressão parecia-lhe insensata.

Atribuía-a ao enervamento e às preocupações que o assaltavam e admitiu que era urgente colocar um pouco de ordem nas ideias.

Quando chegou, o comissário ainda não tinha vindo. Grand esperava no patamar e eles decidiram entrar primeiro na sua casa, deixando a porta aberta. O funcionário municipal ocupava duas peças sumariamente mobiliadas. Via-se apenas uma estante de madeira branca guarnecida com dois ou três dicionários e um quadro-negro onde se podiam ainda ler, meio apagadas, as palavras "aleias floridas". Segundo Grand, Cottard passara bem a noite. Mas de manhã acordara com dor de cabeça e incapaz de qualquer reação. Grand parecia cansado e nervoso, andando de um lado para outro, abrindo e fechando sobre a mesa uma grande pasta cheia de folhas manuscritas.

Contou ao médico que conhecia mal Cottard, mas que julgava que tivesse alguns bens. Cottard era um homem estranho. Durante muito tempo suas relações tinham-se limitado a alguns cumprimentos nas escadas.

— Só tive duas conversas com ele. Há alguns dias, derrubei no patamar uma caixa de giz que trazia para casa. Havia giz vermelho e giz azul. Cottard apareceu no patamar e ajudou-me a apanhá-los. Perguntou-me para que servia esse giz de diferentes cores.

Grand explicara então que tentava recordar um pouco o seu latim. Desde o ginásio, os seus conhecimentos tinham-se esvaído.

— Garantiram-me — explicou ao médico — que é útil para conhecer melhor o sentido das palavras francesas.

Escrevia, portanto, palavras latinas no seu quadro. Copiava com giz azul a parte variável das palavras, segundo as declinações e as conjugações, e com giz vermelho a invariável.

— Não sei se Cottard compreendeu bem, mas pareceu-me interessado e pediu-me um pedaço de giz vermelho. Fiquei um pouco surpreendido, mas afinal... Não podia adivinhar, evidentemente, que isso iria servir ao seu projeto.

Rieux perguntou qual fora o assunto da segunda conversa. Mas, acompanhado do seu secretário, chegou o comissário, que quis ouvir, em primeiro lugar, as declarações de Grand. O médico observou que Grand, ao falar de Cottard, referia-se a ele sempre como o "desesperado". Empregou até, em certo momento, a expressão "resolução fatal". Discutiram sobre a causa do suicídio e Grand mostrou-se hesitante na escolha dos termos. Ateve-se por fim às palavras "desgostos íntimos". O comissário perguntou se nada na atitude de Cottard deixava prever o que ele chamava "a sua determinação".

— Bateu ontem à minha porta — respondeu Grand — para me pedir fósforos. Dei-lhe a caixa. Pediu desculpas, dizendo que entre vizinhos... Depois, afirmou que me devolveria a caixa. Disse-lhe que ficasse com ela.

O comissário perguntou ao funcionário municipal se Cottard não lhe parecera estranho.

— O que me pareceu estranho foi ele mostrar vontade de conversar. Mas eu estava trabalhando. — Grand voltou-se para Rieux e acrescentou, com ar constrangido: — Um trabalho pessoal.

Entretanto o comissário queria ver o doente. Mas Rieux achava que primeiro era melhor preparar Cottard para essa visita. Quando entrou no quarto, ele estava erguido no leito, apenas com uma roupa de flanela acinzentada, e voltado para a porta com uma expressão de ansiedade.

— É a polícia, hein?

— É — disse Rieux. — Não se preocupe. Duas ou três formalidades e o deixarão em paz.

Mas Cottard respondeu que isso não servia para nada e que não gostava da polícia. Rieux ficou impaciente.

— Eu também não morro de amores por ela. Trata-se de responder depressa e corretamente às perguntas para acabar com isso de uma vez por todas.

Cottard calou-se e o médico voltou à porta. Mas o sujeitinho chamou-o e agarrou-lhe as mãos quando chegou perto da cama.

— Não se pode tocar num doente, num homem que se enforcou, não é verdade, doutor?

Rieux olhou-o por um momento e, finalmente, garantiu que nunca se cogitara de nada desse gênero e que, enfim, ele estava ali para proteger o seu doente. Este pareceu acalmar-se e Rieux mandou entrar o comissário.

Leram para Cottard o depoimento de Grand e perguntaram-lhe se podia explicitar os motivos de seu ato. Ele respondeu apenas, e sem olhar para o comissário, que "desgostos íntimos" estava muito bem. O comissário forçou-o a dizer se tinha vontade de reincidir. Cottard, animando-se, respondeu que não e que só desejava que o deixassem em paz.

— Convém observar — disse o comissário, num tom irritado — que no momento é o senhor quem perturba a paz dos outros.

Mas, a um sinal de Rieux, calou-se.

— Compreende — suspirou o comissário, ao sair —, temos outros problemas com que nos ocupar desde que se fala dessa febre...

Perguntou ao médico se a coisa era séria e Rieux respondeu que nada sabia.

— É o tempo, mais nada — concluiu o comissário.

Era o tempo, sem dúvida. Tudo ficava pegajoso à medida que o dia avançava e Rieux sentia crescer sua apreensão a cada visita. Na noite daquele mesmo dia, no subúrbio, um vizinho do velho doente apertava as virilhas e vomitava no meio do delírio. Os gânglios estavam ainda maiores que os do porteiro. Um deles começava a supurar e logo se abriu como um fruto podre. Ao chegar em casa, Rieux telefonou para o depósito de produtos farmacêuticos do departamento. Suas notas profissionais mencionam, apenas, nessa data: "Resposta negativa." E já o chamavam de outros lugares para casos semelhantes. Era evidente que se tornava necessário abrir os abscessos. Dois golpes de bisturi em cruz, e dos gânglios escorria uma pasta sangrenta. Os doentes sangravam. Mas surgiam manchas no ventre e nas pernas, um gânglio deixava de supurar, depois tornava a inchar. Na maior parte das vezes o doente morria exalando um cheiro terrível.

A imprensa, tão indiscreta no caso dos ratos, já não mencionava nada. É que os ratos morrem na rua e os homens, em casa. E os jornais só se ocupam da rua. Mas a Prefeitura e a Câmara começavam a questionar-se. Enquanto cada médico não tinha tido conhecimento de mais de dois ou três casos, ninguém pensara em se mexer.

Mas, em resumo, bastou que alguém pensasse em fazer a soma e a soma era alarmante. Em apenas alguns dias, os casos mortais multiplicaram-se e tornou-se evidente, para aqueles que se preocupavam com a curiosa moléstia, que se tratava de uma verdadeira epidemia. Foi esse o momento que Castel, colega de Rieux, muito mais velho que ele, escolheu para ir visitá-lo.

— Naturalmente — perguntou — sabe do que se trata, Rieux?

— Estou esperando o resultado das análises.

— Pois eu sei. E não preciso de análises. Fiz uma parte da minha carreira na China e vi alguns casos em Paris, há uns vinte anos. Simplesmente não se teve coragem de lhe dar um nome. A opinião pública é sagrada: nada de pânico. Sobretudo, nada de pânico. E depois, como dizia um colega: "É impossível, todo mundo sabe que ela desapareceu do Ocidente." Sim, todos sabiam exceto os mortos. Vamos, Rieux, você sabe tão bem quanto eu o que é.

Rieux refletia. Pela janela do escritório olhava a falésia rochosa que se fechava, ao longe, sobre a baía. O céu, embora azul, tinha um brilho pálido que se abrandava à medida que a tarde avançava.

— É verdade, Castel — respondeu. — É incrível, mas parece peste.

Castel levantou-se e dirigiu-se à porta.

— Você sabe o que vão nos responder — disse o velho médico. — "Ela desapareceu dos países temperados há muitos anos."

— Que quer dizer isso... desaparecer? — perguntou Rieux encolhendo os ombros.

— Sim, não se esqueça: em Paris ainda, há quase vinte anos.

— Bem, esperemos que não seja mais grave hoje que naquela época. Mas é realmente incrível.

A palavra "peste" acabava de ser pronunciada pela primeira vez. Neste ponto da narrativa, com Bernard Rieux atrás da janela, permitir-se-á ao narrador que justifique a incerteza e o espanto do médico, já que, com algumas variações, sua reação foi a da maior parte dos nossos concidadãos. Os flagelos, na verdade, são uma coisa comum, mas é difícil acreditar neles quando se abatem sobre nós. Houve no mundo igual número de pestes e de guerras. E contudo as pestes, como as guerras, encontram sempre as pessoas igualmente desprevenidas. Rieux estava desprevenido, assim como os nossos concidadãos; é necessário compreender assim as duas hesitações. Por isso é preciso compreender, também, que ele estivesse dividido entre a inquietação e a confiança. Quando estoura uma guerra, as pessoas dizem: "Não vai durar muito, seria estúpido." Sem dúvida, uma guerra é uma tolice, o que não a impede de durar. A tolice insiste sempre, e nós a compreenderíamos se não pensássemos sempre em nós. Nossos concidadãos, a esse respeito, eram como todo mundo: pensavam em si próprios. Em outras palavras, eram humanistas: não acreditavam nos flagelos. O flagelo não está à altura do homem; diz-se então que o flagelo é irreal, que é um sonho mau que vai passar. Mas nem sempre ele passa e, de sonho mau em sonho mau, são os homens que passam e os humanistas em primeiro lugar, pois não tomaram as suas precauções. Nossos concidadãos não eram mais culpados que os outros. Apenas se esqueciam de ser modestos e pensavam que tudo ainda era possível para eles, o que pressupunha que os flagelos eram impossíveis. Continuavam a fazer negócios, preparavam viagens e tinham opiniões. Como poderiam ter pensado na peste que suprime o futuro, os deslocamentos e as discussões? Julgavam-se livres e jamais alguém será livre enquanto houver flagelos.

Mesmo depois de o Dr. Rieux ter reconhecido, diante do amigo, que um punhado de doentes dispersos acabava de morrer da peste, sem aviso, o perigo continuava irreal para ele. Simplesmente, quando se é médico, faz-se uma ideia da dor e tem-se um pouco mais de imaginação. Ao olhar pela janela a cidade que não mudara, mal pode-se dizer que Rieux sentia nascer dentro de si esse ligeiro desânimo diante do futuro que se chama inquietação. Ele procurava reunir no seu espírito o que sabia sobre a doença. Números flutuavam na sua memória e ele dizia a si mesmo que umas três dezenas de pestes que a história conheceu tinham feito perto de cem milhões de mortos. Mas que são cem milhões de mortos? Quando se fez a guerra, já é muito saber o que é um morto. E visto que um homem morto só tem significado se o vemos morrer, cem milhões de cadáveres semeados ao longo da história esfumaçam-se na imaginação. O médico lembrava-se da peste de Constantinopla, que, segundo Procópio, tinha feito dez mil vítimas em um só dia. Dez mil mortos são cinco vezes o público de um grande cinema. Aí está o que se deveria fazer. Juntar as pessoas à saída de cinco cinemas para conduzi-las a uma praça da cidade e fazê-las morrer em montes para se compreender alguma coisa. Ao menos se poderiam colocar alguns rostos conhecidos nesse amontoado anônimo. Mas, naturalmente, isso é impossível de realizar e, depois, quem conhece dez mil rostos? Além disso, como é do conhecimento geral, as pessoas como Procópio não sabiam contar. Em Cantão, há setenta anos, quarenta mil ratos tinham morrido da peste, antes que o flagelo se interessasse pelos habitantes. Mas, em 1871, não havia um meio de contar os ratos. Fazia-se um cálculo aproximado, por alto, com evidentes probabilidades de erro. Contudo, se um rato tem 30 centímetros de comprimento, quarenta mil ratos em fila dariam...

Mas o médico impacientava-se. Deixava-se entregar e isso era perigoso. Alguns casos não constituem uma epidemia e basta tomar precauções. Era preciso limitar-se àquilo que se sabia: o torpor e a prostração, os olhos vermelhos, a boca seca, a dor de cabeça, os tumores, a sede terrível, o delírio, as manchas no corpo, o dilaceramento interior e, no fim de tudo... No fim de tudo, uma frase surgia no espírito do Dr. Rieux, uma frase que no seu manual encerrava justamente a enumeração dos sintomas: "O pulso torna-se filiforme e a morte sobrevém por ocasião de um movimento insignificante." Sim, no fim de tudo, ficávamos presos por um fio e três quartos da população — era o número exato — estavam impacientes para fazer o movimento imperceptível que os precipitaria.

O médico continuava a olhar pela janela. De um lado da vidraça, o céu fresco da primavera; do outro, a palavra que ressoava ainda na sala: peste. A palavra não continha apenas o que a ciência queria efetivamente lhe atribuir, e sim uma longa série de imagens extraordinárias que não combinavam com essa cidade amarela e cinzenta, moderadamente animada a essa hora, ruidosa, ou melhor, zumbindo feliz, em suma, se é possível ser ao mesmo tempo feliz e taciturno. E uma tranquilidade tão pacífica e tão indiferente negava quase sem esforço as velhas imagens do flagelo: Atenas empestada e abandonada pelos pássaros; as cidades chinesas cheias de moribundos silenciosos; os condenados de Marselha empilhando em covas os corpos que se liquefaziam; a construção, na Provença, de uma muralha para deter o vento furioso da peste; Jafa e os seus mendigos horrendos; os catres úmidos e podres colados à terra batida do hospital de Constantinopla; os doentes suspensos por ganchos; o carnaval dos médicos mascarados durante a Peste Negra; os acasalamentos dos vivos nos cemitérios de Milão; as carretas de mortos na aterrada Londres; as noites e os dias em toda parte e sempre cheios dos gritos intermináveis dos homens. Não, tudo isso não era ainda bastante forte para matar a paz desse dia. Do outro lado da vidraça, a campainha de um bonde invisível tilintava de repente e refutava num segundo a crueldade e a dor. Só o mar, ao fundo do tabuleiro baço das casas, comprovava o que há de inquietação e de eterna falta de tranquilidade neste mundo. E o Dr. Rieux, que olhava para o golfo, pensava nas fogueiras citadas por Lucrécio e que os atenienses atacados pela doença acendiam à beira-mar. Levavam os mortos para lá durante a noite, mas o lugar era pequeno e os vivos batiam-se a golpes de archote para colocar os que lhes tinham sido queridos, sustentando lutas sangrentas para não abandonar os cadáveres. Podiam-se imaginar as fogueiras rubras diante da água tranquila e escura, os combates de archotes na noite crepitante de fagulhas e densos vapores envenenados subindo para o céu atento. Podia-se recear...

Mas essa vertigem não se sustentava diante da razão. É verdade que a palavra "peste" fora pronunciada, é verdade que, nesse mesmo instante, o flagelo abalava e derrubava uma ou duas vítimas. Mas, que diabo, aquilo podia parar. O que era preciso era reconhecer claramente o que devia ser reconhecido, expulsar enfim as sombras inúteis, tomar as devidas providências. Em seguida, a peste cessaria, porque ou não se podia imaginar a peste ou então a imaginávamos de modo falso. Se ela cessasse — o que era o mais provável —, tudo correria bem. Caso contrário, se saberia o que ela era para, não havendo meio de se defender dela primeiro, vencê-la em seguida.

O médico abriu a janela e o ruído da cidade cresceu de repente. De uma oficina vizinha chegava o silvo breve e repetido de uma serra mecânica. Rieux despertou. Aí estava a certeza, no trabalho de todos os dias. O resto prendia-se a fios, a movimentos insignificantes, não se podia perder tempo com isso. O essencial era cumprir o seu dever.

O Dr. Rieux estava nesse ponto de suas reflexões quando lhe anunciaram Joseph Grand. Como era funcionário municipal, embora suas ocupações fossem muito diversas, utilizavam-no periodicamente no serviço da estatística do Registro Civil. Assim, era ele quem tinha de fazer a contagem dos óbitos. E, prestativo por natureza, concordara em levar pessoalmente à casa de Rieux uma cópia dos seus resultados.

O médico viu entrar Grand na companhia do seu vizinho Cottard. O funcionário municipal brandia uma folha de papel.

— Os números sobem, doutor — anunciou. — Onze mortos em 48 horas.

Rieux cumprimentou Cottard e perguntou-lhe como se sentia. Grand explicou que Cottard fizera questão de agradecer ao médico e pedir-lhe desculpas pelos transtornos que lhe causara. Mas o médico olhava para a folha de estatística.

— Vamos — disse Rieux —, talvez seja preciso decidirmo-nos a chamar esta doença pelo seu nome verdadeiro. Até agora, estamos tateando. Mas venha comigo, preciso ir ao laboratório.

— Sim, sim — disse Grand, ao descer as escadas atrás do médico. — É preciso chamar as coisas pelo nome verdadeiro. Mas que nome é esse?

— Não posso lhe dizer e, além disso, de nada lhe serviria.

— Está vendo? — disse o funcionário municipal, com um sorriso. — Não é fácil.

Dirigiram-se à Praça de Armas. Cottard continuava calado. As ruas começavam a encher-se de gente. O crepúsculo fugidio da nossa região já começava a recuar diante da noite e as primeiras estrelas apareciam no horizonte ainda nítido. Um instante depois, as lâmpadas, acendendo-se por cima das ruas, obscureceram todo o céu e o ruído das conversas pareceu subir de tom.

— Desculpem-me — disse Grand na esquina da Praça de Armas —, mas preciso tomar o bonde. Minhas noites são sagradas. Como dizem na minha terra, "não se deve deixar para amanhã..."

Rieux já notara essa mania de Grand, nascido em Montélimar, de evocar provérbios regionais e de acrescentar, em seguida, fórmulas banais que não eram de lugar algum, como "um tempo de sonho" ou "uma iluminação feérica".

— Ah — disse Cottard —, é verdade. É impossível arrancá-lo de casa depois do jantar.

Rieux perguntou a Grand se trabalhava na Prefeitura. Grand respondeu que não, que trabalhava por conta própria.

— Ah — disse Rieux, para ter o que dizer —, e está dando certo?

— Há anos que trabalho nisto, forçosamente. Embora, em outro sentido, não haja muitos progressos.

— Mas, afinal, de que se trata? — perguntou o médico, detendo-se.

Grand gaguejou, enterrando o chapéu sobre as orelhas. E Rieux compreendeu muito vagamente que se tratava de qualquer coisa sobre o desenvolvimento de uma personalidade. Mas o funcionário já os deixava e subia a avenida Marne, sob os fícus, com um passo apressado. À entrada do laboratório, Cottard disse ao médico que gostaria muito de consultá-lo para pedir-lhe orientação. Rieux, que remexia nos bolsos a folha de estatística, convidou-o a vir ao consultório, mas depois, mudando de opinião, disse-lhe que iria no dia seguinte ao seu bairro e que passaria pela sua casa no fim da tarde.

Ao deixar Cottard, o médico se deu conta de que pensava em Grand. Imaginava-o no meio de uma peste, e não dessa, que sem dúvida não seria séria, mas de uma das grandes pestes da História. "É o tipo de homem que é poupado nesses casos." Lembrava-se de ter lido que a peste poupava as constituições fracas e destruía sobretudo as compleições vigorosas. E, continuando a pensar nisso, o médico descobria no empregado municipal um arzinho de mistério.

À primeira vista, com efeito, Joseph Grand nada era além do pequeno funcionário municipal que aparentava ser. Alto e magro, flutuava dentro das roupas, largas demais, e assim escolhidas por ele na ilusão de que durariam mais. Se conservava ainda a maior parte dos dentes da arcada inferior, em contrapartida perdera a maior parte dos superiores. O sorriso, que lhe erguia o lábio superior, tornava-lhe a boca escura. Acrescentando-se a este retrato um andar de seminarista, a arte de se esgueirar pelas paredes e de deslizar por entre as portas, um perfume de adega e de fumaça, todos os sinais da insignificância, há que reconhecer que só seria possível imaginá-lo diante de uma mesa revendo as tarifas dos banhos de ducha da cidade ou reunindo, para um jovem redator, os dados de um relatório sobre a nova taxa de lixo. Mesmo a um espírito desavisado ele pareceria ter vindo ao mundo para exercer as funções discretas mas indispensáveis de auxiliar municipal temporário, a 62,30 francos por dia.

Era, na verdade, a menção que ele dizia constar das folhas de emprego, em seguida à palavra "qualificação". Quando, há 22 anos — ao fim de uma licenciatura além da qual, por falta de dinheiro, ele não pudera ultrapassar —, aceitara esse emprego, haviam lhe dado a esperança, segundo ele, de uma "efetivação rápida". Tratava-se apenas de dar, durante algum tempo, provas de competência nas questões delicadas que a administração da nossa cidade apresentava. Depois, tinham-lhe garantido, não poderia deixar de chegar ao lugar de redator que lhe permitiria viver comodamente. Certamente não era a ambição que fazia Joseph Grand agir, segundo ele assegurava com um sorriso melancólico, e sim a perspectiva de uma vida material assegurada por meios honestos. Consequentemente, sorria-lhe a possibilidade de entregar-se sem remorsos às suas ocupações favoritas. Se aceitara a oferta que lhe faziam, fora por motivos dignos e, como se diz, por fidelidade a um ideal.

Havia muitos anos que perdurava essa situação provisória, o custo de vida tinha subido em proporções desmedidas e o ordenado de Grand, apesar de alguns aumentos gerais, ainda era irrisório. Tinha-se queixado a Rieux, mas ninguém parecia dar importância ao fato. É aqui que se mostra a originalidade de Grand ou, pelo menos, um dos seus sinais. Ele teria podido, com efeito, fazer valer, se não seus direitos, de que não estava muito seguro, ao menos as garantias que lhe tinham dado. Mas, em primeiro lugar, o chefe de repartição que o tinha contratado morrera havia muito tempo e, além do mais, o empregado municipal não se lembrava dos termos exatos da promessa que lhe fora feita. Enfim, Joseph Grand não achava as palavras.

Era essa particularidade que melhor retratava o nosso concidadão, como Rieux pôde observar. Era ela, na verdade, que o impedia sempre de escrever o requerimento de que cogitava ou de tomar as medidas que as circunstâncias exigiam. De fato, sentia-se particularmente impedido de empregar a palavra "direito", sobre a qual não estava seguro, ou "promessas", que implicaria exigências do que lhe era devido, e teria, por consequência, se revestido de um caráter de ousadia pouco compatível com a modéstia das funções que desempenhava. Por outro lado, recusava-se a empregar os termos "benevolência", "solicitar", "gratidão", que, no seu entender, não se ajustavam à sua dignidade pessoal. Assim, por falta da palavra certa, nosso concidadão continuou a exercer suas obscuras funções até uma idade bastante avançada. Aliás, e sempre segundo o que ele dizia a Rieux, deu-se conta, com o hábito, de que, de qualquer maneira, sua vida material estava assegurada, já que lhe bastava, afinal, adaptar suas necessidades aos seus recursos. Reconheceu, assim, o acerto de uma das frases prediletas do prefeito, grande industrial de nossa cidade, que afirmava enfaticamente que afinal — e acentuava bem essa palavra, que continha todo o peso do raciocínio —, afinal, portanto, nunca se tinha visto ninguém morrer de fome. De qualquer forma, a vida quase ascética que Joseph Grand levava, na verdade, finalmente o liberava de qualquer preocupação dessa ordem. Continuava a procurar as palavras.

Em certo sentido, pode-se dizer que sua vida era exemplar. Era um desses homens, raros na nossa cidade, como em qualquer outro lugar, que têm sempre a coragem de assumir seus bons sentimentos. O pouco que confidenciava dava provas de uma bondade e uma dedicação que não se ousam confessar nos nossos dias. Sem enrubescer, admitia gostar dos sobrinhos e da irmã, únicos parentes que lhe restavam e que, todo ano, visitava na França. Reconhecia que a lembrança dos pais, mortos quando ele ainda era jovem, o fazia sofrer. Não se recusava a admitir que amava, acima de tudo, um certo sino do seu bairro que tocava suavemente por volta das cinco horas da tarde. Para evocar emoções tão simples, contudo, a menor palavra custava-lhe mil esforços. Finalmente, essa dificuldade tinha-se tornado sua maior preocupação. "Ah, doutor", dizia, "gostaria tanto de aprender a me expressar." Falava disso a Rieux toda vez que o encontrava.

Nessa noite, o médico, ao ver o funcionário municipal partir, compreendeu de repente o que Grand tentara dizer: sem dúvida, ele estava escrevendo um livro ou algo semelhante. Já no laboratório, onde entrou por fim, isso tranquilizou Rieux. Sabia que essa impressão era tola, mas não conseguia acreditar que a peste se pudesse instalar verdadeiramente numa cidade onde se encontravam funcionários modestos que cultivavam manias respeitáveis. Exatamente. Ele não imaginava um lugar para essas manias no meio da peste e julgava que a peste, praticamente, não tinha futuro entre os nossos concidadãos.

No dia seguinte, graças a uma insistência tida como fora de propósito, Rieux encaminhou à Prefeitura a convocação de uma comissão sanitária.

— É verdade que a população se inquieta — reconhecera Richard. — E depois os falatórios exageram tudo. O prefeito me disse: "Vamos agir depressa, se quiser, mas em silêncio." Aliás, ele está convencido de que se trata de um falso alarme.

Bernard Rieux levou Castel no seu carro à Prefeitura.

— Você sabe — disse Castel — que o departamento não tem soro?

— Sei. Telefonei para o depósito. O diretor caiu das nuvens. É preciso mandar vir de Paris.

— Espero que não demore.

— Já telegrafei — respondeu Rieux.

O prefeito estava amável, mas nervoso.

— Comecemos, senhores. Querem que resuma a situação?

Richard achava desnecessário. Os médicos conheciam a situação. A questão era apenas saber que medidas convinha tomar.

— A questão — interveio brutalmente o velho Castel — é saber se de fato se trata de peste ou não.

Dois ou três médicos se sobressaltaram. Os outros pareceram hesitar. Quanto ao prefeito, estremeceu e voltou-se automaticamente para a porta, como para verificar se ela havia impedido aquela enormidade de se espalhar pelos corredores. Richard declarou que, em sua opinião, não se devia ceder ao pânico. Tratava-se de uma febre com complicações inguinais e era tudo o que se podia dizer, uma vez que as hipóteses, na ciência como na vida, são sempre perigosas. O velho Castel, que mastigava tranquilamente o bigode amarelado, ergueu os olhos claros para Rieux. Depois dirigiu um olhar benevolente à plateia e declarou que sabia muito bem que era a peste, mas que, é claro, reconhecê-lo oficialmente implicaria medidas implacáveis. Ele sabia que era isso, no fundo, que fazia os colegas recuarem e portanto estava disposto a admitir, para tranquilidade deles, que não era a peste. O prefeito agitou-se e afirmou que, em todo caso, não era uma boa maneira de argumentar.

— O importante — insistiu Castel — não é que a maneira de argumentar seja boa, mas que ela nos obrigue a refletir.

Como Rieux se calasse, perguntaram-lhe a sua opinião.

— Trata-se de uma febre de caráter tifoide, acompanhada de abscessos e de vômitos. Fiz incisões nos abscessos. Pude, assim, proceder a análises em que o laboratório julga reconhecer o bacilo da peste. Para ser preciso, é necessário dizer, entretanto, que certas modificações específicas do micróbio não coincidem com a descrição clássica.

Richard ressaltou que isso justificaria hesitações e que seria preciso esperar, pelo menos, o resultado estatístico da série de análises que começara há alguns dias.

— Quando um micróbio — disse Rieux, depois de um breve silêncio — é capaz, em três dias, de quadruplicar o tamanho do baço, de dar aos gânglios mesentéricos o volume de uma laranja e a consistência de mingau, já não permite hesitações. Os focos de infecção encontram-se em expansão crescente. Pela rapidez com que a doença se propaga, se não for detida, pode matar metade da população em menos de dois meses. Consequentemente, pouco importa que lhe deem o nome de peste ou febre de crescimento. O essencial é apenas impedi-la de matar metade da cidade.

Richard achava que não era preciso ver as coisas desse modo e que, além disso, o contágio não havia sido comprovado, já que os parentes dos doentes ainda estavam imunes.

— Mas morreram outros — observou Rieux. — Sim, é preciso que se entenda, o contágio nunca é absoluto. Senão teríamos uma progressão matemática infinita e um despovoamento fulminante. Não se trata de ver a situação pelo lado negativo, trata-se de tomar precauções.

Entretanto, Richard pensava em resumir a situação lembrando que, para deter a doença, se ela não parasse por si só, seria necessário aplicar as graves medidas de profilaxia previstas em lei e que, para isso, seria preciso admitir oficialmente que se tratava da peste; como a certeza a esse respeito não era absoluta, isso exigia reflexão.

— A questão — insistiu Rieux — não é saber se as medidas previstas em lei são graves, mas se são necessárias para impedir que metade da população morra. O restante é com as autoridades e, justamente, nossas leis destinaram um prefeito para resolver essas questões.

— Sem dúvida — retrucou o prefeito —, mas tenho necessidade de que os senhores reconheçam oficialmente que se trata de uma epidemia de peste.

— Se nós não o reconhecermos, ela pode, apesar de tudo, matar metade da cidade.

Richard interveio com certo nervosismo.

— A verdade é que o nosso colega acredita na peste. Sua descrição da síndrome o comprova.

Rieux respondeu que não descrevera uma síndrome, tinha descrito o que observara. E o que observara eram os furúnculos, as manchas, as febres delirantes, fatais em 48 horas. Poderia o Dr. Richard assumir a responsabilidade de afirmar que a epidemia se deteria sem medidas profiláticas rigorosas?

Richard hesitou e olhou para Rieux:

— Diga-me, sinceramente, a sua impressão: tem certeza de que é a peste?

— O problema está mal colocado. Não é uma questão de vocabulário, é uma questão de tempo.

— A sua ideia — interveio o prefeito — seria que, mesmo que não se trate de peste, deveriam adotar-se as medidas profiláticas indicadas em caso de peste.

— Se é absolutamente necessário que eu tenha uma ideia, é essa, com efeito.

Os médicos trocaram comentários e Richard acabou por dizer:

— É preciso, portanto, que se assuma a responsabilidade de agir como se a doença fosse a peste.

A fórmula foi calorosamente aprovada.

— É também a sua opinião, meu caro colega? — perguntou Richard.

— A fórmula me é indiferente — respondeu Rieux. — Digamos apenas que não devemos agir como se metade da cidade não corresse o risco de morrer, porque senão ela morrerá de fato.

Em meio à irritação geral, Rieux partiu. Um momento depois, no subúrbio que fedia a fritura e a urina, uma mulher, com gritos terríveis, as virilhas ensanguentadas, voltava-se para ele.

No dia seguinte ao da reunião, a febre deu mais um pequeno salto. Chegou até os jornais, se bem que de uma forma benigna, já que se contentaram em fazer algumas alusões. No outro dia, em todo caso, Rieux podia ler pequenos cartazes brancos que a Prefeitura mandara rapidamente colar nos lugares mais discretos da cidade. Era difícil tirar desses cartazes a prova de que as autoridades encaravam a situação. As medidas não eram draconianas e parecia terem-se sacrificado muito ao desejo de não inquietar a opinião pública. O decreto dizia, na verdade, que tinham aparecido na comuna de Orã alguns casos de uma febre perniciosa que não se podia ainda classificar como contagiosa. Esses casos não eram bastante característicos para serem realmente inquietantes e não havia dúvida de que a população saberia manter o sangue-frio. Contudo, e com um espírito de prudência que podia ser compreendido por todos, o prefeito tomava algumas medidas preventivas.

Compreendidas e aplicadas como deviam sê-lo, essas medidas eram de natureza a debelar qualquer ameaça de epidemia. Consequentemente, o prefeito não duvidava por um só instante de que os seus administrados dariam a mais dedicada colaboração ao seu esforço pessoal.

O cartaz anunciava, em seguida, um conjunto de medidas, entre as quais uma desratização química, por injeção de gases tóxicos nos esgotos, e uma vigilância severa do fornecimento de água. Recomendava aos habitantes o asseio mais rigoroso e convidava, enfim, todos os que tinham pulgas a se apresentarem nos dispensários municipais. Por outro lado, as famílias deviam notificar obrigatoriamente os casos diagnosticados pelo médico e consentir no isolamento dos seus doentes em salas especiais do hospital. Aliás, essas salas estavam equipadas para tratar os doentes em tempo mínimo e com o máximo de probabilidade de cura. Alguns artigos suplementares submetiam à desinfecção obrigatória o quarto do doente e o veículo de transporte. Quanto ao restante, o edital limitava-se a recomendar aos parentes que se submetessem à vigilância sanitária.

O Dr. Rieux afastou-se rapidamente do cartaz e retomou o caminho do consultório. Joseph Grand, que o esperava, levantou de novo os braços ao vê-lo.

— Sim — disse Rieux —, eu sei, os números estão subindo.

Na véspera, uma dezena de doentes havia sucumbido na cidade. O médico disse a Grand que talvez se encontrassem à noite, pois ia visitar Cottard.

— Tem razão — respondeu Grand. — Isso vai lhe fazer bem, pois eu o acho mudado.

— Como?

— Tornou-se gentil.

— Não era gentil antes?

Grand hesitou. Não podia dizer que Cottard fosse indelicado, a expressão não seria correta. Era um homem fechado e calado, com um jeito de javali. O seu quarto, um restaurante modesto e saídas bastante misteriosas eram toda a vida de Cottard. Oficialmente, era representante de vinhos e de licores. Uma vez ou outra recebia a visita de dois ou três homens, que deviam ser clientes. Às vezes, à noite, ia ao cinema que ficava em frente à sua casa. O empregado municipal chegara a notar que Cottard preferia os filmes de gângster. Em todas as ocasiões o representante de vinhos mantinha-se solitário e desconfiado.

Tudo isso, segundo Grand, mudara muito:

— Não sei como dizê-lo, mas tenho a impressão de que procura reconciliar-se com as pessoas, que quer todos do seu lado. Fala sempre comigo, convida-me para sair com ele e nem sempre consigo recusar. Aliás, eu me interesso por ele e, enfim, salvei-lhe a vida.

Desde a tentativa de suicídio, Cottard nunca mais recebera visitas. Nas ruas, nas casas dos fornecedores, procurava conquistar todas as simpatias. Nunca empregara tanta suavidade ao falar com os merceeiros, tanto interesse em escutar a vendedora de tabaco.

— Essa vendedora de tabaco — observou Grand — é uma verdadeira víbora. Disse isso a Cottard, mas ele respondeu-me que eu estava enganado e que ela tinha o seu lado bom; era preciso saber descobri-lo.

Por duas ou três vezes, finalmente, Cottard levara Grand aos restaurantes e bares luxuosos da cidade. Tinha, com efeito, começado a frequentá-los.

— A gente se sente bem nesses lugares — disse ele — e, depois, a companhia é boa.

Grand tinha observado as atenções especiais que os empregados dispensavam ao representante de vinhos e compreendeu a razão quando viu as altas gorjetas que ele deixava. Cottard parecia muito sensível às amabilidades que recebia em troca. Num dia em que um *maître d'hôtel* o acompanhara e ajudara a vestir o sobretudo, Cottard dissera a Grand:

— É bom sujeito, pode perguntar a ele.

— Perguntar o quê?

Cottard hesitara.

— Bem, perguntar se eu sou má pessoa.

Aliás, tinha um humor instável. Num dia em que o merceeiro se mostrara menos amável, voltara para casa em estado de furor desmedido.

— Passou para o lado dos outros, esse crápula — repetia.

— Que outros?

— Todos os outros.

Grand chegara a assistir a uma cena curiosa com a vendedora de tabaco. No meio de uma conversa animada, ela falara de uma prisão recente que alvoroçava Argel. Tratava-se de um jovem que matara um árabe numa praia.

— Se metessem toda essa corja na prisão — dissera a vendedora —, as pessoas honestas poderiam respirar.

Mas fora forçada a interromper-se, diante da agitação de Cottard, que se precipitara para fora da tabacaria sem uma palavra de desculpa. Grand e a empregada, boquiabertos, viram-no fugir.

Mais tarde, Grand devia também apontar a Rieux outras modificações no caráter de Cottard. Este sempre tivera opiniões muito liberais. Sua frase favorita, "Os grandes sempre comem os pequenos", provava-o bem. No entanto, havia algum tempo, já não comprava senão o jornal conservador de Orã e era impossível não acreditar que ele até se dava ao trabalho de ostentar, de certa forma, sua leitura nos lugares públicos.

Da mesma forma, alguns dias depois de se ter levantado, pedira a Grand, que ia ao correio, que lhe fizesse o favor de expedir um vale postal de 100 francos que enviava mensalmente a uma irmã. Porém, no momento em que Grand saía, pedira-lhe:

— Mande-lhe duzentos. Será uma boa surpresa. Minha irmã acha que nunca penso nela. Mas a verdade é que a estimo muito.

Finalmente, tivera com Grand uma curiosa conversa. Este fora obrigado a responder às perguntas de Cottard, intrigado com o trabalho a que Grand se entregava todas as noites.

— Bem — dissera Cottard. — Você está escrevendo um livro.

— Como queira, mas é mais complicado do que isso!

— Ah! — exclamara Cottard. — Gostaria de fazer o mesmo.

Grand mostrara-se surpreendido e Cottard balbuciara que ser artista devia resolver muitas coisas.

— Por quê? — perguntara Grand.

— Ora, porque um artista tem mais direitos que as outras pessoas, todos sabem disso. Perdoam-lhe mais coisas.

— Vamos — disse Rieux a Grand, na manhã dos cartazes —, a história dos ratos virou-lhe a cabeça. Ou, então, tem medo da febre.

— Não acho, doutor — respondeu Grand. — Se quer a minha opinião...

O carro da desratização passou por baixo da janela com um grande ruído do cano de descarga. Rieux calou-se até que fosse possível fazer-se ouvir e pediu distraidamente a opinião do funcionário municipal. Este olhava-o com gravidade.

— É um homem — disse — que tem qualquer coisa na consciência.

O médico deu de ombros. Como dizia o comissário, tinha mais o que fazer.

À tarde, Rieux teve uma reunião com Castel. O soro ainda não tinha chegado.

— De resto — perguntou Rieux —, será útil? Esse bacilo é estranho.

— Oh! — respondeu Castel. — Não concordo. Estes animais têm sempre um ar de originalidade. Mas, no fundo, é a mesma coisa.

— Você, pelo menos, assim o supõe. Na realidade, nada sabemos.

— É claro que suponho. Mas não sou só eu, a suposição é geral.

Durante todo o dia, o médico sentiu aumentar a pequena vertigem que o atacava a cada vez que pensava na peste. Finalmente, admitiu que tinha medo. Entrou por duas vezes em bares cheios de gente. Também ele, como Cottard, sentia necessidade de calor humano. Rieux achava aquilo idiota, mas isso ajudou-o a lembrar-se de que prometera uma visita ao representante de vinhos.

À noite, o médico encontrou Cottard diante da mesa da sala de jantar. Quando entrou, viu em cima da mesa um romance policial aberto. Mas a tarde já ia avançada e devia ser difícil ler na obscuridade nascente. Era mais provável que Cottard, um minuto antes, estivesse sentado na penumbra, pensando. Rieux perguntou-lhe como ia passando. Cottard, sentando-se, resmungou que ia bem, e que iria ainda melhor se pudesse ter a certeza de que ninguém se ocupava dele. Rieux observou que não se podia ficar sempre só.

— Oh, não é isso, falo das pessoas que se ocupam em nos trazer problemas. — Rieux continuou calado. — Não é o meu caso, note bem. Mas estava lendo este romance. Aí está um desgraçado que é preso de repente, numa certa manhã. Ocupavam-se dele e ele nada sabia. Falavam dele nas repartições, escreviam-lhe o nome em fichas. Acha que é justo? Acha que se tem direito de fazer isso a um homem?

— Depende — disse Rieux. — Em certo sentido, nunca se tem esse direito, na verdade. Mas tudo isso é secundário. Não se deve ficar muito tempo fechado em casa. O senhor precisa sair.

Cottard pareceu irritar-se e respondeu que não fazia outra coisa, que todo o bairro podia testemunhá-lo, se fosse necessário. Mesmo fora do bairro, não lhe faltavam conhecidos.

— Conhece Rigaud, o arquiteto? É um dos meus amigos.

A penumbra aumentava na sala. A rua animava-se e uma exclamação surda e de alívio saudou lá fora o instante em que as luzes se acenderam. Rieux foi até a varanda e Cottard o seguiu. De todos os bairros ao redor, como em todas as noites na nossa cidade, uma brisa ligeira trazia murmúrios, cheiros de carne grelhada, o zumbido alegre e perfumado da liberdade que enchia pouco a pouco a rua, invadida por uma mocidade ruidosa. À noite, os grandes gritos dos barcos invisíveis, o rumor que subia do mar e da multidão que passava, essa hora que Rieux conhecia tão bem e de que gostara outrora parecia-lhe hoje opressiva por causa de tudo o que sabia.

— Podemos acender a luz? — perguntou a Cottard.

Acesa a luz, o homenzinho fitou-o com olhos que piscavam.

— Diga-me, doutor: se eu adoecesse, me aceitaria no seu serviço de hospital?

— Por que não?

Cottard perguntou, então, se já ocorrera de prenderem alguém que se encontrasse numa clínica ou num hospital. Rieux respondeu que sim, mas que tudo dependia do estado do enfermo.

— Eu — disse Cottard — tenho confiança no senhor.

Depois perguntou ao médico se podia levá-lo para a cidade no seu carro.

No centro da cidade, as ruas já estavam menos povoadas e as luzes, mais raras. Crianças brincavam ainda diante das portas. Quando Cottard pediu, o médico parou o carro diante de um grupo de crianças. Aos gritos, jogavam amarelinha. Mas um garoto, de cabelos pretos e lisos, traços perfeitos e rosto sujo, fixava Rieux com os olhos claros e ameaçadores. O médico desviou o olhar, Cottard, de pé na calçada, apertava-lhe a mão. O representante de vinhos falava numa voz rouca e difícil. Duas ou três vezes olhou para trás.

— Fala-se em epidemia, doutor. É verdade?

— As pessoas falam sempre, é natural — respondeu Rieux.

— Tem razão. E depois, quando tivermos uma dezena de mortos, vai ser o fim do mundo. Não era disso que precisávamos.

O motor já roncava. Rieux tinha o pé no acelerador, mas olhava de novo para a criança que não deixara de fitá-lo, com o olhar grave e tranquilo. E de repente, sem transição, a criança lhe sorriu, mostrando todos os dentes.

— Então, de que estamos precisando? — perguntou o médico, sorrindo para a criança.

Cottard agarrou o portão e, antes de se afastar, gritou, numa voz cheia de lágrimas e de furor:

— De um terremoto. Um verdadeiro!

Não houve terremoto e para Rieux o dia seguinte passou-se simplesmente em longas corridas aos quatro cantos da cidade, em conversas com as famílias dos doentes e em discussões com os próprios doentes. Nunca Rieux achara a sua profissão tão pesada. Até então os doentes facilitavam-lhe o trabalho, entregando-se a ele. Pela primeira vez o médico sentia-os reticentes, refugiados no fundo da sua doença, com uma espécie de espanto desconfiado. Era uma luta a que ainda não estava habituado. E, por volta das dez da noite, com o carro parado diante da casa do velho asmático, que ele visitava por último, Rieux sentia dificuldade em se arrancar do assento. Demorava-se a contemplar a rua escura e as estrelas que apareciam e desapareciam no céu negro. O velho asmático estava sentado na cama. Parecia respirar melhor e contava as ervilhas que fazia passar de uma panela para a outra. Recebeu o médico com um ar satisfeito.

— Então, doutor, é cólera?

— Que história é essa?

— Li no jornal. E o rádio disse também.

— Não, não é cólera.

— De qualquer maneira — disse o velho, muito excitado —, como falam, hein!

— Não acredite nisso — respondeu o médico.

Examinara o velho e agora estava sentado no meio daquela sala de jantar miserável. Sim, tinha medo. Sabia que no próprio subúrbio uma dezena de doentes o esperaria no dia seguinte, curvados sobre os seus furúnculos. Apenas em dois ou três casos a incisão provocara uma melhora. Para a maioria, porém, seria o hospital e ele sabia o que o hospital significava para os pobres. "Não quero que ele sirva para as experiências deles", dissera-lhe a mulher de um dos seus doentes. Não serviria para as experiências deles. Morreria, nada mais. Era evidente que as medidas decretadas eram insuficientes. Quanto às salas "especialmente equipadas", sabia bem do que se tratava: dois pavilhões apressadamente liberados dos seus outros doentes, com as janelas calafetadas, um cordão sanitário ao redor. Se a epidemia não cessasse por si própria, não seria vencida pelas medidas que a administração tinha imaginado.

Entretanto, à noite, os comunicados oficiais continuavam otimistas. No dia seguinte a Agência Ransdoc anunciava que as medidas da Prefeitura haviam sido acolhidas com serenidade e que já uns trinta doentes se tinham notificado. Castel telefonara a Rieux:

— Quantos leitos tem o pavilhão?

— Oitenta.

— Certamente, há mais de trinta doentes na cidade.

— Há os que têm medo e os outros, mais numerosos, os que não tiveram tempo.

— Os funerais não são fiscalizados?

— Não. Telefonei a Richard para lhe dizer que eram necessárias medidas completas, não frases, e que era preciso erguer contra a epidemia uma verdadeira barreira ou absolutamente nada.

— E então?

— Respondeu-me que não tinha poderes. Em minha opinião, a coisa vai aumentar.

Em três dias, na verdade, os dois pavilhões ficaram cheios. Richard julgava que iam desativar uma escola e pensar em um hospital auxiliar. Rieux aguardava as vacinas e abria os tumores. Castel voltava aos seus velhos livros e fazia longos estágios na biblioteca.

— Os ratos morreram da peste ou de qualquer coisa muito parecida — resumiu ele. — Puseram em circulação dezenas de milhares de pulgas que irão transmitir a infecção segundo uma progressão geométrica, se não conseguirmos detê-la a tempo.

Rieux permaneceu calado.

Por essa época, o tempo pareceu estabilizar-se. O sol enxugava as poças dos últimos temporais. Um céu azul, transbordante de luz amarela, roncos de aviões no calor nascente, tudo na estação convidava à serenidade. Em quatro dias, no entanto, a febre deu quatro saltos surpreendentes: 16 mortos, 24, 28, 32. No quarto dia, anunciou-se a abertura do hospital auxiliar numa escola maternal. Nossos concidadãos, que até então tinham continuado a disfarçar sua inquietação com gracejos, pareciam, nas ruas, mais abatidos e mais silenciosos. Rieux decidiu telefonar para o prefeito.

— As medidas são insuficientes.

— Tenho os números — respondeu. — Na verdade, são inquietantes.

— São mais que inquietantes. São claros.

— Vou pedir ordens ao Governo-geral.

Rieux desligou, diante de Castel.

— Ordens! O que falta é imaginação.

— E o soro?

— Chega esta semana.

A Prefeitura, por intermédio de Richard, pediu a Rieux um relatório destinado à capital da colônia, para solicitar ordens. Rieux fez uma descrição clínica e colocou números. No mesmo dia, contaram-se cerca de quarenta mortos. O prefeito assumiu a responsabilidade, como ele dizia, de intensificar a partir do dia seguinte as medidas prescritas. A notificação compulsória e o isolamento foram mantidos. As casas dos doentes deviam ser fechadas e desinfetadas, os que os rodeavam submetidos a uma quarentena de segurança, os enterros organizados pela cidade nas condições que veremos a seguir. Um dia depois, o soro chegava por avião. Era suficiente para os casos em tratamento. Era insuficiente se a epidemia viesse a se alastrar. Em resposta ao telegrama de Rieux informaram que o estoque de reserva estava esgotado e que se iniciava nova produção.

Durante esse tempo, de todos subúrbios, a primavera chegava aos mercados. Milhares de rosas murchavam nas cestas dos vendedores, ao longo das calçadas, e seu perfume adocicado flutuava por toda a cidade. Aparentemente, nada mudara. Os bondes continuavam sempre cheios nas horas de pico, vazios e sujos durante o dia. Tarrou observava o velhinho e este escarrava nos gatos. Grand se recolhia à sua casa todas as noites para o seu misterioso trabalho. Cottard vagava sem destino e o Sr. Othon, o juiz de instrução, continuava a conduzir a sua bicharada. O velho asmático despejava as ervilhas de um recipiente para o outro e, por vezes, encontrava-se o jornalista Rambert com um ar tranquilo e interessado. À noite, a mesma multidão enchia as ruas e as filas estendiam-se diante dos cinemas. Aliás, a epidemia pareceu recuar e, durante alguns dias, contou-se apenas uma dezena de mortos. Depois, de repente, subiu de modo vertiginoso. No dia em que o número de mortos atingiu de novo trinta, Bernard Rieux olhava o telegrama oficial que o prefeito lhe estendera exclamando: "Estão com medo!" O telegrama dizia: "Declarem o estado de peste. Fechem a cidade."

2

A partir desse momento, pode-se dizer que a peste se tornou um problema comum a todos nós. Até então, apesar da surpresa e da inquietação trazidas por esses acontecimentos singulares, cada um dos nossos concidadãos seguira com suas ocupações conforme pudera, no seu lugar habitual. E, sem dúvida, isso devia continuar. No entanto, uma vez fechadas as portas, deram-se conta de que estavam todos, até o próprio narrador, metidos no mesmo barco e que era necessário ajeitar-se. Foi assim, por exemplo, que, a partir das primeiras semanas, um sentimento tão individual quanto o da separação de um ente querido se tornou, subitamente, o de todo um povo e, com o medo, o principal sofrimento desse longo tempo de exílio.

Na verdade, uma das consequências mais importantes do fechamento das portas foi a súbita separação em que foram colocados seres que não estavam preparados para isso. Mães e filhos, esposos, amantes que tinham julgado proceder, alguns dias antes, a uma separação temporária, que se tinham beijado na plataforma da nossa estação, com duas ou três recomendações, certos de se reverem dali a alguns dias ou algumas semanas, mergulhados na estúpida confiança humana, momentaneamente distraídos de suas ocupações habituais por essa partida, viram-se, de repente, irremediavelmente afastados, impedidos de se encontrarem ou de se comunicarem. Sim, porque as portas tinham sido fechadas algumas horas antes de ser publicado o decreto do prefeito e, naturalmente, era impossível levar em conta os casos particulares. Pode-se dizer que essa invasão brutal da doença teve, como primeiro efeito, o de obrigar nossos concidadãos a agir como se não tivessem sentimentos individuais. Nas primeiras horas do dia em que o decreto entrou em vigor, a Prefeitura foi invadida por uma multidão de requerentes que, ao telefone ou junto aos funcionários, expunham situações igualmente interessantes e, ao mesmo tempo, igualmente impossíveis de examinar. A bem da verdade, foram necessários vários dias para que nos déssemosconta de que nos encontrávamos numa situação sem compromissos e que as palavras "transigir", "favor", "exceção" já não faziam sentido.

Até mesmo a leve satisfação de escrever nos foi recusada. Por um lado, com efeito, a cidade já não estava ligada ao resto do país pelos meios de comunicação habituais e, por outro, um novo decreto proibiu a troca de qualquer correspondência, a fim de evitar que as cartas pudessem se tornar veículos de infecção. A princípio, alguns privilegiados puderam chegar às portas da cidade e entender-se com sentinelas dos postos de guarda que concordaram em facilitar a passagem de mensagens para o exterior. Isso era ainda nos primeiros dias da epidemia, em que os guardas achavam natural ceder a sentimentos de compaixão. No entanto, ao fim de algum tempo, quando os próprios guardas se convenceram realmente da gravidade da situação, recusaram-se a assumir responsabilidades cuja extensão não podiam prever. As comunicações telefônicas interurbanas, autorizadas a princípio, provocaram tal congestionamento nas cabines públicas e nas linhas, que foram totalmente suspensas durante alguns dias e, depois, severamente limitadas aos chamados casos urgentes, como a morte, o nascimento e o casamento. Os telegramas tornaram-se, então, nosso único recurso. Seres ligados pela inteligência, pelo coração e pela carne ficaram reduzidos a procurar os sinais dessa comunhão antiga nas maiúsculas de um telegrama de dez palavras. E como, na realidade, as fórmulas que se podem utilizar num telegrama se esgotam depressa, longas vidas em comum ou paixões dolorosas resumiram-se rapidamente a uma troca periódica de fórmulas prontas, como: "Estou bem. Penso em ti. Saudades."

Alguns dentre nós, contudo, obstinavam-se em escrever e, sem trégua, para se corresponder com o exterior, imaginavam estratagemas que acabavam sempre por se revelar ilusórios. Mesmo quando alguns dos meios que tínhamos imaginado obtinham êxito, ficávamos sem sabê-lo, por não recebermos qualquer resposta. Durante semanas ficamos, então, reduzidos a recomeçar sempre a mesma carta, a copiar as mesmas informações e os mesmos apelos, se bem que, depois de um certo tempo, as palavras de sangue, ditadas pelo coração, perdiam o seu sentido. Então, nós as copiávamos maquinalmente, tentando, por meio dessas frases mortais, dar sinais de nossa vida difícil. E, finalmente, a esse monólogo estéril e teimoso, a essa conversa árida com uma parede, o apelo convencional do telegrama parecia-nos preferível.

Aliás, alguns dias depois, quando se tornou evidente que ninguém conseguiria sair da cidade, alguém teve a ideia de perguntar se o regresso dos que haviam partido antes da epidemia podia ser autorizado. Depois de alguns dias de reflexão, a Prefeitura respondeu afirmativamente. Mas logo estabeleceu que os repatriados não poderiam, em hipótese alguma, voltar a sair da cidade e que, se eram livres para vir, não o seriam para tornar a partir. Algumas famílias, poucas aliás, não levaram a questão a sério e, sobrepondo a qualquer prudência o desejo de rever os parentes, convidaram estes últimos a aproveitar a ocasião. No entanto, os prisioneiros da peste logo compreenderam o perigo a que expunham os parentes e resignaram-se a sofrer a separação. No momento mais grave da doença, só se viu um caso em que os sentimentos humanos foram mais fortes que o medo de uma morte torturada. Ao contrário do que se poderia esperar, não eram dois amantes que o amor atirava um para o outro, acima do sofrimento. Tratava-se apenas do velho Dr. Castel e de sua mulher, casados há tantos anos. Alguns dias antes da epidemia, a Sra. Castel se dirigira a uma cidade vizinha. Não era sequer um desses casais que oferecem ao mundo o exemplo de uma felicidade invejável, e o narrador está em condições de dizer que, segundo todas as probabilidades, esses esposos, até então, não tinham certeza de estarem satisfeitos com a sua união. Mas essa separação brutal e prolongada tinha-lhes capacitado afirmar que não conseguiam viver afastados um do outro e que, diante dessa verdade subitamente revelada, a peste era coisa sem importância.

Tratava-se de uma exceção. Na maioria dos casos, era evidente que a separação não devia ter fim senão com a epidemia. E, para todos nós, o sentimento que fazia a nossa vida e que, no entanto, julgávamos conhecer bem (os naturais de Orã, como já foi dito, têm paixões simples) assumia um novo aspecto. Maridos e amantes que tinham a maior confiança nas companheiras revelavam-se ciumentos. Homens que se julgavam volúveis no amor redescobriam-se constantes. Filhos que tinham vivido junto da mãe mal olhando para ela depositavam toda a preocupação e angústia numa ruga de seu rosto que lhes povoava a lembrança. Essa separação brutal, sem meio-termo, sem futuro previsível, deixava-nos perturbados, incapazes de reagir contra a lembrança dessa presença, ainda tão próxima e já tão distante, que ocupava agora os nossos dias. Na verdade, sofríamos duas vezes: o nosso sofrimento, em primeiro lugar, e em seguida aquele que atribuíamos aos ausentes — filho, esposa ou amante.

Em outras circunstâncias, aliás, nossos concidadãos teriam encontrado uma solução numa vida mais exterior ou mais ativa. Mas, ao mesmo tempo, a peste deixava-os ociosos, reduzidos a vagar sem destino pela cidade triste e entregues, dia após dia, aos jogos enganosos da recordação, pois nos seus passeios sem rumo eram levados a passar sempre pelos mesmos caminhos, e a maior parte das vezes, numa cidade tão pequena, os caminhos eram precisamente os mesmos que, em outra época, haviam percorrido com o ausente.

Assim, a primeira coisa que a peste trouxe aos nossos concidadãos foi o exílio. E o narrador está convencido de que pode escrever aqui, em nome de todos, o que ele próprio sentiu então, já que o sentiu ao mesmo tempo que muitos dos nossos concidadãos. Sim, era realmente o sentimento do exílio esse vazio que trazíamos constantemente em nós, essa emoção precisa, o desejo irracional de voltar atrás ou, pelo contrário, de acelerar a marcha do tempo, essas flechas ardentes da memória. Se algumas vezes dávamos asas à imaginação e nos comprazíamos em esperar pelo toque de campainha que anuncia o regresso, ou pelos passos familiares na escada; se, nesses momentos, consentíamos em esquecer que os trens estavam imobilizados; se nos organizávamos para ficar em casa à hora em que normalmente um viajante podia ser trazido pelo expresso da tarde até o nosso bairro, esses jogos, obviamente, podiam durar. Chegava sempre um momento em que nos dávamos conta claramente de que os trens não chegavam. Sabíamos, então, que a nossa separação estava destinada a durar e que devíamos tentar entender-nos com o tempo. A partir de então, reintegrávamo-nos, afinal, à nossa condição de prisioneiros, estávamos reduzidos ao nosso passado e, ainda que alguém fosse tentado a viver no futuro, logo renunciava, ao experimentar as feridas que a imaginação finalmente inflige aos que nela confiam.

Em particular, todos os nossos concidadãos se privaram muito depressa, mesmo em público, do hábito que porventura tivessem adquirido de calcular o prazo de sua separação. Por quê? É que, quando os mais pessimistas o tinham avaliado, por exemplo, em seis meses, quando haviam esgotado antecipadamente toda a amargura dos meses vindouros e erguido com grande esforço a sua coragem ao nível dessa prova, reunindo as últimas forças para continuarem sem vacilar à altura desse sofrimento estirado numa tão longa sequência de dias, então, às vezes, um conhecido, um anúncio de jornal, uma suspeita fugaz ou uma brusca clarividência despertavam a ideia de que, afinal, não havia razão para que a doença não durasse mais de seis meses, talvez um ano, ou mais.

Nesse momento, o desmoronar da coragem, da vontade e da paciência era tão brusco que lhes parecia que não poderiam jamais sair desse precipício. Então, restringiam-se a não pensar mais na libertação, a não se voltar para o futuro e a manter sempre, por assim dizer, os olhos baixos. Mas, naturalmente, essa prudência, essa maneira de enganar a dor, de fechar a guarda para recusar o combate, eram mal recompensadas. Ao mesmo tempo que evitavam esse desmoronamento que não queriam por preço algum, privavam-se, na verdade, dos momentos bastante frequentes em que podiam esquecer a peste nas imagens de seu futuro reencontro. E assim, encalhados a meia distância entre esses abismos e esses cumes, mais flutuavam que viviam, abandonados a dias sem rumo e recordações estéreis, sombras errantes, incapazes de se fortalecerem a não ser aceitando enraizar-se na terra de sua própria dor.

Experimentavam assim o sofrimento profundo de todos os prisioneiros e de todos os exilados, ou seja, viver com uma memória que não serve para nada. Esse próprio passado, sobre o qual refletiam sem cessar, tinha apenas o gosto do arrependimento. Na verdade, gostariam de poder acrescentar-lhe tudo quanto lamentavam não ter feito, quando ainda podiam fazê-lo, junto a esse ou àquela que esperavam — assim como a todas as circunstâncias, mesmo relativamente felizes, da sua vida de prisioneiros misturavam o ausente, e o resultado não podia satisfazê-los. Impacientes com o presente, inimigos do passado e privados do futuro, parecíamo-nos assim efetivamente com aqueles que a justiça ou o ódio humano fazem viver atrás das grades. Para terminar, o único meio de escapar a essas férias insuportáveis era, através da imaginação, recolocar em movimento os trens e encher as horas com os repetidos sons de uma campainha que, no entanto, se obstinava no silêncio.

Mas, se havia exílio, na maior parte dos casos era o exílio em casa. E, embora o narrador só tenha conhecido o exílio de todos, não deve esquecer aqueles, como o jornalista Rambert ou outros, para quem, pelo contrário, as agruras da separação se intensificavam, porque, viajantes surpreendidos pela peste e retidos na cidade, se encontravam afastados, ao mesmo tempo, do ente a quem não podiam juntar-se e de seu próprio país. No exílio geral, eram os mais exilados, pois se o tempo despertava neles, como em todos, a angústia que lhe é própria, estavam também presos ao espaço e chocavam-se sem cessar de encontro aos muros que separavam o seu refúgio empestado da pátria perdida. Eram esses, sem dúvida, que víamos vagando a todas as horas do dia pela cidade poeirenta, chamando em silêncio pelas noites que só eles conheciam e pelas manhãs de seu país. Alimentavam então a sua dor com sinais imponderáveis e mensagens desconcertantes, como um voo de andorinha, um orvalho vespertino ou os estranhos raios que o sol às vezes abandona nas ruas desertas. Fechavam os olhos sobre esse mundo exterior que pode sempre salvar de tudo, obstinados em acariciar as suas quimeras demasiado reais e em perseguir com todas as forças as imagens de uma terra em que uma certa luz, duas ou três colinas, a árvore favorita e rostos de mulheres compunham um ambiente para eles insubstituível.

Afinal, para falarmos mais expressamente dos amantes — são os de maior interesse e deles o narrador está talvez mais habilitado a falar —, esses encontravam-se ainda atormentados por outras angústias, dentre as quais é preciso assinalar o remorso. Essa situação, na verdade, permitia-lhes analisar o seu sentimento com uma espécie de objetividade febril. E era raro que nessas ocasiões suas próprias fraquezas não lhes aparecessem mais claramente. A primeira ocasião que encontravam para isso estava na dificuldade que tinham em imaginar com precisão os atos e os gestos do ausente. Lamentavam o desconhecimento de como empregava o seu tempo, acusavam-se de seu descuido em informar-se disso e de como haviam fingido acreditar que, para um ser que ama, o emprego do tempo do ser amado não é a fonte de todas as alegrias. Era-lhes fácil, a partir desse momento, recordar o seu amor e examinar-lhe as imperfeições. Em épocas normais, sabíamos todos, conscientemente ou não, que não há amor que não se possa superar e aceitávamos no entanto, com maior ou menor tranquilidade, que o nosso permanecesse medíocre. Mas a recordação é mais exigente. E, muito logicamente, essa desgraça que nos vinha do exterior e que atingia toda uma cidade não nos trazia apenas um sofrimento injusto com que teríamos podido indignar-nos; levava-nos a incitar mais sofrimento em nós mesmos, fazendo-nos, assim, consentir na dor. Essa era uma das maneiras que a doença tinha de desviar a atenção e de baralhar as cartas.

Assim, cada um teve de aceitar viver o dia a dia, só, diante do céu. Esse abandono geral, que podia, com o tempo, fortalecer o caráter, começava no entanto a torná-lo fútil. Alguns dos nossos concidadãos, por exemplo, eram então submetidos a uma outra servidão que os punha ao serviço do sol e da chuva. Ao vê-los, parecia que recebiam pela primeira vez, diretamente, a impressão do tempo que fazia. Suas fisionomias alegravam-se à simples visita de uma luz dourada, enquanto os dias de chuva lhes punham um véu espesso sobre o rosto e os pensamentos. Haviam escapado fazia algumas semanas dessa fraqueza e dessa escravidão absurdas porque não estavam sós diante do mundo e porque, numa certa medida, o ser que vivia com eles se colocava à frente do seu universo. A partir desse instante, pelo contrário, ficaram aparentemente entregues aos caprichos do céu, o que significa que sofreram e esperaram sem razão.

Enfim, nesses extremos da solidão, ninguém podia contar com o auxílio do vizinho e cada um ficava só com a sua preocupação. Se alguém, por acaso, tentava fazer confidências ou dizer alguma coisa do seu sentimento, a resposta que recebia, qualquer que fosse, magoava na maior parte das vezes. Compreendia então que ele e o interlocutor não falavam da mesma coisa. Com efeito, ele exprimia-se do fundo de longos dias de ruminação e de sofrimentos e a imagem que queria transmitir ardera muito tempo no fogo da espera e da paixão. O outro, pelo contrário, imaginava uma emoção convencional, a dor que se vende nos mercados, uma melancolia em série. Amável ou hostil, a resposta caía sempre no vazio, era preciso renunciar a ela. Ou, pelo menos, aqueles para quem o silêncio era insuportável — já que os outros não conseguiam encontrar a verdadeira linguagem do coração — resignavam-se a adotar a língua dos mercados e a falar, também eles, da maneira convencional, a da simples narração e do diz que diz, de certo modo, a crônica cotidiana. Ainda nesse caso, as dores mais verdadeiras adquiriram o hábito de se traduzir em fórmulas banais de conversação. Só por esse preço podiam os prisioneiros da peste obter a compaixão dos porteiros ou o interesse dos ouvintes.

Entretanto e o mais importante é que, por mais dolorosas que fossem essas angústias, por mais pesado que estivesse esse coração, apesar de vazio, pode-se dizer efetivamente que esses exilados, na primeira fase da peste, foram privilegiados. Na verdade, no próprio momento em que a população começava a afligir-se, o pensamento deles estava inteiramente voltado para o ser que esperavam. No desespero geral, o egoísmo do amor preservava-os, e, se pensavam na peste, era apenas na medida em que ela trazia à sua separação o risco de se tornar eterna. Tinham, no meio da epidemia, uma distração salutar que se era tentado a considerar como sangue-frio. O desespero salvava-os do pânico, havia algo de bom na sua desgraça. Por exemplo, se acontecia que um deles fosse levado pela doença, era quase sempre sem que tivesse tido tempo de se precaver contra isso. Arrancado a essa longa conversa interior que mantinha com uma sombra, era então lançado, sem transição, para o mais espesso silêncio da terra. Não tivera tempo para nada.

Enquanto nossos concidadãos tentavam acomodar-se a esse súbito exílio, a peste colocava guardas às portas e desviava os navios que faziam rota para Orã. Depois do fechamento das portas, nem um único veículo entrara na cidade. A partir desse dia, teve-se a impressão de que os carros andavam sempre em círculos. O porto apresentava também um aspecto singular para aqueles que olhavam do alto das avenidas. A animação habitual que o tornava um dos primeiros portos da costa extinguira-se bruscamente. Viam-se ainda alguns navios, mantidos de quarentena. Mas, nos cais, grandes guindastes desarmados, pequenos vagões deitados de lado, as pilhas solitárias de barris ou de sacos testemunhavam que também o comércio tinha morrido da peste.

Apesar desses espetáculos inéditos, parece que os nossos concidadãos tinham dificuldade em compreender o que lhes acontecia. Havia os sentimentos comuns, como a separação ou o medo, mas continuavam a colocar em primeiro plano as preocupações pessoais. Ninguém aceitara ainda verdadeiramente a doença. A maior parte era sobretudo sensível ao que perturbava os seus hábitos ou atingia os seus interesses. Impacientavam-se, irritavam-se e esses não são sentimentos que se possa contrapor à peste. A primeira reação, por exemplo, era culpar as autoridades. A resposta do prefeito diante das críticas de que a imprensa se fazia eco ("Não se poderia propor medidas mais flexíveis que as adotadas?") foi bastante imprevista. Até então, nem os jornais nem a Agência Ransdoc tinham recebido qualquer estatística oficial sobre a doença. O prefeito passou a comunicá-la diariamente à agência, pedindo-lhe que publicasse uma nota semanal.

Mesmo nesse caso, contudo, a reação do público não foi imediata. Na verdade, o anúncio de que a terceira semana de peste somava 302 mortos não falava à imaginação. Por um lado, talvez nem todos tivessem morrido de peste. Por outro lado, ninguém na cidade sabia quantas pessoas morriam por semana em tempos normais. A cidade tinha 200 mil habitantes. Ignorava-se se essa proporção de óbitos era normal. É esse o gênero de detalhes com que nunca nos preocupamos, apesar do interesse evidente que apresentam. Ao público faltavam, de algum modo, pontos de referência. Foi só com o tempo, ao constatar o aumento das mortes, que a opinião pública tomou consciência da verdade. Com efeito, a quinta semana deixou 321 mortos e a sexta, 345. O aumento, pelo menos, era significativo. Mas não era bastante forte para impedir que nossos concidadãos, em meio à sua inquietação, tivessem a impressão de que se tratava de um acidente, sem dúvida desagradável, mas, apesar de tudo, temporário.

Continuavam assim a circular nas ruas e a sentar-se às mesas dos cafés. No conjunto, não eram covardes, trocavam mais gracejos que lamúrias e aparentavam aceitar com bom humor inconvenientes evidentemente passageiros. As aparências estavam salvas. No fim do mês, no entanto, mais ou menos durante a semana de preces de que se falará adiante, transformações mais graves modificaram o aspecto da nossa cidade. Para começar, o prefeito tomou medidas relativas à circulação dos veículos e ao abastecimento. Este foi limitado e a gasolina, racionada. Determinou-se até a economia de eletricidade. Só os produtos indispensáveis chegavam por terra e pelo ar a Orã. Foi assim que se viu o trânsito diminuir progressivamente, até ficar quase nulo, as lojas de luxo fecharem de um dia para o outro, outras expunham nas vitrines cartazes negativos, enquanto filas de compradores se formavam diante de suas portas.

Orã assumiu assim um aspecto singular. O número de pedestres tornou-se mais considerável e, até nas horas mortas, muitas pessoas reduzidas à inação pelo fechamento dos armazéns ou de certos escritórios enchiam as ruas e os cafés. Por ora, não estavam ainda desempregadas, mas de licença. Orã dava então por volta das três horas da tarde, por exemplo, e sob um belo céu, a impressão ilusória de uma cidade em festa, cujo trânsito e comércio tivessem sido fechados para permitir a realização de uma manifestação pública e cujos habitantes tivessem invadido as ruas para participar do regozijo.

Naturalmente, os cinemas se aproveitavam dessas férias generalizadas e faziam um bom negócio. Mas os circuitos que os filmes cumpriam normalmente haviam sido interrompidos. Ao fim de duas semanas, os cinemas foram obrigados a trocar a programação e, algum tempo depois, acabavam projetando sempre o mesmo filme. Seu faturamento contudo não diminuiu.

Finalmente os cafés, graças ao considerável estoque acumulado numa cidade onde o comércio de vinhos e álcool ocupa o primeiro lugar, puderam igualmente servir os clientes. A bem da verdade, bebia-se muito. Como um café tivesse anunciado que "quem vinho bebe, mata a febre", a ideia, já natural no público, de que o álcool evitava doenças infecciosas reforçou-se na opinião geral. Todas as noites, por volta das dez horas, um número considerável de bêbados expulsos dos cafés enchia as ruas, espalhando afirmações otimistas.

Todas essas alterações, porém, em certo sentido, eram tão extraordinárias e tinham-se realizado tão rapidamente que não era fácil considerá-las normais e duráveis. O resultado era que continuávamos a colocar em primeiro lugar nossos sentimentos pessoais.

Ao sair do hospital, dois dias depois do fechamento das portas, o Dr. Rieux encontrou Cottard, que ergueu para ele um rosto que era a própria imagem da satisfação. Rieux felicitou-o pela aparência.

— Sim, está tudo muito bem — respondeu o homenzinho. — Diga-me, doutor, e esta maldita peste, hein? A coisa começa a ficar séria.

O médico concordou. E o outro acrescentou, com uma espécie de prazer:

— Agora não há razão para que ela pare. Vai ficar tudo de pernas para o ar.

Caminharam um momento juntos. Cottard contou que um grande merceeiro do seu bairro armazenara gêneros alimentícios para vendê-los mais caro e que tinham encontrado latas de conservas debaixo da sua cama quando foram buscá-lo para levá-lo ao hospital. "Morreu lá. A peste não compensa." Cottard estava assim, cheio de histórias, falsas ou verdadeiras, sobre a epidemia. Por exemplo, dizia-se que no Centro, certa manhã, um homem que apresentava os sintomas da peste, no delírio da doença, tinha-se precipitado para a rua, atirando-se sobre a primeira mulher que encontrara, abraçando-a, enquanto gritava que contraíra a peste.

— Bem — observou Cottard num tom amável que não combinava com a sua afirmação —, vamos todos ficar loucos, com toda a certeza.

Da mesma forma, na tarde daquele dia, Joseph Grand acabara fazendo confidências pessoais ao Dr. Rieux. Vira a fotografia da Sra. Rieux em cima da mesa e olhara para o médico. Rieux respondeu que sua mulher estava se tratando fora da cidade. "Em certo sentido", dissera Grand, "é uma sorte." O médico respondeu que sem dúvida era uma sorte e que era apenas necessário ter esperança de que sua mulher se curasse.

— Ah! — exclamou Grand. — Compreendo.

E, pela primeira vez desde que Rieux o conhecia, pôs-se a falar com eloquência. Embora ainda procurasse as palavras, conseguia quase sempre encontrá-las, como se tivesse pensado por longo tempo no que estava dizendo.

Tinha-se casado muito jovem com uma moça pobre da vizinhança. Fora justamente para casar que interrompera os estudos e arranjara um emprego. Jeanne e ele nunca saíam do bairro. Ia vê-la em casa e os pais de Jeanne riam-se um pouco desse pretendente silencioso e desajeitado. O pai era ferroviário. Quando estava de folga, viam-no sempre sentado a um canto, perto da janela, pensativo, vendo o movimento da rua, com as mãos enormes pousadas nas coxas. A mãe cuidava sempre da casa e Jeanne ajudava. Era tão pequena que Grand não podia vê-la atravessar uma rua sem sentir angústia. Os veículos pareciam-lhe, então, desproporcionados. Um dia, diante de uma loja de artigos natalinos, Jeanne, que olhava a vitrine, maravilhada, voltara-se para ele, dizendo: "Como é bonito." Ele apertara-lhe o pulso. Foi assim que o casamento se decidira.

O resto da história, segundo Grand, era muito simples. É o mesmo para todos: a gente se casa, ama ainda um pouco, trabalha. Trabalha tanto que se esquece de amar. Jeanne trabalhava também, uma vez que as promessas do chefe da repartição não tinham sido cumpridas. Aqui, será preciso um pouco de imaginação para compreender o que Grand queria dizer. Com a ajuda do cansaço, ele deixara correr as coisas, tinha-se calado cada vez mais e não cultivava na jovem mulher a ideia de que era amada. Um homem que trabalha, a pobreza, o futuro lentamente se fechando, o silêncio das tardes ao redor da mesa — não há lugar para a paixão em tal universo. Provavelmente, Jeanne havia sofrido. Contudo, ficara: acontece que se sofre muito tempo sem saber. Os anos tinham passado. Mais tarde, ela partira. Na verdade, não partira só: "Gostei muito de você, mas agora estou cansada... Não me sinto feliz por partir, mas não é necessário ser feliz para recomeçar." Eis, em resumo, o que ela lhe escrevera.

Joseph Grand, por sua vez, havia sofrido. Teria podido recomeçar, como observou Rieux. Mas faltava-lhe a fé.

Simplesmente, continuava a pensar nela. O que teria desejado seria escrever-lhe uma carta para se justificar. "Mas é difícil", dizia. "Há muito tempo que penso nisso. Enquanto somos amados, somos compreendidos sem palavras. Mas uma pessoa não ama sempre. Em dado momento, eu devia ter encontrado palavras para retê-la, mas não consegui."

Grand assoava-se numa espécie de guardanapo xadrez. Depois, limpou o bigode. Rieux o observava.

— Desculpe, doutor — disse o velho —, mas como dizer? Tenho confiança no senhor. Sinto que posso falar. De modo que isto me comove.

Visivelmente, Grand estava a mil léguas da peste.

À noite, Rieux telegrafou para a mulher a fim de dizer-lhe que a cidade estava fechada, que estava bem, que ela devia continuar a se tratar e que pensava nela.

Três semanas depois de a cidade ser fechada, Rieux encontrou, ao sair do hospital, um jovem que o esperava.

— Suponho — disse-lhe este último — que se lembra de mim. — Rieux julgava conhecê-lo, mas hesitava. — Antes destes acontecimentos — esclareceu o outro —, vim pedir-lhe informações sobre as condições de vida dos árabes. Chamo-me Raymond Rambert.

— Ah, sim — respondeu Rieux. — Bem, agora tem um belo assunto de reportagem.

O outro parecia nervoso. Informou que não se tratava disso e que vinha pedir auxílio ao Dr. Rieux.

— Desculpe — acrescentou —, mas não conheço ninguém nesta cidade e o correspondente do meu jornal tem a infelicidade de ser um imbecil.

Rieux propôs-lhe caminharem até o dispensário do Centro, pois tinha algumas ordens a dar. Desceram as ruelas do bairro negro. A noite se aproximava, mas a cidade, antes tão barulhenta a essa hora, parecia curiosamente solitária. Alguns toques de clarim no céu ainda dourado testemunhavam apenas que os militares se davam ares de cumprir o dever. Durante esse tempo, ao longo das ruas íngremes, entre os muros azuis, ocre ou roxos das casas mouriscas, Rambert falava, muito agitado. Deixara a mulher em Paris. Para dizer a verdade, não era sua mulher, mas era a mesma coisa. Telegrafara-lhe logo que a cidade foi fechada. Pensara, primeiro, que se tratava de um acontecimento provisório e procurara apenas corresponder-se com ela. Os colegas de Orã tinham-lhe dito que nada podiam fazer, os correios tinham-no mandado voltar da porta, um secretário da Prefeitura rira na sua cara. Depois de esperar duas horas numa fila, acabara fazendo com que aceitassem passar um telegrama, onde tinha escrito: "Tudo vai bem. Até breve."

Mas de manhã, ao levantar-se, viera-lhe bruscamente o pensamento de que afinal não sabia quanto tempo aquilo podia durar. Decidira partir. Como era recomendado (na sua profissão, têm-se certas facilidades), conseguira falar com o chefe do gabinete do prefeito e dissera-lhe que não tinha nenhuma ligação com Orã, que não tinha nada que ficar, que se encontrava ali por acaso e que era justo que o deixassem ir embora, ainda que, uma vez lá fora, o obrigassem a fazer quarentena. O chefe do gabinete respondera-lhe que compreendia muito bem, mas não podiam abrir exceções, ia ver, mas que, em resumo, a situação era grave e não podia decidir nada.

— Mas, afinal — dissera Rambert —, eu sou estranho a esta cidade.

— Sem dúvida, mas, apesar de tudo, vamos torcer para que a epidemia não dure muito.

Para concluir, tinha tentado consolar Rambert, observando que podia encontrar em Orã matéria para uma reportagem interessante e que todo acontecimento tinha o seu lado bom. Rambert encolhia os ombros. Chegavam ao centro da cidade.

— É uma estupidez, doutor, compreende? Eu não vim ao mundo para fazer reportagens. Mas talvez tenha vindo ao mundo para viver com uma mulher. Não é a ordem natural das coisas?

Rieux respondeu que pelo menos isso lhe parecia razoável.

Nas ruas do Centro não havia a multidão habitual. Alguns transeuntes dirigiam-se apressadamente para as suas casas distantes. Ninguém sorria. Rieux pensou que era o resultado da comunicação que a Ransdoc fizera nesse dia. Ao fim de 24 horas, os nossos concidadãos recomeçavam a ter esperança. Nesse mesmo dia, porém, os números estavam ainda muito frescos na memória.

— É que — disse Rambert sem mais nem menos — eu e ela conhecemo-nos há pouco tempo e nos entendemos muito bem.

Rieux não dizia nada.

— Mas eu o estou aborrecendo — continuou Rambert. — Queria apenas lhe perguntar se podia passar-me um atestado em que se afirmasse que não tenho essa maldita doença. Creio que isso me seria útil.

Rieux acenou afirmativamente com a cabeça, agarrou um rapazinho que se atirava nas suas pernas e recolocou-o suavemente de pé. Partiram de novo e chegaram à Praça de Armas. Os ramos dos fícus e das palmeiras pendiam, imóveis, cinzentos de poeira, à volta de uma estátua da República empoeirada e suja. Rieux bateu no chão os pés cobertos de uma camada esbranquiçada. Olhou para Rambert. Com o chapéu ligeiramente para trás, o colarinho desabotoado debaixo da gravata, mal barbeado, o jornalista tinha um ar insistente e irritado.

— Pode ter certeza de que o compreendo — disse por fim Rieux —, mas o seu raciocínio não é justo. Não posso passar-lhe o atestado pois, na verdade, ignoro se o senhor tem ou não essa doença, e também porque, mesmo nesse caso, não posso atestar que entre o segundo em que sair do meu consultório e aquele em que entrar na Prefeitura não a terá contraído. E ainda que...

— E ainda que...? — interrompeu Rambert.

— Ainda que eu lhe desse esse atestado, ele não lhe serviria para nada.

— Por quê?

— Porque há na cidade milhares de homens na sua situação que não podem, apesar de tudo, ser autorizados a sair.

— Mesmo se eles não tiverem contraído a peste?

— Não é razão suficiente. Esta história é tola, bem sei, mas diz respeito a todos. É preciso aceitá-la como ela é.

— Mas não sou daqui!

— A partir de agora, infelizmente, será daqui como todo mundo.

O outro agitava-se:

— É uma questão de humanidade, juro. Talvez não compreenda o que significa uma separação como esta para duas pessoas que se entendem bem.

Rieux não respondeu imediatamente. Depois disse que julgava compreender. Com todas as suas forças, desejava que Rambert voltasse e reencontrasse a mulher e que todos os que se amavam se reunissem, mas havia decretos e leis, havia a peste e o seu papel era fazer o que era necessário.

— Não — insistiu Rambert, com amargura —, o senhor não pode compreender. O senhor fala a linguagem da razão, o senhor fica na abstração.

O médico ergueu os olhos para a estátua da República e esclareceu que não sabia se falava a linguagem da razão, mas que falava a linguagem da evidência, o que não era obrigatoriamente a mesma coisa. O jornalista ajeitou a gravata.

— Então isso significa que tenho de arranjar outra maneira? Mas — prosseguiu com uma espécie de desafio — vou deixar esta cidade.

O médico respondeu-lhe que o compreendia ainda, mas que não tinha nada com isso.

— Sim, tem — afirmou Rambert, com um súbito lampejo. — Dirigi-me ao senhor porque me disseram que tinha um papel importante nas decisões tomadas. Pensei então que, ao menos em um caso, poderia desfazer o que tinha contribuído para que se fizesse. Mas isso lhe é indiferente. Não pensou em ninguém. Não levou em conta os que estavam separados.

Rieux reconheceu que, em certo sentido, isso era verdade, que não quisera levá-lo em conta.

— Ah! Compreendo — respondeu Rambert. — Vai falar do serviço público. Mas o interesse público é feito da felicidade de cada um.

— Vamos — disse o médico, que parecia sair de um devaneio. — Não é só isso. Não se deve julgar ninguém. Mas o senhor não devia se zangar. Se puder encontrar uma solução, ficarei imensamente feliz. Simplesmente, há coisas que as minhas funções me proíbem de fazer.

O outro balançou a cabeça com impaciência.

— Sim, faço mal em me zangar. E roubei-lhe muito tempo.

Rieux pediu-lhe que o mantivesse a par das suas providências e que não lhe guardasse rancor. Haveria, certamente, um plano em que pudessem se encontrar. Rambert pareceu subitamente perplexo.

— Acho que sim — murmurou, depois de um silêncio. — Sim, apesar de tudo o que me disse. — Hesitou. — Mas não posso concordar com o senhor.

Puxou o chapéu para a testa e partiu num passo rápido. Rieux viu-o entrar no hotel onde vivia Jean Tarrou.

Logo depois, o médico balançou a cabeça. O jornalista tinha razão na sua impaciência de felicidade. Mas teria razão quando o acusava? "O senhor fica na abstração." Seriam realmente abstração esses dias passados no hospital, onde a peste se saciava em dobro, elevando a quinhentas a média de vítimas por semana? Sim, havia na desgraça uma parte de abstração e de irrealidade. Mas quando a abstração começa a nos matar, é necessário que nos ocupemos da abstração. E Rieux sabia apenas que isso não era o mais fácil. Não era fácil, por exemplo, dirigir esse hospital auxiliar — e agora havia três — de que estava encarregado. Improvisara, num cômodo que dava para o consultório, uma sala de recepção. O solo cavado formava um lago de água com creolina, no centro do qual se encontrava uma ilhota de tijolos. O doente era transportado para a sua ilha, despido rapidamente e as roupas caíam na água. Lavado, enxugado, coberto com o camisolão áspero do hospital, passava às mãos de Rieux, sendo depois transportado para uma das salas. Tinham sido obrigados a utilizar os pátios cobertos de uma escola, que continha agora, ao todo, quinhentos leitos, a maioria dos quais ocupados. Depois da recepção da manhã que ele próprio dirigia, vacinados os doentes, abertos os abscessos, Rieux verificava mais uma vez a estatística e voltava às consultas da tarde. À noite, enfim, fazia visitas e voltava para casa muito tarde. Na noite anterior, sua mãe observara, ao entregar-lhe um telegrama da jovem Sra. Rieux, que as mãos do filho tremiam.

— Sim — dissera ele. — Mas, com o tempo, ficarei menos nervoso.

Era vigoroso e resistente. Na realidade, não estava ainda cansado. Mas as suas visitas, por exemplo, se tornavam insuportáveis. Diagnosticar a febre epidêmica equivalia a mandar retirar rapidamente o doente. Então começavam na verdade a abstração e a dificuldade, pois a família do doente sabia que só voltaria a vê-lo curado ou morto. "Piedade, doutor!", dizia a Sra. Loret, mãe da empregada que trabalhava no hotel de Tarrou. Que significava isso? É evidente que ele tinha piedade. Mas isso não adiantava de nada. Era preciso telefonar. Logo se ouvia ressoar a sirene da ambulância. No início, os vizinhos abriam as janelas e olhavam. Mais tarde, fechavam-nas precipitadamente. Começavam então as lutas, as lágrimas, a persuasão — em suma, a abstração. Nessas casas superaquecidas pela febre e pela angústia desenrolavam-se cenas de loucura. Mas o doente era levado. Rieux podia partir.

Das primeiras vezes, tinha-se limitado a telefonar e seguir para outros doentes, sem esperar pela ambulância. Mas os parentes fechavam então a porta, preferindo a convivência com a peste a uma separação cujo resultado agora conheciam. Gritos, investidas, intervenções da polícia e, mais tarde, das forças armadas e o doente era tomado de assalto. Durante as primeiras semanas, Rieux fora obrigado a esperar até a chegada da ambulância. Depois, quando cada médico passou a ser acompanhado por um inspetor voluntário, Rieux pôde correr de um doente para outro. No início, porém, todas as noites foram como essa em que, tendo entrado em casa da Sra. Loret, um pequeno apartamento decorado com leques e flores artificiais, foi recebido pela mãe, que lhe disse com um sorriso mal desenhado:

— Espero que não seja essa febre de que todos falam.

E ele, levantando o lençol e a camisola, contemplava em silêncio as manchas vermelhas sobre o ventre e as coxas, a inchação dos gânglios. A mãe olhava para as pernas da filha e, sem poder se controlar, gritava. Todas as noites as mães gritavam assim, com um ar abstraído, diante de ventres expostos com todos os sintomas mortais; todas as noites braços se agarravam aos de Rieux, palavras inúteis, promessas e prantos se precipitavam;

todas as noites as sirenes das ambulâncias desencadeavam crises tão vãs quanto qualquer dor. E, ao fim de toda essa longa série de noites sempre semelhantes, Rieux só podia esperar por uma longa série de cenas iguais, indefinidamente renovadas. Sim, a peste, como abstração, era monótona. Uma única coisa talvez mudava — o próprio Rieux. Sentia-o nessa noite, junto ao monumento à República, apenas consciente da indiferença que começava a invadi-lo, sem tirar os olhos da porta do hotel por onde Rambert desaparecera.

Ao fim dessas semanas estafantes, depois de todos esses crepúsculos em que a cidade saía para as ruas para dar voltas sem rumo, Rieux compreendia que já não precisava defender-se contra a piedade. As pessoas cansam-se da piedade quando a piedade é inútil. E na consciência desse coração lentamente fechado sobre si próprio o médico encontrava o único lenitivo desses dias esmagadores. Sabia que a sua tarefa seria facilitada. Por isso se alegrava. Quando a mãe, recebendo-o às duas da madrugada, se afligia com o olhar vazio que pousava sobre ela, Rieux deplorava precisamente o único enternecimento que podia então receber. Para lutar contra a abstração, é preciso assemelhar-se um pouco a ela. Mas como podia isso ser transmitido a Rambert? A abstração, para Rambert, era tudo o que se opunha à sua felicidade. E na verdade Rieux sabia que o jornalista, até certo ponto, tinha razão. Mas sabia também que chega o momento em que a abstração se mostra mais forte que a felicidade e que é preciso então, e só então, levá-la em consideração. Era o que devia acontecer a Rambert e o médico pôde sabê-lo em pormenores pelas confidências que o jornalista lhe fez posteriormente. Pôde assim seguir, num novo plano, essa espécie de luta enfadonha entre a felicidade de cada homem e as abstrações da peste, que constituiu toda a vida da nossa cidade durante esse longo período.

No entanto, onde uns viam a abstração, outros viam a verdade. De fato, o fim do primeiro mês de peste foi obscurecido por uma recrudescência acentuada da epidemia e um sermão veemente do padre Paneloux, o jesuíta que assistira o velho Michel no princípio da doença. O padre Paneloux já se havia distinguido por colaborações frequentes no boletim da Sociedade de Geografia de Orã, onde suas reconstituições epigráficas ganharam autoridade. Mas conquistara um auditório mais vasto que o de um especialista ao fazer uma série de conferências sobre o individualismo moderno. Mostrara-se, então, defensor ardoroso de um cristianismo exigente, igualmente distanciado da libertinagem moderna e do obscurantismo dos séculos passados. Nessa ocasião, não poupara duras verdades ao seu auditório. Daí a sua reputação.

Ora, por volta do fim do mês, as autoridades eclesiásticas da nossa cidade decidiram lutar contra a peste pelos seus próprios meios, organizando uma semana de preces coletivas. Essas manifestações da piedade pública deviam terminar no domingo com uma missa solene, sob a invocação de São Roque, o santo atacado pela peste. Nessa ocasião, tinham dado a palavra ao padre Paneloux. Havia uns 15 dias que este se arrancara aos seus trabalhos sobre Santo Agostinho e a Igreja africana, que lhe haviam granjeado um lugar à parte na sua ordem. De temperamento fogoso e apaixonado, aceitara com determinação a missão de que o encarregavam. Muito antes desse sermão, já se falava dele na cidade e marcou, à sua maneira, uma data importante na história desse período.

A semana de preces foi seguida por um público numeroso. Não é que em tempos normais os habitantes de Orã sejam particularmente piedosos. No domingo de manhã, por exemplo, os banhos de mar fazem séria concorrência à missa. Não é também que uma súbita conversão os tivesse iluminado. Mas, por um lado, com a cidade fechada e o porto interditado, os banhos não eram possíveis, e, por outro lado, eles se encontravam num estado de espírito bem singular em que, sem terem admitido no fundo de si próprios os acontecimentos surpreendentes que os atingiam, sentiam efetivamente que algo, obviamente, mudara. No entanto, muitos continuavam a esperar que a epidemia cessasse e que eles fossem poupados, com as suas famílias. Por consequência, não se sentiam ainda obrigados a nada. A peste nada mais era para eles do que uma visita desagradável que havia de partir um dia. Assustados, mas não desesperados, não chegara ainda o momento em que a peste lhes surgiria como a própria forma da sua vida e em que esqueceriam a existência que até então tinham podido levar. Em suma, estavam na expectativa. No que se refere à religião, como a muitos outros problemas, a peste tinha-lhes dado uma singular atitude de espírito, tão afastada da indiferença como da paixão, que bem podia definir-se pela palavra "objetividade". A maior parte dos que seguiram a semana de preces poderia ter feito sua a frase que um dos fiéis havia proferido diante do Dr. Rieux: "De qualquer maneira, mal não pode fazer." O próprio Tarrou, depois de ter anotado nos seus cadernos que os chineses, em situação semelhante, vão tocar tambor diante do gênio da peste, observava que era absolutamente impossível saber se, na realidade, o instrumento se mostrava mais eficaz que as medidas profiláticas. Acrescentava apenas que, para decidir a questão, seria preciso estar informado sobre a existência de um gênio da peste e que a nossa ignorância nesse ponto tornava estéreis todas as opiniões que se pudesse ter.

De qualquer modo, a catedral da nossa cidade esteve quase cheia de fiéis durante toda a semana. Nos primeiros dias, muitos habitantes ficavam ainda nos jardins de palmeiras e romãzeiras que se estendem diante do pórtico, para ouvirem a maré de invocações e de preces que refluíam até as ruas. Pouco a pouco, com o auxílio do exemplo, os mesmos ouvintes decidiram-se a entrar e a mesclar uma voz tímida aos responsos da assistência. E, no domingo, uma multidão considerável invadiu a nave, transbordando até o adro e os últimos degraus da escadaria. Desde a véspera, o céu tinha-se toldado, a chuva caía pesadamente. Os que estavam do lado de fora tinham aberto os guarda-chuvas. Um cheiro de incenso e de umidade flutuava na catedral quando o padre Paneloux subiu ao púlpito.

Era de estatura mediana, mas robusto. Quando se apoiou na borda do púlpito, apertando a madeira entre as mãos grandes, não se via nele senão uma forma espessa e negra, encimada pelas manchas de duas faces coradas sob os óculos de metal. Tinha uma voz forte, apaixonada, que ia longe, e, quando atacou a assistência com uma única frase veemente e martelada, "Irmãos, caístes em desgraça, irmãos, vós o merecestes", a assistência se agitou.

Logicamente, o que se seguiu não parecia estar de acordo com esse preâmbulo patético. Só a sequência do discurso fez compreender aos nossos concidadãos que, por um hábil processo oratório, o padre tinha dado de uma só vez, como um golpe que se desfecha, o tema de todo o seu sermão. Logo depois dessa frase, Paneloux citou o texto do Êxodo relativo à peste no Egito e disse: "A primeira vez que este flagelo aparece na história é para atacar os inimigos de Deus. O faraó opõe-se aos desígnios eternos e a peste o faz então cair de joelhos. Desde o princípio de toda a história, o flagelo de Deus põe a seus pés os orgulhosos e os cegos. Meditai sobre isto e caí de joelhos."

A chuva redobrava lá fora, e esta última frase, pronunciada no meio de um silêncio absoluto, que se tornou ainda mais profundo pelo crepitar da tempestade sobre os vitrais, ressoou com tal inflexão que alguns ouvintes, depois de um segundo de hesitação, deixaram-se deslizar da cadeira para o genuflexório. Outros julgaram que era necessário seguir o exemplo, de tal modo que, de vizinho a vizinho, sem outro ruído que não fosse o ranger de alguma cadeira, todo o auditório logo se encontrava ajoelhado. Paneloux endireitou-se então, respirou profundamente e continuou, num tom mais veemente: "Se hoje a peste vos olha, é porque chegou o momento de refletir. Os justos não podem temê-la, mas os maus têm razão para tremer. Na imensa granja do Universo, o flagelo implacável baterá o trigo humano até que o joio se separe do grão. Haverá mais joio que grão, mais chamados que eleitos e esta desgraça não foi desejada por Deus. Por longo tempo, este mundo compactuou com o mal, repousando na misericórdia divina. Bastava arrepender-se, tudo era permitido. E para se arrependerem todos se sentiam fortes. Chegado o momento, o arrependimento viria por certo. Até lá, o mais fácil era deixar-se levar; a misericórdia divina faria o resto. Pois bem! Isso não podia durar. Deus, que durante tanto tempo baixou sobre os homens desta cidade o seu rosto de piedade, cansado de esperar, desiludido na sua eterna esperança, acaba de afastar o olhar. Privados da luz de Deus, eis-nos por muito tempo nas trevas da peste!"

Na sala, alguém bufou como um cavalo impaciente. Depois de uma breve pausa, o padre continuou, num tom mais baixo: "Lê-se na Lenda Áurea que no tempo do rei Humberto, na Lombardia, a Itália foi devastada por uma peste tão violenta que os vivos mal chegavam para enterrar os mortos. Essa peste castigava sobretudo Roma e Pavia. E um anjo bom apareceu visivelmente dando ordens ao anjo mau, que trazia uma lança de caça, ordenando-lhe que batesse nas casas. E tantas vezes quantas uma casa recebia pancadas, tantos mortos havia que dela saíam."

Paneloux estendeu aqui os dois braços curtos na direção do adro, como se mostrasse alguma coisa por detrás da cortina móvel da chuva. "Meus irmãos", disse com ímpeto, "é a mesma caçada mortal que hoje prossegue nas nossas ruas. Vede-o, esse anjo da peste, belo como Lúcifer e brilhante como o próprio mal, erguido acima dos vossos telhados, empunhando a lança vermelha à altura da cabeça, designando com a mão esquerda uma das vossas casas. Neste mesmo instante, talvez, o seu dedo estende-se para a vossa porta, a lança ressoa sobre a madeira: mais um instante e a peste entra em vossa casa, senta-se no vosso quarto e espera o vosso regresso. Ela está lá, paciente e atenta, segura como a própria ordem do mundo. Essa mão que ela vos estenderá nenhum poder humano, nem sequer, sabei-o bem, a vã ciência humana, pode fazer com que a eviteis. E, batidos na eira sangrenta da dor, sereis repelidos como a palha."

Aqui, o padre retomou, com mais amplidão ainda, a imagem patética do flagelo. Evocou a imensa lança volteando por cima da cidade, atacando ao acaso e erguendo-se de novo, ensanguentada; espalhando, enfim, o sangue e a dor humana "para as sementeiras que preparariam as searas da verdade".

Ao fim desse longo período, o padre Paneloux parou, com os cabelos caídos sobre a fronte, o corpo agitado por um tremor que as mãos comunicavam ao público, e prosseguiu, mais surdamente, mas em tom acusador: "Sim, chegou a hora de refletir. Pensastes que vos bastaria visitar Deus aos domingos para ficardes com os vossos dias livres. Pensastes que algumas genuflexões seriam suficientes para pagar o vosso desleixo criminoso. Mas Deus não é fraco. Essas atenções espaçadas não bastavam à sua ternura devoradora. Ele queria ver-vos mais tempo, é a sua maneira de vos amar, que é, a bem dizer, a única maneira de amar. Eis por que, cansado de esperar a vossa vinda, deixou que o flagelo vos visitasse, como visitou todas as cidades do pecado desde que os homens têm história. Sabeis agora o que é o pecado, como o souberam Caim e seus filhos, os de antes do Dilúvio, os de Sodoma e Gomorra, Faraó e Jó e também todos os malditos. E, como esses o fizeram, é um olhar novo que lançais sobre os seres e as coisas, desde o dia em que esta cidade fechou os seus muros em torno de vós e do flagelo. Sabeis agora, finalmente, que é preciso chegar ao essencial."

Um vento úmido infiltrava-se então na nave e as chamas dos círios curvavam-se, crepitando. Um cheiro espesso de cera, tosses, um espirro chegaram até o padre Paneloux que, voltando à sua exposição com uma sutileza que foi muito apreciada, prosseguiu com a voz calma: "Muitos dentre vós, bem o sei, perguntam a si próprios, não sem razão, aonde quero chegar. Quero fazer-vos chegar à verdade e ensinar-vos a vos regozijar, apesar de tudo o que vos disse. Passou o tempo em que os conselhos, uma mão fraterna eram os meios de vos guiar para o bem. Hoje, a verdade é uma ordem. E o caminho da salvação é uma lança vermelha que vos aponta e vos conduz. É aqui, meus irmãos, que se manifesta, enfim, a misericórdia divina, que colocou em todas as coisas o bem e o mal, a cólera e a piedade, a peste e a salvação. Este mesmo flagelo que vos aflige vos eleva e vos mostra o caminho.

"Há muito tempo, os cristãos da Abissínia viam na peste um meio eficaz, de origem divina, para alcançar a Eternidade. Os que não eram atingidos enrolavam-se nas roupas contaminadas para terem a certeza de morrer. Sem dúvida, essa fúria de salvação não é recomendável. Ela revela uma precipitação lamentável, bem próxima do orgulho. Não se deve ser mais apressado que Deus, e tudo o que pretende acelerar a ordem imutável que ele estabeleceu de uma vez para sempre conduz à heresia. Mas, ao menos, este exemplo comporta uma lição. Para os nossos espíritos mais clarividentes, ele faz apenas valer esse clarão sublime de eternidade que jaz no fundo de todo sofrimento. Ele ilumina esse clarão, os caminhos crepusculares que conduzem à libertação. Ele manifesta a vontade divina, que, sem fraquejar, transforma o mal em bem. Hoje ainda, através desta caminhada de morte, de angústias e de clamores, ele nos guia para o silêncio essencial e para o princípio de toda a vida. Eis, meus irmãos, o imenso consolo que queria vos trazer para que não leveis daqui apenas as palavras que castigam, mas também um verbo de paz."

Sentia-se que o padre Paneloux terminara. Lá fora a chuva havia cessado. Um céu mesclado de água e de sol derramava sobre a praça uma luz mais brilhante. Da rua chegavam ruídos de vozes, o deslizar de veículos, toda a linguagem de uma cidade que desperta. Os ouvintes juntavam discretamente os seus pertences, com um sussurro surdo. Entretanto, o padre retomou a palavra e disse que, depois de ter mostrado a origem divina da peste e o caráter punitivo deste flagelo, tinha terminado e não faria apelo, para concluir, a uma eloquência que seria inoportuna em matéria tão trágica. Parecia-lhe que tudo devia estar claro para todos. Lembrou apenas que, por ocasião da grande peste de Marselha, o cronista Mathieu Marais se queixara de estar mergulhado no Inferno, vivendo assim sem socorro e sem esperança. Pois bem! Mathieu Marais era cego! Nunca com mais força do que hoje, pelo contrário, o padre Paneloux tinha sentido o socorro divino e a esperança cristã que eram oferecidos a todos. Ele esperava, contra toda a esperança, que, a despeito do horror desses dias e dos gritos dos agonizantes, os nossos concidadãos dirigissem ao céu a única palavra que era cristã e que era de amor. Deus faria o resto.

É difícil dizer se esse sermão produziu efeito sobre os nossos concidadãos. O Sr. Othon, o juiz de instrução, disse ao Dr. Rieux que tinha achado a exposição do padre Paneloux "absolutamente irrefutável". Nem todos, porém, tinham uma opinião tão categórica. Simplesmente, o sermão tornara mais evidente para alguns a ideia, vaga até então, de que estavam condenados, por um crime desconhecido, a uma prisão inimaginável. E enquanto uns continuavam a sua vidinha e se adaptavam à clausura, para outros, pelo contrário, a única ideia era, a partir desse momento, evadirem-se dessa prisão.

A princípio, as pessoas tinham aceitado estarem isoladas do exterior como teriam aceitado qualquer outro inconveniente temporário que apenas perturbasse alguns dos seus hábitos. Mas, subitamente conscientes de uma espécie de sequestro sob a tampa do céu em que o verão começava a crepitar, sentiam confusamente que essa reclusão lhes ameaçava toda a vida e, chegada a noite, a energia que recuperavam com o frescor lançava-os por vezes a atos de desespero.

Em primeiro lugar, fosse ou não por efeito de uma coincidência, a partir desse domingo houve na nossa cidade uma espécie de medo generalizado e bastante profundo para que se pudesse suspeitar que os nossos concidadãos começavam verdadeiramente a tomar consciência da sua situação. Deste ponto de vista, a atmosfera da nossa cidade modificou-se um pouco. A questão, porém, é saber se na verdade a modificação estava na atmosfera ou nos corações.

Poucos dias depois do sermão, Rieux, que comentava o acontecimento com Grand, ao dirigir-se para os subúrbios, chocou-se na escuridão contra um homem que cambaleava diante deles, sem procurar avançar. Nesse momento, as luzes da nossa cidade, que se acendiam cada vez mais tarde, resplandeceram bruscamente. O alto lampião por trás deles iluminou subitamente o homem, que ria sem ruído, de olhos fechados. No seu rosto esbranquiçado, distendido por uma hilaridade muda, o suor corria em grossas gotas. Passaram por ele.

— É um louco — disse Grand.

Rieux, que acabava de pegá-lo pelo braço para arrastá-lo, sentiu que o empregado municipal tremia de nervoso.

— Em pouco tempo, não haverá senão loucos dentro dos nossos muros — concordou Rieux. Com o cansaço, sentia a garganta seca. — Vamos tomar qualquer coisa.

No pequeno café em que entraram, iluminado por um único lampião em cima do balcão, as pessoas falavam em voz baixa, sem razão aparente, no ar espesso e avermelhado. No balcão, para grande surpresa do médico, Grand pediu aguardente, que bebeu de um trago e declarou ser muito forte. Depois quis sair. Lá fora, parecia a Rieux que a noite estava cheia de gemidos. Em qualquer parte no céu negro, um sibilar surdo lembrou-lhe o invisível flagelo que agitava incansavelmente o ar quente.

— Ainda bem, ainda bem — murmurava Grand. Rieux perguntava a si próprio o que ele queria dizer. — Ainda bem — continuou o outro — que tenho o meu trabalho.

— Sim — disse Rieux —, isso é uma vantagem.

E, decidido a não escutar o sibilar, perguntou a Grand se estava contente com esse trabalho.

— Sim, creio que estou no bom caminho.

— Ainda lhe falta muito?

Grand pareceu animar-se, deixando o calor do álcool transparecer na voz.

— Não sei. Mas a questão não é essa, doutor. Não, a questão não é essa.

Na obscuridade, Rieux adivinhava que ele agitara os braços. Parecia preparar qualquer coisa, que veio bruscamente, com eloquência:

— O que eu quero, sabe, doutor, é que, no dia em que o manuscrito chegar ao editor, ele se levante depois de ter lido e diga aos seus colaboradores: "Meus senhores, tirem o chapéu!"

Esta brusca declaração surpreendeu Rieux. Pareceu-lhe que o companheiro fazia o gesto de se descobrir, levando a mão à cabeça e trazendo o braço à posição horizontal. Lá em cima, o estranho silvo parecia redobrar de intensidade.

— É verdade — disse Grand —, é necessário que seja perfeito.

Embora pouco a par dos hábitos literários, Rieux tinha no entanto a impressão de que as coisas não se deviam passar tão simplesmente e que, por exemplo, os editores, nos seus gabinetes, deviam estar de cabeça descoberta. A verdade, porém, é que nunca se sabia e Rieux preferiu calar-se. Contra a vontade, escutava os rumores misteriosos da peste. Chegavam ao bairro de Grand e, como este se situava num ponto alto, uma ligeira brisa refrescava-os, limpando ao mesmo tempo a cidade de todos os seus ruídos. No entanto, Grand continuava a falar e Rieux não entendia tudo o que o homenzinho dizia. Compreendeu apenas que a obra em questão tinha já muitas páginas, mas que o esforço a que o seu autor se submetia para levá-la à perfeição lhe era muito doloroso. Noites, semanas inteiras lutando com uma palavra... às vezes com uma simples conjunção. Nesse ponto, Grand deteve-se e agarrou o médico por um botão do casaco. As palavras saíam trôpegas de sua boca mal guarnecida.

— Compreenda bem, doutor. A rigor, é fácil escolher entre *mas* e *e*. Já é mais difícil optar entre *e* e *depois*. A dificuldade aumenta com *depois* e *em seguida*. Porém o que há, sem dúvida, de mais difícil é saber se deve-se ou não usar o *e*.

— Compreendo — disse Rieux.

Recomeçou a andar. O outro pareceu confuso e deu alguns passos para alcançá-lo.

— Desculpe — gaguejou. — Não sei o que tenho esta noite.

Rieux bateu-lhe suavemente no ombro e disse que desejava ajudá-lo e que a sua história lhe interessava muito. Grand pareceu acalmar-se um pouco e, chegando em casa, depois de hesitar, convidou o médico a subir um momento. Rieux aceitou.

Na sala de jantar, Grand convidou-o a sentar-se diante de uma mesa coberta de papéis cheios de emendas feitas numa letra microscópica.

— Sim, é isto — disse Grand ao médico, que o interrogava com o olhar. — Quer beber qualquer coisa? Tenho um pouco de vinho.

Rieux recusou. Olhava para as folhas de papel.

— Não olhe — pediu Grand. — É a minha primeira frase. Me faz mal; me faz muito mal.

Também ele contemplava todas as folhas e a sua mão pareceu incontrolavelmente atraída para uma delas, que ergueu contra a luz da lâmpada sem abajur. A folha tremia-lhe na mão. Rieux notou que o empregado municipal tinha a testa úmida.

— Sente-se — pediu o médico — e leia.

O outro olhou para ele e sorriu com uma espécie de gratidão.

— Acho, realmente, que estou com vontade de ler.

Esperou um pouco, sempre olhando para a folha, depois sentou-se. Rieux escutava ao mesmo tempo uma espécie de zumbido confuso que, na cidade, parecia responder ao silvo do flagelo. Nesse momento preciso, tinha uma percepção extraordinariamente aguda desta cidade que se estendia aos seus pés, do mundo fechado que ela formava e dos uivos terríveis que ela sufocava na noite. A voz de Grand elevou-se surdamente: "Numa bela manhã do mês de maio, uma elegante amazona percorria, numa soberba égua alazã, as aleias floridas do Bois de Boulogne." O silêncio voltou e com ele o rumor indistinto da cidade que sofria. Grand pousara a folha e continuava a contemplá-la. Ao fim de um momento, ergueu os olhos.

— Que acha?

Rieux respondeu que o início lhe despertava a curiosidade de conhecer o restante. Mas o outro afirmou com animação que esse ponto de vista não era bom e bateu nos papéis com a palma da mão.

— Isto é apenas uma aproximação. Quando eu conseguir transmitir perfeitamente o quadro que tenho na imaginação, quando a minha frase tiver o próprio ritmo desse passeio a trote, um-dois-três, um-dois-três, então o restante será mais fácil e, sobretudo, a ilusão será tal, desde o princípio, que será possível dizer: "Tirem o chapéu!"

Mas, para isso, faltava muito trabalho. Nunca consentiria em entregar aquela frase, tal como estava, a um editor pois, apesar da satisfação que lhe trazia, por vezes dava-se conta de que ela ainda não se ajustava perfeitamente à realidade, e que, de certo modo, conservava uma facilidade de tom que se assemelhava de longe, mas se assemelhava, em todo caso, a um chavão. Era esse pelo menos o sentido do que ele dizia quando se ouviram homens correr sob as janelas. Rieux levantou-se.

— Vai ver o que vou fazer dela — disse Grand. E, voltado para a janela, acrescentou: — Quando tudo isto tiver acabado.

Mas o barulho de passos precipitados recomeçava. Rieux já descia e dois homens passaram por ele quando chegou à rua. Aparentemente, iam para as portas da cidade. Na verdade, alguns dos nossos concidadãos, perdendo a cabeça entre o calor e a peste, deixavam-se arrastar à violência e tinham tentado burlar a vigilância das barreiras para fugirem da cidade.

Outros, como Rambert, tentavam também fugir dessa atmosfera de pânico nascente, mas com mais obstinação e habilidade, se não com mais êxito. Em primeiro lugar, Rambert prosseguira as suas diligências oficiais. Segundo ele próprio dizia, a obstinação acaba por triunfar sobre tudo, e, de um certo ponto de vista, ser desembaraçado era a sua profissão. Visitara, pois, uma grande quantidade de funcionários e de pessoas cuja competência habitualmente não se discutia. No entanto, nesse caso, tal competência de nada lhes servia. Eram, a maior parte das vezes, homens que tinham ideias precisas e bem classificadas sobre tudo aquilo que se refere aos bancos, à exportação, a laranjas e limões, ou ainda ao comércio dos vinhos; que possuíam indiscutíveis conhecimentos sobre os problemas de contencioso ou de seguros, sem contar os diplomas sólidos e uma boa vontade evidente. A boa vontade era até o que de mais impressionante havia em todos.

Porém, em matéria de peste, os seus conhecimentos eram quase nulos.

Diante de cada um deles, entretanto, e sempre que isso fora possível, Rambert defendera sua causa. Sua argumentação principal consistia sempre em dizer que era estrangeiro na nossa cidade e que, por conseguinte, o seu caso devia merecer um exame especial. Em geral, os interlocutores do jornalista admitiam de bom grado esse ponto, mas diziam-lhe que era também o caso de um certo número de pessoas e que, consequentemente, o seu problema não era tão particular quanto imaginava. Ao que Rambert podia retrucar que o fato não mudava em nada a essência da sua argumentação, e replicavam-lhe que mudava alguma coisa nas dificuldades administrativas que se opunham a toda medida de favor, correndo-se o risco de criar aquilo a que chamavam, com uma expressão de grande repugnância, um precedente. Segundo a classificação que Rambert propôs ao Dr. Rieux, esse gênero de argumentadores constituía a categoria dos formalistas. Ao lado deles podiam encontrar-se os bem-falantes, que asseguravam ao suplicante que nada daquilo podia durar e que, pródigos de bons conselhos quando só se lhes pediam decisões, consolavam Rambert decidindo que se tratava apenas de um problema momentâneo. Havia também os importantes, que pediam ao visitante que deixasse uma nota resumindo o seu caso, informando que decidiriam sobre o pedido; os fúteis, que lhe propunham vales de alojamento ou endereços de pensões econômicas; os metódicos, que o faziam preencher uma ficha e arquivavam-na em seguida; os exaltados, que levantavam os braços, e os aborrecidos, que desviavam os olhos; havia, enfim, os tradicionais, de longe os mais numerosos, que indicavam a Rambert outra repartição ou nova diligência a fazer.

O jornalista tinha-se assim esgotado em visitas e formara uma ideia justa do que podia ser uma Câmara ou uma Prefeitura, de tanto esperar num banco estofado diante de grandes cartazes que o convidavam a subscrever obrigações do Tesouro, isentas de impostos, ou a alistar-se no Exército colonial; de tanto entrar em repartições onde as fisionomias eram tão previsíveis quanto o arquivo e os fichários. A vantagem, como Rambert dizia a Rieux com uma ponta de amargura, era que tudo isso mascarava a verdadeira situação. Os progressos da peste praticamente escapavam-lhe, sem contar que os dias assim se passavam mais depressa, e, na situação em que a cidade inteira se encontrava, podia-se dizer que cada dia que passava aproximava os homens, com a condição de que não morressem ao fim das suas provações. Rieux teve de reconhecer que esse ponto de vista era verdadeiro, mas que se tratava, em todo caso, de uma verdade demasiado genérica.

Em dado momento, Rambert alimentou uma esperança. Tinha recebido da Prefeitura um boletim de informações em branco, que lhe pediam que preenchesse com exatidão. O boletim preocupava-se com a sua identidade, a situação da família, os seus recursos, antigos e atuais, e o que chamava de seu curriculum vitae. Teve a impressão de que se tratava de um inquérito destinado a recensear as pessoas suscetíveis de serem enviadas para a sua residência habitual. Algumas informações confusas colhidas numa repartição confirmaram essa suspeita. No entanto, depois de algumas diligências precisas, conseguiu descobrir o serviço que tinha enviado o boletim e disseram-lhe então que essas informações tinham sido recolhidas "para o caso de virem a ser necessárias".

— Que caso? — perguntou Rambert.

Afirmaram-lhe então que era para o caso de ele vir a adoecer da peste e a morrer dela, a fim de que se pudesse, por um lado, avisar a família e, por outro, saber se as despesas do funeral deviam ser debitadas do orçamento da cidade ou se podia esperar que os parentes as reembolsassem. Evidentemente, isso provava que ele não estava inteiramente separado daquela que o esperava, visto que a sociedade se ocupava deles. Mas não era um consolo. O mais notável, e Rambert o observou, era a maneira como no auge de uma catástrofe uma repartição podia continuar o seu serviço e tomar iniciativas de outros tempos, muitas vezes com desconhecimento das autoridades mais altas, pela simples razão de que era feita para esse fim.

O período que se seguiu foi para Rambert ao mesmo tempo mais fácil e mais difícil. Era um período de estagnação. Tinha visitado todas as repartições, feito todas as diligências, e todas as saídas, por esse lado, estavam por agora fechadas. Vagava então de café em café. De manhã, sentava-se num terraço, diante de um copo de cerveja morna, lia um jornal com a esperança de encontrar alguns sinais do fim próximo da doença, olhava para o rosto dos transeuntes, desviava-se, desgostoso, com sua expressão de tristeza e depois de ter lido, pela centésima vez, as tabuletas das lojas em frente, a publicidade dos aperitivos que já não eram servidos, levantava-se e caminhava ao acaso pelas ruas amarelas da cidade. Em passeios solitários até os cafés e dos cafés para os restaurantes, assim ele esperava chegar a noite. Rieux viu-o uma noite, precisamente, à porta de um café, onde o jornalista hesitava em entrar. Pareceu decidir-se e foi sentar-se ao fundo da sala. Era àquela hora em que nos cafés, por ordem superior, se retardava então o mais possível o momento de acender as luzes. O crepúsculo invadia a sala como uma água cinzenta, o róseo do céu poente refletia-se nas vidraças e o mármore das mesas reluzia fracamente na obscuridade nascente. No meio da sala deserta, Rambert parecia uma sombra perdida e Rieux pensou que era a hora de se sentir abandonado. Mas era também o momento em que todos os prisioneiros desta cidade sentiam o seu próprio abandono e era preciso fazer qualquer coisa para apressar a libertação. Rieux afastou-se.

Rambert passava também longos momentos na estação. O acesso às plataformas estava interditado. Mas as salas de espera, às quais se chegava por fora, permaneciam abertas e às vezes ali instalavam-se mendigos nos dias de calor, pois eram sombrias e frescas. Rambert ficava lá, para ler velhos horários, avisos proibindo cuspir e o regulamento da polícia ferroviária. Depois sentava-se a um canto. A sala estava escura. Um velho fogão de ferro fundido havia meses estava frio em meio a desenhos de velhos regadores. Na parede, alguns cartazes propagandeavam uma vida feliz e livre em Bandol ou em Cannes. Rambert sentia ali essa espécie de terrível liberdade que se experimenta no fundo da miséria. Para ele, as imagens mais difíceis de suportar, conforme disse a Rieux, eram as de Paris. Uma paisagem de velhas pedras e das águas, os pombos do Palais Royal, a Gare du Nord, os bairros desertos do Panthéon e alguns outros lugares de uma cidade que ele não sabia ter amado tanto perseguiam então Rambert e impediam-no de fazer qualquer coisa objetiva. Rieux pensava apenas que ele identificava essas imagens com as do seu amor. E, no dia em que Rambert lhe disse que gostava de acordar às quatro da manhã e de pensar na sua cidade, o médico não teve dificuldade em traduzir do fundo da sua própria experiência que ele gostava de imaginar a mulher que tinha deixado. Com efeito, era a hora em que ele podia apoderar-se dela. Até as quatro horas da manhã não se faz nada, em geral dorme-se a essa hora, e isso é tranquilizador, já que o grande desejo de um coração inquieto é possuir interminavelmente o ser que ama e poder mergulhar esse ser, quando chega o tempo da ausência, num sono sem sonhos que só possa acabar no dia do reencontro.

Pouco depois do sermão, o tempo do calor começou. Chegava-se ao fim do mês de junho. No dia seguinte ao da chuva tardia que marcara o domingo do sermão, o verão irrompeu de repente no céu e acima das casas. Levantou-se primeiro um vento forte e ardente que soprou durante um dia e ressecou as paredes. O sol firmou-se. Ondas incessantes de calor e de luz inundaram a cidade durante todo o dia. Fora das ruas em arcada e das casas, parecia não haver um único ponto na cidade que não estivesse colocado na reverberação mais ofuscante. O sol perseguia os nossos concidadãos em todas as esquinas e, se eles paravam, atacava-os então. Como esses primeiros calores coincidiram com uma subida vertiginosa do número de vítimas, que se calculou em cerca de setecentas por semana, apoderou-se da cidade uma espécie de abatimento. Nos subúrbios, nas ruas planas e nas casas com terraços a animação decresceu e, nesse bairro onde toda a gente vivia sempre nas soleiras, todas as portas estavam fechadas e as persianas baixadas, sem que se soubesse se era da peste ou do calor que as pessoas julgavam assim proteger-se. De algumas casas, contudo, saíam gemidos. Antes, quando isso acontecia, viam-se muitas vezes curiosos que paravam na rua, à escuta. Mas, depois desses longos alarmes, parecia que o coração de todos tinha endurecido e que caminhavam ou viviam ao lado dos queixumes como se fossem a linguagem natural dos homens.

Os tumultos junto às portas da cidade, durante os quais os guardas tinham sido obrigados a lançar mão de suas armas, criaram uma surda agitação. Tinha havido feridos, sem dúvida, mas falava-se de mortos na cidade, onde tudo se exagerava por efeito do calor e do medo. Em todo caso, é verdade que o descontentamento não cessava de aumentar, que as nossas autoridades tinham receado o pior e estudado muito a sério medidas a serem tomadas no caso de esta população, mantida sob o flagelo, ser levada à revolta. Os jornais publicaram decretos que renovavam a proibição de sair e ameaçavam com penas de prisão os infratores. Patrulhas percorriam a cidade. Muitas vezes, nas ruas desertas e escaldantes, viam-se avançar, anunciados em primeiro lugar pelo ruído dos cascos dos cavalos nos paralelepípedos, guardas montados que passavam por entre duas fileiras de janelas fechadas. Desaparecida a patrulha, um silêncio pesado e cheio de desconfiança recaía sobre a cidade ameaçada. De vez em quando ouviam-se os disparos dos grupos especiais encarregados de matar os cães e os gatos que poderiam transmitir pulgas. Essas detonações secas contribuíam para estabelecer na cidade uma atmosfera de alerta.

No calor e no silêncio, e para o coração em pânico dos nossos concidadãos, tudo assumia, aliás, uma importância maior. Pela primeira vez, todos se tornavam sensíveis às cores do céu e aos odores da terra causados pela mudança das estações. Cada um compreendia com terror que o calor ajudaria a epidemia e, ao mesmo tempo, cada um via que o verão se instalava. O grito dos gaviões no céu da tarde tornava-se mais débil por cima da cidade. Não mais se enquadrava nesses crepúsculos de junho que ampliam o horizonte no nosso país. As flores dos mercados já não chegavam em botão e, depois da venda da manhã, as pétalas amontoavam-se nas calçadas poeirentas. Via-se claramente que a primavera se extenuara, que se tinha prodigalizado em milhares de flores que desabrochavam por toda parte e que ia agora adormecer, esmagar-se lentamente sob o duplo peso da peste e do calor. Para todos os nossos concidadãos, o céu de verão, estas ruas que empalideciam sob os tons da poeira e do tédio, tinham o mesmo sentido ameaçador que as centenas de mortos que a cada dia pesavam sobre a cidade. O sol inclemente, essas horas com gosto de sono e de férias, já não convidavam como antes às festas da água e da carne. Pelo contrário, soavam lúgubres na cidade fechada e silenciosa. Tinham perdido o brilho metálico das estações felizes. O sol da peste apagava todas as cores e escorraçava qualquer alegria.

Era essa uma das grandes revoluções da doença. Em geral, todos os nossos concidadãos acolhiam o verão com alegria. A cidade abria-se então para o mar e derramava a sua mocidade nas praias. Nesse verão, pelo contrário, o mar próximo estava interditado e o corpo já não tinha direito às suas alegrias. Que fazer nessas condições? É ainda Tarrou quem dá a imagem mais fiel da nossa vida de então. Ele seguia, a bem da verdade, os progressos da peste em geral, observando justamente que uma mudança da epidemia fora assinalada pelo rádio quando deixou de anunciar as centenas de óbitos por semana, para passar a comunicar 92, 107 e 120 mortos por dia. "Os jornais e as autoridades brincam de espertos com a peste. Imaginam que lhe tiram alguns pontos porque 130 é um número menos impressionante que 910." Evocava também os aspectos patéticos ou espetaculares da epidemia, como a mulher que, num bairro deserto, com as persianas fechadas, tinha subitamente aberto uma janela por cima dele e soltado dois grandes gritos antes de voltar a fechar as persianas sobre a sombra espessa do quarto. Mas ele anotava, além disso, que as pastilhas mentoladas tinham desaparecido das farmácias, pois muitas pessoas as chupavam para se prevenirem contra um contágio eventual.

Continuava também a observar os seus personagens favoritos. Descobria-se que o velhote dos gatos vivia também na tragédia. Certa manhã, com efeito, haviam soado tiros e, como escrevia Tarrou, alguns estilhaços de chumbo tinham matado a maior parte dos gatos e aterrorizado os outros, que tinham abandonado a rua. No mesmo dia, o velhote surgira na varanda, à hora habitual, mostrara uma certa surpresa, debruçara-se, examinara as extremidades da rua e resignara-se a esperar. Com a mão, dava pequenas pancadas na grade da varanda. Tinha esperado ainda, rasgara um pedaço de papel, entrara e tornara a sair. Depois de certo tempo, desaparecera bruscamente, fechando com rancor as janelas. Nos dias seguintes repetiu-se a mesma cena, mas podiam ler-se no rosto do velho uma tristeza e uma perturbação cada vez mais manifestas. Ao fim de uma semana, Tarrou esperou em vão o aparecimento diário e as janelas ficaram obstinadamente fechadas sobre um desgosto bastante compreensível. "Em tempo de peste, é proibido escarrar nos gatos", esta era a conclusão das anotações.

Por outro lado, quando Tarrou entrava à noite em casa, tinha sempre a certeza de encontrar no vestíbulo a figura sombria do vigia que passeava de um lado para o outro. Ele não deixava de lembrar a todos que chegavam que tinha previsto o que acontecia. A Tarrou, que reconhecia ter-lhe ouvido prever uma desgraça, mas que lhe recordava a sua ideia de terremoto, o velho guarda respondia: "Ah, se fosse um terremoto! Uma boa sacudidela, e não se fala mais nisso... Contam-se os mortos, os vivos, e pronto. Mas esta porcaria de doença! Até os que não a apanham parecem trazê-la no coração."

O proprietário não andava menos desanimado. A princípio, os viajantes, impedidos de deixar a cidade, tinham sido mantidos no hotel quando as portas da cidade se fecharam. Mas, pouco a pouco, como a epidemia se prolongasse, muitos tinham preferido instalar-se em casa de amigos. E as mesmas razões que tinham enchido todos os quartos do hotel mantinham-nos vazios desde então, já que não chegavam novos viajantes à nossa cidade. Tarrou era um dos raros hóspedes e o gerente não perdia nenhuma ocasião para lhe fazer notar que, se não fosse o seu desejo de ser agradável aos seus últimos clientes, teria há muito fechado o estabelecimento. Pedia muitas vezes a Tarrou que calculasse a duração provável da epidemia. "Dizem", observava Tarrou, "que o frio é inimigo desta espécie de doença." O gerente exasperava-se: "Mas aqui nunca faz realmente frio, meu caro senhor. De qualquer modo, ainda faltam alguns meses." Tinha certeza, aliás, de que os visitantes continuariam durante muito tempo a evitar a cidade. Esta peste era a ruína do turismo.

No restaurante, depois de uma curta ausência, viu-se reaparecer o Sr. Othon, o homem-coruja, mas seguido apenas pelos dois cachorrinhos comportados. Colhidas as informações, soube-se que a mulher tinha tratado e enterrado a própria mãe e estava, nesse momento, de quarentena.

— Não gosto disso — disse o gerente a Tarrou. — Com quarentena ou sem quarentena, ela é suspeita e, consequentemente, eles também.

Tarrou fez-lhe notar que, desse ponto de vista, todos eram suspeitos. Mas o outro era categórico e tinha sobre a questão opiniões bem definidas:

— Não, senhor, nem o senhor nem eu somos suspeitos. Eles são.

Mas o Sr. Othon não se alterava por tão pouco, e, por essa vez, a peste não lhe custava nada. Entrava da mesma maneira na sala do restaurante, sentava-se antes dos filhos e continuava a dirigir-lhes frases distintas e hostis. Apenas o garoto mudara de aspecto. Vestido de preto como a irmã, um pouco mais curvado sobre si próprio, parecia uma pequena sombra do pai. O vigia, que não gostava do Sr. Othon, dissera a Tarrou:

— Ah! Aquele vai morrer todo vestido, nem será preciso arrumá-lo. Vai direitinho.

O sermão de Paneloux era também relatado, mas com o seguinte comentário: "Compreendo esse simpático ardor. No começo dos flagelos e quando eles terminam, faz-se sempre um pouco de retórica. No primeiro caso, não se perdeu ainda o hábito, e no segundo, ele já retornou. É no momento da desgraça que a gente se habitua à verdade, quer dizer, ao silêncio. Esperemos."

Tarrou anotava, enfim, que tivera uma longa conversa com o Dr. Rieux, da qual recordava apenas que dera bons resultados e esclarecia, a propósito disso, a cor castanho-clara dos olhos da mãe do médico, afirmava estranhamente que um olhar onde se lia tanta bondade seria sempre mais forte que a peste e consagrava, por fim, longas páginas ao velho asmático tratado por Rieux.

Tinha ido vê-lo, com o médico, depois da entrevista. O velho acolhera Tarrou com risinhos, esfregando as mãos. Estava na cama, encostado ao travesseiro, por cima das suas duas panelas de ervilhas. "Ah, mais um", dissera ele ao ver Tarrou. "É o mundo às avessas, mais médicos que doentes. É que a coisa anda depressa, hein? O padre tem razão, é bem merecido." No dia seguinte, Tarrou voltara sem avisar.

Caso se queira dar crédito às suas anotações, o velho asmático, lojista de profissão, tinha decidido aos 50 anos que já trabalhara bastante. Metera-se na cama e não voltara a levantar-se desde então. No entanto, a sua asma conciliava-se com o tempo em que estivera em pé. Uma pequena renda o mantivera até os 75 anos, cujo peso ele carregava alegremente. Não conseguia tolerar relógios e, na verdade, não havia um único em toda a casa. "Um relógio é um objeto caro e bobo", dizia ele. Calculava o tempo, e sobretudo a hora das refeições, que era a única que lhe importava, com as suas duas panelas, uma das quais estava cheia de ervilhas quando acordava. Enchia a outra, uma a uma, com o mesmo movimento aplicado e regular. Encontrava assim os seus pontos de referência, num dia medido por panelas. "De 15 em 15 panelas", dizia ele, "é hora de comer. É muito simples."

Aliás, a se acreditar na sua mulher, desde muito novo ele dera sinais dessa vocação. Na verdade, nada o interessara jamais: nem o trabalho, nem os amigos, nem os cafés, nem a música, nem as mulheres, nem os passeios. Nunca saíra da cidade, exceto num dia em que, obrigado a ir a Argel para cuidar de negócios da família, tinha descido na estação mais próxima de Orã, incapaz de levar mais adiante a aventura, e voltara no primeiro trem.

A Tarrou, que parecera admirar-se da vida enclausurada que ele levava, tinha mais ou menos explicado que, segundo a religião, a primeira metade da vida de um homem era uma ascensão e a outra, um declínio; que, no declínio, os dias do homem já não lhe pertenciam, que lhe podiam ser arrebatados a qualquer momento, que ele nada podia fazer deles, e que o melhor, justamente, era não fazer nada. A contradição, aliás, não o assustava, pois tinha dito pouco depois a Tarrou que, certamente, Deus não existia, já que, de outro modo, os padres seriam inúteis. No entanto, por certas reflexões que se seguiram, Tarrou compreendeu que essa filosofia estava estreitamente ligada ao estado de espírito que lhe davam os peditórios frequentes da sua paróquia. Mas o que completava o retrato do velho era um desejo que parecia profundo e que ele exprimiu várias vezes perante o seu interlocutor: esperava morrer muito velho.

"Será um santo?", perguntava Tarrou a si próprio. E respondia: "Sem dúvida, se a santidade é um conjunto de hábitos."

Mas, ao mesmo tempo, Tarrou dedicava-se à descrição bastante minuciosa de um dia na cidade tomada pela peste, dando assim uma justa ideia das ocupações e da vida dos nossos concidadãos durante esse verão. "Ninguém ri, a não ser os bêbados", dizia Tarrou, "e esses riem demais." Depois retomava a sua descrição:

"De madrugada, uma brisa leve percorre a cidade ainda deserta. A essa hora que fica entre as mortes da noite e as agonias do dia, parece que a peste suspende por um instante o seu esforço e toma fôlego. Todas as lojas estão fechadas. Mas, em algumas, o aviso 'Fechada por causa da peste' atesta que não abrirão daqui a pouco como as outras. Vendedores de jornais meio adormecidos não gritam ainda as notícias, mas, encostados às esquinas das ruas, oferecem a sua mercadoria aos lampiões com gestos de sonâmbulos. Dali a pouco, despertados pelos primeiros bondes, vão espalhar-se por toda a cidade, oferecendo de braço estendido as folhas onde se destaca a palavra 'peste'. 'Haverá um outono de peste? O professor B... responde: Não.' 'Cento e vinte e quatro mortos, eis o balanço depois de 94 dias de peste.'

"Apesar da crise de papel, que se torna cada vez mais acentuada e já forçou alguns periódicos a diminuírem o número de páginas, criou-se mais um jornal, o *Correio da Epidemia*, que se impõe como tarefa 'informar os nossos concidadãos, com a preocupação de uma escrupulosa objetividade, dos progressos ou retrocessos da doença; fornecer as opiniões mais categorizadas sobre o futuro da epidemia; prestar o apoio das suas colunas a todos os que, conhecidos ou desconhecidos, estejam dispostos a lutar contra o flagelo; levantar o moral da população, transmitir as diretrizes das autoridades e, numa palavra, reunir todos os esforços para lutar de modo eficaz contra o mal que nos assola'. Na realidade, esse jornal limitou-se muito rapidamente a publicar anúncios de novos produtos infalíveis para evitar a peste. Por volta das seis horas da manhã, todos esses jornais começam a ser vendidos nas filas que se instalam às portas das lojas mais de uma hora antes da sua abertura, depois nos bondes que chegam, apinhados, dos subúrbios. Os bondes tornaram-se o único meio de transporte e avançam com grande dificuldade, os estribos sobrecarregados. Coisa curiosa, no entanto: todos os ocupantes, na medida do possível, voltam as costas aos outros para evitarem um contágio mútuo. Nas paradas, o bonde despeja uma carga de homens e de mulheres cheios de pressa de se afastarem e de se isolarem. Frequentemente ocorrem cenas devidas apenas ao mau humor, que se torna crônico.

"Depois da passagem dos primeiros bondes, a cidade desperta pouco a pouco, as primeiras cervejarias abrem as portas, com os balcões carregados de avisos: 'Não há mais café', 'Traga o seu açúcar' etc. Depois abrem-se as lojas, as ruas animam-se. Ao mesmo tempo, a luz sobe e o calor aumenta pouco a pouco no céu de julho. É a hora em que aqueles que não fazem nada se arriscam pelas avenidas. A maior parte parece ter se encarregado de conjurar a peste pela ostentação do seu luxo. Todos os dias, por volta das onze horas, nas artérias principais, há um desfile de homens e de mulheres jovens em que se pode sentir essa paixão de viver que cresce no seio das grandes desgraças. Quanto mais a epidemia se estender, mais a moral se tornará elástica. Voltaremos a ver as saturnais milanesas à beira das sepulturas.

"Ao meio-dia, os restaurantes enchem-se num abrir e fechar de olhos. Muito depressa formam-se à porta pequenos grupos que não conseguiram encontrar lugar. O céu começa a perder a luz por excesso de calor. À sombra dos grandes toldos, os candidatos à comida esperam a vez, à beira da rua que estala ao sol. Se os restaurantes são invadidos, é porque simplificam muito o problema do abastecimento. Mas deixam intacta a angústia do contágio. Os convivas perdem longos minutos limpando pacientemente os talheres. Não há muito tempo, certos restaurantes anunciavam: 'Aqui escaldam-se os talheres.' Pouco a pouco, porém, renunciaram a qualquer publicidade, já que os clientes eram forçados a vir. Aliás, o cliente gasta de bom grado. Os vinhos finos ou assim considerados, os suplementos mais caros são o começo de uma corrida desenfreada. Parece também que houve cenas de pânico num restaurante, porque um cliente, indisposto, empalidecera, levantara-se cambaleando e dirigira-se rapidamente à saída.

"Por volta das duas horas, a cidade esvazia-se pouco a pouco e é então o momento em que o silêncio, a poeira, o sol e a peste se encontram na rua. Ao longo das grandes casas cinzentas, o calor desliza sem cessar. São longas horas prisioneiras que acabam nas tardes inflamadas que se abatem sobre a cidade populosa e tagarela. Durante os primeiros dias de calor, uma vez ou outra, e sem que se saiba por que, as tardes eram desertas. Mas agora a primeira friagem traz uma trégua, se não uma esperança. Todos descem então para as ruas, falam para se atordoar, discutem ou desejam-se e, sob o céu vermelho de julho, a cidade, carregada de casais e de clamores, prossegue em direção à noite ofegante. Em vão, todas as tardes nas avenidas, um velho inspirado, com um chapéu de feltro e gravata esvoaçante, atravessa a multidão, repetindo sem cessar: 'Deus é grande, vinde a Ele.' Todos se precipitam, pelo contrário, para qualquer coisa que conhecem mal ou que lhes parece mais urgente que Deus. A princípio, quando achavam que era uma doença como as outras, a religião tinha prestígio. Mas quando viram que o caso era sério, lembraram-se do prazer. Toda a angústia que se pinta durante o dia nos rostos se dissolve então, no crepúsculo ardente e poeirento, numa espécie de excitação desastrada, numa liberdade desastrada que inflama todo um povo.

"E também eu sou como eles. Puro engano! A morte nada é para homens como eu. É um acontecimento que lhes dá razão."

Foi Tarrou quem pediu a Rieux a entrevista de que fala nos seus cadernos. Na noite em que Rieux o esperava, o médico contemplava a mãe, placidamente sentada a um canto da sala de jantar. Era aí que ela passava os seus dias quando a arrumação da casa a deixava livre. Com as mãos juntas sobre os joelhos, esperava. Rieux não tinha sequer a certeza de que fosse a ele que ela esperava. No entanto, qualquer coisa se alterava no seu rosto quando ele aparecia. Tudo o que uma vida laboriosa ali havia posto de mutismo parecia então animar-se. Depois ela recaía no silêncio. Nessa noite, olhava através da janela para a rua deserta. A iluminação tinha sido reduzida à terça parte. E, aqui e ali, uma lâmpada muito fraca punha alguns reflexos nas sombras da cidade.

— Vão manter esta iluminação fraca durante toda a peste? — perguntou a Sra. Rieux.

— Provavelmente.

— Contanto que isso não dure até o inverno... Seria muito triste.

— É verdade — disse Rieux.

Viu o olhar da mãe pousar-lhe na fronte. Sabia que a inquietação e o excesso de trabalho dos últimos dias lhe haviam vincado o rosto.

— O dia não correu bem? — perguntou a Sra. Rieux.

— Oh, como de costume.

Como de costume! Quer dizer que o novo soro enviado de Paris parecia ser menos eficaz que o primeiro e as estatísticas subiam. Continuava a não haver a possibilidade de inocular o soro preventivo a não ser nas famílias já atingidas. Teriam sido necessárias quantidades industriais para generalizar sua utilização. A maior parte dos abscessos recusava-se a abrir, como se tivesse chegado a época do seu endurecimento, e torturava os doentes. Desde a véspera, havia na cidade dois casos de uma nova forma da epidemia. A peste tornara-se então pulmonar. Nesse mesmo dia, no decurso de uma reunião, os médicos, exaustos diante de um prefeito desorientado, tinham pedido e obtido novas medidas para evitar o contágio, que na peste pulmonar se fazia por via oral. Como sempre, não se sabia nada.

Olhou para a mãe. O belo olhar castanho lhe trouxe de volta anos de ternura.

— Está com medo, mamãe?

— Na minha idade, já não se teme muita coisa.

— Os dias são muito compridos e eu agora nunca estou em casa.

— Não me faz diferença esperar, desde que saiba que vai chegar. E quando você não está, penso no seu trabalho. Tem notícias?

— Sim, vai tudo bem, se é que posso acreditar no último telegrama. Mas sei que ela diz isso para me tranquilizar.

A campainha soou. O médico sorriu para a mãe e foi abrir a porta. Na penumbra do patamar, Tarrou, vestido de cinza, parecia um grande urso. Rieux fez o visitante sentar-se diante da secretária. Ele próprio ficou em pé, atrás da poltrona. Estavam separados pela única lâmpada acesa em cima da secretária.

— Sei — disse Tarrou, sem preâmbulos — que posso lhe falar com franqueza. — Rieux aprovou em silêncio. — Daqui a 15 dias ou um mês, o senhor já não terá aqui qualquer utilidade; estará superado pelos acontecimentos.

— É verdade — retrucou o médico.

— A organização do serviço sanitário é má. Faltam-lhe homens e tempo. — Rieux admitiu mais uma vez que era verdade. — Soube que a Prefeitura está planejando uma espécie de serviço civil para obrigar os homens válidos a participarem no salvamento geral.

— Está bem informado. Mas o descontentamento já é grande e o prefeito hesita.

— Por que não solicitam voluntários?

— Isso foi feito, mas os resultados foram insignificantes.

— Fizeram por via oficial e sem muita fé no que faziam. O que lhes falta é imaginação. Nunca estão à altura dos flagelos. E os remédios que imaginam não estão nem sequer à altura de um resfriado. Se os deixarmos agir, acabarão por morrer, e nós com eles.

— É provável — retrucou Rieux. — Devo dizer que pensam também nos presos para os chamados trabalhos pesados.

— Gostaria mais que fossem homens livres.

— Eu também. Mas por que, afinal?

— Tenho horror às condenações à morte.

Rieux olhou para Tarrou.

— Então? — perguntou.

— Então, tenho um plano de organização para comissões sanitárias espontâneas. Autorize-me a ocupar-me disso e deixemos as autoridades de lado. Aliás, as autoridades estão suplantadas. Tenho amigos por toda parte e eles formarão o primeiro núcleo. E, naturalmente, participarei dele.

— Está bem — disse Rieux —, aceito com satisfação. Temos necessidade de ser ajudados, sobretudo nesta profissão. Encarrego-me de fazer a Prefeitura concordar com a ideia. Aliás, não há outra opção. Mas... — ele refletiu — ... esse trabalho pode ser mortal, como sabe. Em todo caso, é preciso que eu o previna. Pensou bem?

Tarrou olhava-o com os seus olhos cinzentos e tranquilos.

— Que achou do sermão de Paneloux, doutor?

A pergunta foi feita naturalmente e Rieux respondeu naturalmente:

— Vivi demais nos hospitais para gostar da ideia de castigo coletivo. Mas, como sabe, os cristãos falam às vezes assim, sem que realmente pensem dessa forma. São melhores do que parecem.

— Pensa então, como Paneloux, que a peste tem o seu lado bom, que abre os olhos, que obriga a pensar?

O médico sacudiu a cabeça com impaciência.

— Como todas as doenças deste mundo. O que é verdade em relação aos males deste mundo é também verdade em relação à peste. Pode servir para engrandecer alguns. No entanto, quando se vê a miséria e a dor que ela traz, é preciso ser louco, cego ou covarde para se resignar à peste.

Rieux apenas erguera um pouco o tom de voz. Mas Tarrou fez um gesto com a mão como para acalmá-lo. Sorria.

— Sim — continuou Rieux, dando de ombros. — Mas não me respondeu. Refletiu bem?

Tarrou endireitou-se um pouco na cadeira e esticou a cabeça para a luz.

— Acredita em Deus, doutor?

De novo, a pergunta fora feita naturalmente. Mas dessa vez Rieux hesitou.

— Não, mas que quer dizer isso? Estou nas trevas e tento ver claro. Há muito que deixei de achar isso original.

— Não é isso o que o separa de Paneloux?

— Não acho. Paneloux é um estudioso. Não viu muitas mortes e é por isso que fala em nome de uma verdade. Mas o mais modesto padre de aldeia que cuida dos seus paroquianos e que ouviu a respiração de um moribundo pensa como eu. Ele trataria da miséria antes de querer demonstrar-lhe a excelência.

Rieux levantou-se. Seu rosto estava agora na sombra.

— Vamos esquecer isso — disse —, já que não quer responder.

Tarrou sorriu, sem se mexer na poltrona.

— Posso responder com uma pergunta?

Foi a vez de o médico sorrir.

— Gosta de mistério. Vamos lá.

— É isso — disse Tarou. — Por que o senhor mesmo demonstra tanta dedicação, já que não acredita em Deus? Sua resposta talvez me ajude a responder.

Sem sair da sombra, o médico disse que já respondera e que, se acreditasse num Deus todo-poderoso, deixaria de curar os homens, entregando a ele esse cuidado. Mas que ninguém no mundo, não, nem mesmo Paneloux, que julgava acreditar, acreditava num Deus desse gênero, já que ninguém se entregava totalmente, e que nisso, ao menos, ele, Rieux, julgava estar no caminho da verdade, lutando contra a criação tal como ela era.

— Ah! — exclamou Tarrou. — Então é essa a ideia que tem da sua profissão?

— Mais ou menos — respondeu o médico, voltando-se para a luz.

Tarrou assobiou baixinho e o médico olhou para ele.

— Bem sei — continuou. — Diz a si próprio que para isso é preciso ter orgulho. Mas eu não tenho senão o orgulho necessário, acredite. Não sei o que me espera, nem o que virá depois de tudo isto. No momento, há doentes e é preciso curá-los. Em seguida, eles refletirão e eu também. Mas o mais urgente é curá-los. Eu os defendo como posso, é tudo.

— Contra quem?

Rieux voltou-se para a janela. Adivinhava ao longe o mar por uma condensação mais escura do horizonte. Sentia apenas o seu cansaço e lutava ao mesmo tempo contra um desejo súbito e irracional de se abrir um pouco mais com esse homem um tanto singular, mas que sentia fraternal.

— Não sei, Tarrou, juro-lhe que não sei. Quando entrei para essa profissão eu o fiz de modo abstrato, de certa forma, porque tinha necessidade, porque era uma situação como as outras, uma das que os jovens se propõem. Talvez também porque era particularmente difícil para um filho de operário como eu. E depois foi necessário ver alguém morrer. Sabe que há pessoas que se recusam a morrer? Já ouviu alguma vez uma mulher gritar "Nunca!" no momento de morrer? Eu, já. E descobri então que não conseguia me habituar. Era jovem, nesse tempo, e julgava dirigir a minha repugnância à própria ordem do mundo. Depois tornei-me mais modesto. Simplesmente, não me habituei a ver uma pessoa morrer. Não sei mais nada. Mas, afinal...

Rieux calou-se e voltou a sentar-se. Sentia a boca seca.

— Afinal?... — perguntou suavemente Tarrou.

— Afinal... — continuou o médico, e voltou a hesitar, olhando para Tarrou com atenção. — É uma coisa que um homem como o senhor consegue compreender, não é verdade? Já que a ordem do mundo é regulada pela morte, talvez convenha a Deus que não acreditemos nele e que lutemos com todas as nossas forças contra a morte, sem erguer os olhos para o céu, onde ele se cala.

— Sim — concordou Tarrou —, compreendo. Mas as suas vitórias serão sempre efêmeras, nada mais.

O semblante de Rieux pareceu anuviar-se.

— Sempre, bem sei. Não é uma razão para deixar de lutar.

— Não, não é uma razão. Mas imagino então o que esta peste significa para o senhor.

— Sim — tornou Rieux. — Uma interminável derrota.

Tarrou fixou um momento o médico. Depois levantou-se e caminhou pesadamente para a porta. Rieux seguiu-o. Alcançava-o já quando Tarrou, que parecia olhar para os pés, lhe perguntou:

— Quem lhe ensinou tudo isso, doutor?

A resposta veio imediatamente.

— A miséria.

Rieux abriu a porta do escritório e, no corredor, disse a Tarrou que ia descer também, pois precisava ver um dos seus doentes no subúrbio. O outro propôs acompanhá-lo e o médico aceitou. No fim do corredor encontraram a Sra. Rieux, a quem o médico apresentou Tarrou.

— Um amigo — disse.

— Ah! — exclamou a Sra. Rieux. — Muito prazer em conhecê-lo.

Quando se afastou, Tarrou voltou-se mais uma vez para ela. No patamar, o médico tentou em vão acender a luz. As escadas continuaram mergulhadas na noite. O médico perguntava a si mesmo se seria o efeito de uma nova medida de economia. Mas não se podia saber. Já havia algum tempo que tudo nas casas e na cidade se estragava. Era talvez apenas porque os porteiros e os nossos concidadãos em geral já não tomavam cuidado com coisa alguma. Mas o médico não teve tempo de continuar a interrogar-se porque a voz de Tarrou ressoava atrás dele:

— Mais uma palavra, doutor, ainda que lhe pareça ridícula: o senhor tem toda a razão.

No escuro, Rieux encolheu os ombros para si próprio.

— Não sei, realmente. Mas o senhor, o que acha?

— Oh — disse o outro, sem se perturbar —, tenho pouca coisa a aprender.

O médico parou e o pé de Tarrou, atrás dele, escorregou num degrau. Tarrou equilibrou-se, apoiando-se no ombro de Rieux.

— Julga saber tudo da vida? — perguntou Rieux.

A resposta veio do escuro, trazida pela mesma voz tranquila:

— Sim.

Quando saíram para a rua, compreenderam que era bastante tarde, onze horas, talvez. A cidade estava muda, povoada apenas de rumores. Muito ao longe, ouvia-se a sirene de uma ambulância. Entraram no carro e Rieux ligou o motor.

— É preciso que venha amanhã ao hospital, por causa da vacina preventiva. Mas, para terminar e antes de entrar nessa história, pense que tem uma chance em três de sair disso.

— Esses cálculos, doutor, não têm sentido, sabe tão bem quanto eu. Há cem anos, uma epidemia de peste matou todos os habitantes de uma cidade da Pérsia, exceto precisamente o lavador de defuntos, que nunca tinha deixado de exercer a profissão.

— Teve a sua terceira chance, nada mais — disse Rieux numa voz subitamente mais velada. — Mas é verdade que temos ainda muito a aprender sobre esse assunto.

Entravam agora no subúrbio. Os faróis brilhavam nas ruas desertas. Pararam. Diante do carro, Rieux perguntou a Tarrou se queria entrar e o outro disse que sim. Um reflexo do céu iluminava os rostos. Rieux deu, de repente, um riso fraterno.

— Vamos, Tarrou — disse ele. — O que o leva a ocupar-se de tudo isto?

— Não sei. Talvez a minha moral.

— E que moral é essa?

— A compreensão.

Tarrou voltou-se para o prédio e Rieux não viu mais o seu rosto até o momento de entrarem em casa do velho asmático.

Logo no dia seguinte, Tarrou pôs-se a trabalhar e reuniu o primeiro grupo, que devia ser seguido de muitos outros.

A intenção do narrador não é, entretanto, dar a essas comissões sanitárias mais importância do que elas realmente tiveram. No seu lugar, é verdade que muitos dos nossos concidadãos cederiam hoje à tentação de lhes exagerar o papel. Mas o narrador fica mais tentado a acreditar que, ao dar demasiada importância às belas ações, se presta finalmente uma homenagem indireta e poderosa ao mal. Isto porque deixaria então supor que essas belas ações só valem tanto por serem raras e que a maldade e a indiferença são forças motrizes bem mais frequentes nas ações dos homens. Essa é uma ideia que o narrador não compartilha. O mal que existe no mundo provém quase sempre da ignorância, e a boa vontade, se não for esclarecida, pode causar tantos danos quanto a maldade. Os homens são mais bons que maus, e na verdade a questão não é essa. Mas ignoram mais ou menos, e é a isso que se chama virtude ou vício, sendo o vício mais desesperado o da ignorância, que julga saber tudo e se autoriza, então, a matar. A alma do assassino é cega, e não há verdadeira bondade nem belo amor sem toda a clarividência possível.

É por isso que as nossas comissões sanitárias, que se formaram graças a Tarrou, devem ser julgadas com uma satisfação objetiva. É por isso que o narrador não quer ser o propagandista por demais eloquente de uma vontade e de um heroísmo a que atribui uma importância apenas relativa. Mas continuará a ser o historiador dos corações dos nossos concidadãos, que a peste tornara dilacerados e exigentes.

Com efeito, os que se dedicaram às comissões sanitárias não tiveram um mérito tão grande em fazê-lo, pois sabiam que era a única coisa a fazer, e não se decidir a fazê-lo é que teria sido incrível. Essas comissões ajudaram os nossos concidadãos a penetrar mais na peste e persuadiram-nos, em parte, de que, uma vez que a doença existia, deviam fazer o necessário para lutar contra ela. Porque a peste se tornava assim o dever de alguns ela surgiu realmente como era, isto é, o problema de todos.

Está certo. Mas não se cumprimenta um professor por ensinar que dois e dois são quatro. Talvez o felicitemos por ter escolhido essa bela profissão. Digamos, pois, que era louvável que Tarrou e outros tivessem escolhido demonstrar que dois e dois eram quatro e não o contrário, mas digamos também que essa boa vontade lhes era comum à do professor, à de todos aqueles que têm o coração igual ao do professor, que, para honra do homem, são mais numerosos do que se pensa, ou pelo menos esta é a convicção do narrador. Aliás, este compreende muito bem a objeção que lhe poderia ser feita, ou seja, que esses homens arriscavam a vida. Mas chega sempre uma hora na história em que aquele que ousa dizer que dois e dois são quatro é punido com a morte. O professor sabe muito bem disso. E a questão não é saber qual é a recompensa ou o castigo que espera esse raciocínio. A questão é saber se dois e dois são ou não quatro. Quanto aos nossos concidadãos que então arriscavam a vida, tinham de decidir se estavam ou não na peste e se era ou não necessário lutar contra ela.

Muitos moralistas novos da nossa cidade diziam então que nada servia para nada e que era preciso cair de joelhos. E Tarrou, Rieux e os amigos podiam responder isto ou aquilo, mas a conclusão era sempre o que eles já sabiam: era preciso lutar, desta ou daquela maneira, e não cair de joelhos. Toda a questão residia em impedir o maior número possível de homens de morrerem e de conhecerem a separação definitiva. Para isso, havia um único meio — combater a peste. Esta verdade não era admirável, era apenas consequente.

Por isso era natural que o velho Castel pusesse toda a sua confiança e toda a sua energia em fabricar soros ali mesmo, com material precário. Rieux e ele esperavam que um soro fabricado com as culturas do próprio micróbio que infestava a cidade teria uma eficácia mais direta que os soros vindos do exterior, já que o micróbio diferia ligeiramente do bacilo da peste tal como era classicamente definido. Castel esperava ter em breve o seu primeiro soro.

Por isso era natural que Grand, que nada tinha de herói, assumisse agora uma espécie de secretaria das comissões sanitárias. Com efeito, parte dos grupos formados por Tarrou dedicava-se a um trabalho de assistência preventiva nos bairros muito populosos. Tentava-se introduzir aí a higiene necessária, contando-se as águas-furtadas e os porões que a desinfecção não tinha visitado. Uma outra parte dos grupos ajudava os médicos nas visitas domiciliares, garantindo o transporte dos doentes e até, mais tarde, na ausência de pessoal especializado, dirigia os carros dos doentes e dos mortos. Tudo isso exigia um trabalho de registro de estatística que Grand aceitara fazer.

Desse ponto de vista, e mais que Rieux ou Tarrou, o narrador considera que Grand era o verdadeiro representante dessa virtude tranquila que animava as comissões sanitárias. Aceitara sem hesitação, com a boa vontade que o caracterizava. Manifestara apenas o desejo de se tornar útil em pequenos trabalhos. Estava velho demais para o resto. Das dezoito às vinte horas, podia ceder o seu tempo. E, como Rieux lhe agradecesse calorosamente, ele se admirava: "Não é tão difícil. Há a peste, é preciso nos defendermos, é evidente. Ah, se tudo fosse simples assim!" E repetia a sua frase. Por vezes, à noite, quando o trabalho das fichas terminava, Rieux conversava com Grand. Tinham acabado por juntar Tarrou às suas conversas e Grand se abria com um prazer cada vez mais evidente aos dois companheiros. Estes acompanhavam com interesse o trabalho paciente que Grand conduzia, no meio da peste. Também eles, por fim, encontravam nisso uma espécie de repouso.

"Como vai a amazona?", perguntava muitas vezes Tarrou. E Grand respondia invariavelmente, com um sorriso: "Vai trotando, vai trotando." Uma noite, Grand disse que tinha posto definitivamente de lado o adjetivo "elegante" para a sua amazona e que a classificava agora de "esbelta". "É mais concreto", acrescentara. Outra vez leu para os dois ouvintes a primeira frase, assim modificada: "Numa bela manhã de maio, uma esbelta amazona, montada numa soberba égua alazã, percorria as aleias floridas do Bois de Boulogne."

— Não é verdade — disse Grand — que a vemos melhor assim? E eu preferi "numa manhã de maio" porque "mês de maio" alongava um pouco o trote.

Mostrou-se em seguida muito preocupado com o adjetivo "soberba". Era pouco sugestivo, em sua opinião, e ele procurava o termo que fotografasse imediatamente a égua pomposa que ele imaginava. "Gorda" não podia ser. Era concreto, mas um pouco pejorativo. "Reluzente" o havia tentado por um instante, mas o ritmo não se adequava. Certa noite anunciou triunfalmente que tinha encontrado: "Uma negra égua alazã." O negro indicava discretamente a elegância, segundo a sua opinião.

— Não é possível — disse Rieux.

— E por quê?

— Alazã não indica a raça, mas a cor.

— Que cor?

— Bem, uma cor que, em todo caso, não é o preto!

Grand pareceu muito impressionado.

— Muito obrigado — disse ele. — Ainda bem que o senhor está aqui. Mas vê como é difícil?

— Que acha de "suntuosa"? — perguntou Tarrou.

Grand olhou para ele e refletiu.

— Sim — disse. — Sim!

E, pouco a pouco, esboçava um sorriso.

Algum tempo depois, confessou que a palavra "floridas" o constrangia. Como nunca conhecera senão Orã e Montélimar, às vezes pedia aos amigos indicações sobre a forma como as aleias do Bois* eram floridas. A bem dizer, elas nunca tinham dado a impressão, a Rieux ou a Tarrou, de serem floridas, mas a convicção do funcionário os abalava. Ele estranhava aquela incerteza. Só os artistas sabem olhar. Mas, certa vez, o médico encontrou-o numa grande excitação. Tinha substituído "floridas" por "cheias de flores".

Esfregava as mãos. "Afinal, podemos vê-las e cheirá-las. Tirem o chapéu, meus senhores!" Leu triunfalmente a frase: "Numa bela manhã de maio, uma esbelta amazona, montada numa suntuosa égua alazã, percorria as aleias cheias de flores do Bois de Boulogne." No entanto,

---

* *Bois* (pronuncia-se "buá") é bosque, em português. (*N. da T.*)

lidos em voz alta, os três genitivos que terminavam a frase soaram mal e Grand gaguejou um pouco. Acabrunhado, sentou-se. Depois pediu ao médico licença para ir embora. Tinha necessidade de refletir um pouco.

Foi nessa época, como se soube depois, que, na repartição, ele dera certos sinais de distração considerados lamentáveis num momento em que a Prefeitura enfrentava, com um pessoal reduzido, obrigações avassaladoras. O seu serviço sofreu as consequências disso e o chefe da repartição repreendeu-o severamente, lembrando-lhe que era pago para executar um trabalho que precisamente não cumpria. "Parece", dissera o chefe da repartição, "que o senhor faz serviço voluntário nas comissões sanitárias, fora do seu trabalho. Nada tenho com isso. O que me diz respeito é o seu trabalho aqui. E a primeira maneira de se tornar útil nestas terríveis circunstâncias é fazer bem o seu trabalho. Ou então o resto não serve para nada."

— Ele tem razão — disse Grand a Rieux.

— Sim, tem razão — concordou o médico.

— Mas eu ando distraído e não sei como sair do fim da minha frase.

Tinha pensado em suprimir "de Boulogne", calculando que todos compreenderiam. Mas então a frase parecia fazer relacionar-se com "flores" o que, na realidade, se relacionava com "aleias". Examinara também a possibilidade de escrever: "As aleias do Bois cheias de flores." Mas a situação de "Bois" entre um substantivo e um adjetivo que ele separava arbitrariamente era como um espinho na carne. Certas noites, é bem verdade que ele parecia mais cansado que Rieux.

Sim, estava fatigado por essa busca que o absorvia por completo, mas nem por isso deixava de fazer as somas e as estatísticas de que precisavam as comissões sanitárias. Com paciência, todas as noites passava fichas a limpo, acrescentava-lhes curvas estatísticas e esforçava-se esmeradamente por apresentar quadros tão precisos quanto possível. Muitas vezes, ia encontrar-se com Rieux em um dos hospitais e pedia-lhe uma mesa em algum gabinete ou enfermaria. Instalava-se lá com os seus papéis, exatamente como se instalava à sua mesa na Prefeitura, e, no ar que os desinfetantes e a própria doença tornavam espesso, agitava as folhas para fazer secar a tinta. Tentava então honestamente não pensar mais na sua amazona e fazer apenas o que era necessário.

Sim, se é verdade que os homens insistem em propor-se exemplos e modelos a que chamam heróis, e se é absolutamente necessário que haja um nesta história, o narrador propõe justamente esse herói insignificante e apagado que só tinha um pouco de bondade no coração e um ideal aparentemente ridículo. Isto dará à verdade o que lhe é devido, à adição de dois e dois o seu total de quatro, e ao heroísmo o lugar secundário que lhe cabe, logo depois, e nunca antes, da exigência generosa da felicidade. Isto dará também a esta crônica o seu caráter, que deve ser o de uma relação feita com bons sentimentos, isto é, sentimentos que nem são ostensivamente maus nem exaltadores, à maneira vulgar de um espetáculo.

Era essa pelo menos a opinião do Dr. Rieux quando lia nos jornais ou ouvia no rádio os apelos e incentivos que o mundo exterior fazia chegar à cidade da peste. Ao mesmo tempo que os socorros enviados por ar e por terra, todas as noites, pelas ondas ou pela imprensa, comentários piedosos ou de admiração se abatiam sobre a cidade agora solitária. E, todas as vezes, o tom de epopeia ou de discurso de distribuição de prêmios impacientava o médico. Naturalmente, ele sabia que essa solicitude não era fingida. Mas ela não se podia exprimir senão na linguagem convencional pela qual os homens tentam exprimir o que os liga à humanidade. E essa linguagem não se podia aplicar aos pequenos esforços diários de Grand, por exemplo, por não poder exprimir o que Grand significava no meio da peste.

À meia-noite, por vezes, no grande silêncio da cidade então deserta, no momento de voltar à cama para um sono demasiado curto, o médico girava o botão do seu aparelho de radioescuta. E, dos confins do mundo, através de milhares de quilômetros, vozes desconhecidas e fraternas tentavam timidamente expressar a sua solidariedade e expressavam-na, de fato, mas demonstravam ao mesmo tempo a terrível impotência em que se encontra todo homem de compartilhar verdadeiramente uma dor que não pode ver. "Orã! Orã!" Em vão o apelo atravessava os mares, em vão Rieux se mantinha alerta, logo a eloquência subia e acusava melhor ainda a separação essencial que fazia de Grand e do orador dois estrangeiros. "Orã! Sim, Orã! Mas não", pensava o médico, "amar ou morrer juntos, não há outro recurso. Eles estão muito longe."

E justamente o que falta relatar antes de chegar ao auge da peste, enquanto o flagelo reunia todas as suas forças para lançá-las sobre a cidade e apoderar-se dela definitivamente, são os longos esforços desesperados e monótonos que os últimos indivíduos, como Rambert, faziam para reencontrar a sua felicidade e tomar da peste essa parte deles mesmos que defendiam contra todos os ataques. Era essa a sua maneira de recusar a servidão que os ameaçava, e embora essa recusa, aparentemente, não fosse tão eficaz quanto a outra, a opinião do narrador é que tinha efetivamente um sentido e comprovava também nas suas próprias vaidades e contradições o que havia então de altivez em cada um de nós.

Rambert lutava para impedir que a peste o vencesse. Tendo adquirido a prova de que não poderia sair da cidade pelos meios legais, estava decidido, dissera a Rieux, a usar de outros. O jornalista começou pelos garçons dos bares. Um garçom de bar está sempre a par de tudo. Mas os primeiros que ele interrogou estavam sobretudo a par das sanções muito graves que se aplicavam a esse gênero de empreendimento. Em certo caso, foi até considerado um provocador. Foi-lhe necessário encontrar Cottard em casa de Rieux para avançar um pouco. Nesse dia, Rieux e ele tinham falado mais uma vez nas vãs diligências que o jornalista fizera pelas repartições. Alguns dias depois, Cottard encontrou Rambert na rua e acolheu-o com a franqueza que sempre imprimia agora às suas relações.

— Nada de novo? — perguntou ele.

— Não, nada.

— Não se pode contar com as repartições. Não foram feitas para a compreensão.

— É verdade. Mas eu procuro outra coisa. É difícil.

— Ah! — disse Cottard. — Compreendo.

Ele conhecia um caminho e a Rambert, que se admirava, explicou que havia muito frequentava os cafés de Orã, onde tinha amigos, e que estava informado sobre a existência de uma organização que se ocupava desse tipo de operações. A verdade é que Cottard, cujas despesas ultrapassavam agora as receitas, tinha se envolvido em negócios de contrabando de produtos racionados. Assim, revendia cigarros e mau álcool, cujos preços subiam sem cessar e já lhe propiciavam uma pequena fortuna.

— Tem certeza? — perguntou Rambert.

— Tenho, já que me fizeram uma proposta.

— E não aproveitou?

— Não seja desconfiado — disse Cottard, com um ar bonachão. — Não aproveitei porque não tenho vontade de partir. Tenho minhas razões. — E acrescentou, depois de um silêncio: — Não me pergunta quais são as minhas razões?

— Suponho — respondeu Rambert — que isso não é da minha conta.

— Em certo sentido, na verdade, isso não é da sua conta. Mas em outro... Enfim, a única coisa evidente é que me sinto bem melhor aqui desde que temos a peste conosco.

O outro escutou o discurso.

— Como entrar em contato com essa organização?

— Ah! — disse Cottard. — Não é fácil. Venha comigo.

Eram quatro horas da tarde. Sob um céu pesado, a cidade ardia lentamente. Todas as lojas tinham baixado os toldos. As ruas estavam desertas. Cottard e Rambert andavam por ruas com arcadas e caminharam por um longo tempo sem falar. Era uma das horas em que a peste se tornava invisível. Esse silêncio, essa morte das cores e dos movimentos podiam ser tanto os do verão quanto os do flagelo. Não se sabia se o ar estava carregado de ameaças ou de poeira e de ardor. Era preciso observar e refletir para chegar à peste, já que ela só se traía por sinais negativos. Cottard, que tinha afinidades com ela, fez notar a Rambert, por exemplo, a ausência de cães, que normalmente deviam estar deitados de lado, à entrada dos corredores, de língua de fora, à procura de um frescor impossível.

Seguiram pela avenida das Palmeiras, atravessaram a Praça de Armas e desceram para o bairro da Marinha. À esquerda, um café pintado de verde abrigava-se sob um toldo oblíquo, de grossa lona amarela. Ao entrar, Cottard e Rambert enxugaram o suor da testa. Sentaram-se em cadeiras dobráveis de jardim diante de mesas de ferro verde. A sala estava absolutamente deserta. Moscas zumbiam no ar. Numa gaiola amarela pousada no balcão, um papagaio, de penas caídas, estava abatido no poleiro. Velhos quadros representando cenas militares pendiam das paredes, cobertos de sujeira e de teias de aranha em espessos filamentos. Em todas as mesas de ferro e diante do próprio Rambert secavam excrementos de galinha, cuja origem ele não compreendia até que de um canto obscuro, depois de um certo rebuliço, saiu saltitando um galo magnífico.

Nesse momento, o calor pareceu aumentar ainda mais. Cottard tirou o paletó e bateu na mesa. Um homenzinho, perdido num comprido avental azul, saiu do fundo, cumprimentou Cottard logo que pôde vê-lo, adiantou-se afastando o galo com um vigoroso pontapé e perguntou, no meio dos cacarejos da ave, o que os senhores desejavam que lhes servisse. Cottard pediu vinho branco e perguntou por um certo Garcia. Segundo o homenzinho, já havia vários dias que não o viam no café.

— Acha que ele virá esta tarde?

— Ah! — disse o outro. — Não estou dentro dele. Mas sabe a que horas costuma vir?

— Sei, mas isso não é muito importante. Quero só apresentar-lhe um amigo.

O garçom enxugou no avental as mãos úmidas.

— Ah! O senhor também se ocupa de negócios?

— Sim — respondeu Cottard.

O homenzinho fungou:

— Então, volte hoje à tarde. Vou mandar-lhe o garoto.

Ao sair, Rambert perguntou de que negócios se tratava.

— De contrabando, naturalmente. Eles fazem passar mercadorias pelas portas da cidade. Vendem com lucro.

— Bem — disse Rambert. — E têm cúmplices?

— Justamente.

À tarde, o toldo estava levantado, o papagaio tagarelava na gaiola e as mesas estavam rodeadas de homens em mangas de camisa. Um deles, com o chapéu de palha para trás, de camisa branca sobre o peito cor de terra queimada, levantou-se à entrada de Cottard. Um rosto regular e queimado, olhos negros e pequenos, dentes brancos, dois ou três anéis nos dedos, parecia ter uns 30 anos.

— Salve! — disse ele. — Vamos beber no balcão.

Tomaram três rodadas em silêncio.

— E se saíssemos? — disse então Garcia.

Desceram em direção ao porto e Garcia perguntou o que pretendiam dele. Cottard disse-lhe que não era exatamente para negócios que desejava apresentar-lhe Rambert, mas apenas para o que chamou "uma saída". Garcia caminhava reto em frente e ia fumando. Fez perguntas, dizendo "ele" ao falar de Rambert, sem parecer dar-se conta da sua presença.

— Para quê? — perguntava.

— A mulher está na França.

— Ah!

E algum tempo depois:

— Qual é a sua profissão?

— Jornalista.

— É uma profissão em que se fala muito.

Rambert não dizia nada.

— É um amigo — afirmou Cottard.

Caminhavam em silêncio. Tinham chegado ao cais, cujo acesso estava interditado por grandes grades. Mas dirigiram-se a uma pequena taverna onde se vendiam sardinhas fritas, cujo cheiro chegava até eles.

— De qualquer maneira, isso não é comigo, mas com Raul. E é preciso que eu o encontre. Não vai ser fácil.

— Hã? — perguntou Cottard, com animação. — Ele está escondido?

Garcia não respondeu. Perto da taverna, parou e voltou-se para Rambert pela primeira vez.

— Depois de amanhã, às onze horas, na esquina do prédio da Alfândega. — Fez menção de partir, mas voltou-se para os dois homens. — Há despesas — acrescentou.

— É claro — aprovou Rambert.

Pouco depois, o jornalista agradeceu a Cottard.

— Oh, não! — disse o outro com jovialidade. — Tenho prazer em prestar-lhe um serviço. E além do mais você é jornalista, qualquer dia me retribui isso.

Dois dias depois, Rambert e Cottard subiam as grandes ruas sem sombra que levam ao alto da nossa cidade. Uma parte do prédio da Alfândega tinha sido transformada em enfermaria e, diante da grande porta, estacionavam pessoas vindas na esperança de uma visita que não podia ser autorizada ou à procura de informações que, de uma hora para a outra, caducariam. Em todo caso, esse ajuntamento permitia muitas idas e vindas e podia-se supor que essa circunstância não era diferente da maneira como o encontro de Garcia e de Rambert tinha sido marcado.

— É curiosa — disse Cottard — essa obstinação em partir. Em suma, o que se passa é bem interessante.

— Não para mim — respondeu Rambert.

— Oh! É claro que se arrisca alguma coisa. Mas, afinal, arriscava-se a mesma coisa, antes da peste, ao atravessar uma rua muito movimentada.

Nesse momento, o automóvel de Rieux parou junto deles. Tarrou dirigia e Rieux parecia meio adormecido. Acordou para fazer as apresentações.

— Já nos conhecemos — disse Tarrou. — Moramos no mesmo hotel.

Ofereceu a Rambert levá-lo até a cidade.

— Não, temos um encontro aqui.

Rieux olhou para Rambert.

— Sim — disse Rambert.

— Ah! — admirou-se Cottard. — O doutor está a par?

— Aí vem o juiz de instrução — avisou Tarrou, olhando para Cottard.

Cottard mudou de expressão. Com efeito, o Sr. Othon descia a rua e avançava para eles, num passo vigoroso e compassado. Tirou o chapéu ao passar pelo pequeno grupo.

— Bom dia, senhor juiz — cumprimentou Tarrou.

O juiz cumprimentou os ocupantes do carro e, olhando para Cottard e Rambert, que tinham ficado atrás, saudou-os gravemente com a cabeça. Tarrou apresentou o capitalista e o jornalista. O juiz olhou para o céu por um segundo e suspirou, dizendo que era uma época bem triste.

— Dizem, Sr. Tarrou, que se ocupa da aplicação de medidas profiláticas. Permita-me que o felicite. Pensa, doutor, que a doença vai se propagar?

Rieux respondeu que era necessário esperar que não e o juiz repetiu que era preciso esperar sempre, que os desígnios da Providência eram insondáveis. Tarrou perguntou-lhe se os acontecimentos lhe haviam trazido um aumento de trabalho.

— Pelo contrário, os casos que chamamos de direito comum diminuem. Só tenho de instruir infrações graves às novas disposições. Nunca se respeitaram tanto as leis antigas.

— É que, em comparação — disse Tarrou —, elas parecem boas, necessariamente.

O juiz abandonou o ar sonhador que assumira, com o olhar como suspenso para o céu. E examinou Tarrou com um ar frio:

— Que diferença faz? — perguntou. — Não é a lei que conta, é a condenação. Nada podemos contra isso.

— Aquele — disse Cottard, quando o juiz partiu — é o inimigo número um.

O carro arrancou.

Um pouco mais tarde, Rambert e Cottard viram Garcia chegar. Avançou para eles sem lhes fazer sinal e disse, à guisa de cumprimento:

— É preciso esperar.

À volta deles, a multidão, em que predominavam mulheres, esperava num silêncio total. Quase todas carregavam cestos que tinham a vã esperança de poder fazer passar aos parentes doentes e a ideia, ainda mais louca, de que estes poderiam utilizar as suas provisões. A porta estava guardada por soldados armados e, de vez em quando, um grito estranho atravessava o pátio que ficava na frente da porta. Na assistência, rostos inquietos voltavam-se para a enfermaria.

Os três homens contemplavam esse espetáculo quando às suas costas um "bom-dia" claro e grave os fez voltarem-se. Apesar do calor, Raul estava vestido muito corretamente. Alto e forte, vestia um terno jaquetão de cor escura e um chapéu de abas viradas. Tinha o rosto bastante pálido. Com os olhos castanhos e a boca cerrada, Raul falava de uma maneira rápida e precisa:

— Desçamos para a cidade — ordenou. — Garcia, você pode nos deixar.

Garcia acendeu um cigarro e deixou-os afastarem-se. Caminharam rapidamente, acertando o passo pelo de Raul, que se colocara no meio.

— Garcia explicou-me — disse. — A coisa pode ser arranjada. De qualquer maneira, vai lhe custar 10 mil francos.

Rambert respondeu que aceitava.

— Almoce comigo, amanhã, no restaurante espanhol do Bairro da Marinha.

Rambert concordou e Raul apertou-lhe a mão, sorrindo pela primeira vez. Depois de sua partida, Cottard desculpou-se. Não estava livre no dia seguinte e, além disso, Rambert não precisava dele.

Quando, no dia seguinte, o jornalista entrou no restaurante espanhol, todas as cabeças se voltaram à sua passagem. O porão sombrio, situado numa pequena rua amarela e seca pelo sol, era frequentado exclusivamente por homens, na maior parte tipos espanhóis. Mas logo que Raul, instalado a uma mesa no fundo, fez um sinal ao jornalista e este se dirigiu para ele, a curiosidade desapareceu dos rostos, que voltaram aos seus pratos. Raul tinha à sua mesa um sujeito alto, magro e mal barbeado, de ombros desmedidamente largos, cara de cavalo e cabelos espessos. Os braços compridos e delgados, cobertos de pelos negros, saíam de uma camisa de mangas arregaçadas. Acenou com a cabeça três vezes quando Rambert lhe foi apresentado. O seu nome não havia sido pronunciado e Raul referia-se a ele como "o nosso amigo".

— O nosso amigo acha possível ajudá-lo. Ele vai... — Raul calou-se, pois a empregada aproximava-se para servir Rambert. — Ele vai pô-lo em contato com dois dos nossos amigos que o apresentarão a dois guardas que trabalham conosco. Mas a coisa não termina aí. Os próprios guardas é que devem indicar o momento propício. O mais simples seria o senhor instalar-se durante algumas noites em casa de um deles que mora perto das portas. Antes, porém, o nosso amigo vai dar-lhe os contatos necessários. Quando tudo estiver arranjado, é a ele que deve pagar.

O amigo mais uma vez sacudiu a cabeça de cavalo, sem parar de mastigar a salada de tomate e pimentões que engolia. Depois, falou com um leve sotaque espanhol. Propôs a Rambert que se encontrassem dois dias depois, às oito horas da manhã, debaixo do pórtico da catedral.

— Mais dois dias — observou Rambert.

— É que não é fácil — disse Raul. — É preciso encontrar as pessoas.

O cara de cavalo concordou mais uma vez e Rambert aprovou sem entusiasmo. O resto do almoço se desenrolou à procura de um assunto. Mas tudo se tornou muito fácil quando Rambert descobriu que o cara de cavalo era jogador de futebol. Ele próprio praticara esse esporte. Falou-se, portanto, do campeonato da França, do valor dos times profissionais ingleses e da tática em W. No fim do almoço, o cara de cavalo estava animadíssimo e tratava Rambert de tu, para persuadi-lo de que não havia lugar mais belo num time que o de meio-campo. "Compreendes", dizia ele, "meio-campo é quem distribui o jogo. E distribuir o jogo, isso é futebol". Rambert era da mesma opinião, embora tivesse sempre jogado na posição de centroavante. A discussão foi interrompida apenas por um aparelho de rádio que, depois de ter entoado em surdina melodias sentimentais, anunciou que na véspera a peste fizera 137 vítimas. Ninguém reagiu na sala. O homem com cara de cavalo encolheu os ombros e levantou-se. Raul e Rambert imitaram-no.

Ao partir, o meio-campo apertou a mão de Rambert com energia.

— Chamo-me González — disse.

Esses dois dias pareceram intermináveis a Rambert. Dirigiu-se à casa de Rieux e contou-lhe em detalhe as suas diligências. Depois, acompanhou o médico em uma das suas visitas e despediu-se dele à porta da casa onde o esperava um doente suspeito. No corredor, um barulho de corridas e de vozes: avisavam à família da chegada do médico.

— Espero que Tarrou não demore — disse Rieux.

Parecia cansado.

— A epidemia está andando muito rápido? — perguntou Rambert.

Rieux disse que não era isso e que até a curva da estatística subia mais devagar. Simplesmente, os meios de luta contra a peste não eram ainda suficientes.

— Falta-nos material — disse. — Em todos os exércitos do mundo substitui-se, geralmente, a falta de material por homens. Mas também há falta de homens.

— Vieram médicos do exterior e pessoal de saúde.

— Sim — disse Rieux —, dez médicos e uma centena de homens. Aparentemente, é muito. Mal chega para o estado atual da doença. Será insuficiente se a epidemia se propagar.

Rieux apurou o ouvido para os ruídos do interior, depois sorriu para Rambert.

— Sim — disse —, deve apressar-se para resolver logo o caso.

Uma sombra passou no rosto do jornalista.

— Sabe, não é isso o que me faz partir. — Rieux respondeu que sabia, mas Rambert continuou: — Creio que não sou covarde, pelo menos normalmente. Já tive ocasião de prová-lo. Só que há ideias que não consigo suportar.

O médico olhou-o de frente.

— Vai encontrá-la — disse.

— Talvez, mas não consigo suportar a ideia de que isso vai demorar muito e que ela vai envelhecer durante todo esse tempo. Aos 30 anos, começa-se a envelhecer e é preciso aproveitar tudo. Não sei se me entende.

Rieux murmurava que julgava compreender quando Tarrou chegou, muito animado.

— Acabo de pedir a Paneloux que se junte a nós.

— E então? — perguntou o médico.

— Ele refletiu e concordou.

— Fico satisfeito — disse o médico. — Fico satisfeito em saber que é melhor que o seu sermão.

— Todos são assim — afirmou Tarrou. — É preciso apenas dar-lhes uma oportunidade.

Sorriu e piscou o olho para Rieux.

— E a minha função na vida é dar oportunidades.

— Desculpem-me — disse Rambert —, mas preciso ir embora.

Na quinta-feira do encontro, Rambert dirigiu-se ao pórtico da catedral cinco minutos antes das oito horas. O ar estava ainda bastante fresco. No céu avançavam pequenas nuvens brancas e redondas que a vinda do calor logo desfaria. Um vago cheiro de umidade subia ainda do gramado, apesar de seco. O sol, por detrás das casas do leste, aquecia apenas o capacete da Joana d'Arc toda dourada que guarnecia a praça. Um relógio deu oito badaladas. Rambert ensaiou alguns passos sob o pórtico deserto. Vagas salmodias chegavam-lhe do interior com velhos perfumes de porão e de incenso. De repente os cânticos cessaram. Uma dezena de pequenos vultos negros saiu da igreja e iniciou uma caminhada em direção à cidade. Rambert começava a impacientar-se. Outros vultos negros faziam a ascensão das grandes escadas e dirigiam-se ao pórtico. Acendeu um cigarro, mas depois pensou que talvez não fosse permitido naquele lugar.

Às oito e quinze o órgão da catedral começou a tocar em surdina. Rambert penetrou na abóbada escura. Ao fim de um instante, conseguiu distinguir na nave os pequenos vultos negros que tinham passado por ele. Estavam todos reunidos a um canto, na frente de uma espécie de altar improvisado, onde acabavam de instalar um São Roque executado às pressas numa das oficinas da cidade. Ajoelhados, eles pareciam ter encolhido ainda mais, perdidos entre os tons cinzentos como pedaços de sombra coagulada, pouco mais espessos, aqui e ali, que a bruma na qual flutuavam. Por cima deles, o órgão executava variações sem fim.

Quando Rambert saiu, González já descia as escadas e dirigia-se à cidade.

— Pensei que tinha ido embora — disse ele ao jornalista. — Seria natural.

Explicou que tinha esperado os amigos num outro encontro que marcara, não longe dali, às dez para as oito. Mas esperara por eles vinte minutos, em vão.

— Naturalmente houve algum problema. Nem sempre se fica à vontade no trabalho que fazemos.

Propunha um outro encontro para o dia seguinte, à mesma hora, junto do monumento aos mortos. Rambert suspirou e atirou o chapéu para a nuca.

— Não é nada — concluiu González, rindo. — Pensa só em todos os deslocamentos, os ataques e os passes que é preciso fazer para marcar um gol.

— Claro — disse ainda Rambert —, mas a partida só dura uma hora e meia.

O monumento aos mortos de Orã encontra-se no único lugar de onde se pode ver o mar, uma espécie de passeio que ladeia, numa distância bastante curta, as falésias que dominam o porto. No dia seguinte, Rambert, o primeiro a chegar, lia com atenção a lista dos mortos no campo de batalha. Alguns minutos depois aproximaram-se dois homens, olharam-no com indiferença, depois foram encostar-se ao parapeito da avenida e pareceram inteiramente absorvidos na contemplação dos cais vazios e desertos. Eram ambos da mesma estatura, vestidos com as mesmas calças azuis e idêntica camiseta de malha azul-marinho de mangas curtas. O jornalista afastou-se um pouco, depois sentou-se num banco e pôde observá-los à vontade. Viu então que, com certeza, não tinham mais de 20 anos. Nesse momento viu González, que caminhava em direção a ele, desculpando-se.

— Eis os nossos amigos — disse, conduzindo-o na direção dos dois rapazes, que apresentou com os nomes de Marcel e Louis. De frente, pareciam-se muito e Rambert calculou que fossem irmãos.

— Pronto — disse González. — Agora a apresentação está feita. Falta fazer o negócio.

Marcel ou Louis disse, então, que o seu plantão começava dali a dois dias, durava uma semana e que era preciso escolher o dia mais conveniente. Eram quatro a guardar a porta do lado oeste e os dois outros militares de carreira. Não havia condições de envolvê-los no negócio. Não eram de confiança e, além disso, só viriam aumentar as despesas. Mas às vezes, em determinadas ocasiões, os dois colegas iam passar uma parte da noite na sala dos fundos de um bar que eles conheciam. Marcel ou Louis propunha assim a Rambert que fosse instalar-se em casa deles, próximo das portas, e que esperasse que viessem buscá-lo. A passagem seria, então, muito fácil. Mas era preciso não perder tempo, porque se falava ultimamente em instalar postos duplos no exterior da cidade.

Rambert concordou e ofereceu alguns dos seus últimos cigarros. O rapaz que ainda não tinha falado perguntou então a González se a questão do pagamento estava resolvida e se podiam receber um adiantamento.

— Não — disse González. — Não vale a pena, é um conhecido. As despesas serão pagas na saída.

Combinaram novo encontro. González propôs um jantar no restaurante espanhol, dois dias depois. De lá, poderiam seguir para a casa dos guardas.

— Na primeira noite — disse ele a Rambert —, eu te faço companhia.

No dia seguinte, Rambert, ao subir ao seu quarto, cruzou com Tarrou na escada do hotel.

— Vou encontrar-me com Rieux — disse. — Quer vir?

— Nunca sei se o estou incomodando — disse Rambert, depois de uma hesitação.

— Não acho. Ele falou-me muito em você.

O jornalista refletia.

— Ouça — disse. — Se dispuserem de um momento depois do jantar, mesmo tarde, venham os dois ao bar do hotel.

— Isso depende dele e da peste — disse Tarrou.

No entanto, às onze horas da noite Rieux e Tarrou entraram no bar, pequeno e estreito. Umas trinta pessoas acotovelam-se lá, falando muito alto. Recém-chegados do silêncio da cidade infestada, os dois pararam, um pouco aturdidos. Compreenderam a agitação ao verem que ainda serviam bebidas alcoólicas. Rambert estava numa ponta do balcão e fazia-lhes sinais do alto de seu banco. Eles o cercaram, Tarrou empurrando, com tranquilidade, um freguês barulhento.

— O álcool não os assusta?

— Não — respondeu Tarrou. — Pelo contrário.

Rieux aspirou o cheiro de ervas amargas do seu copo. Era difícil falar nesse tumulto, mas Rambert parecia sobretudo ocupado em beber. O médico não podia julgar ainda se ele estava bêbado. Numa das duas mesas que ocupavam o resto do local onde se encontravam, um oficial da Marinha, com uma mulher em cada braço, relatava a um gordo interlocutor congestionado uma epidemia de tifo no Cairo. "Acampamentos", dizia ele, "tinham feito acampamentos para os indígenas, com tendas para doentes e, em toda a volta, um cordão de sentinelas que atiravam sobre a família quando ela tentava trazer clandestinamente remédios caseiros. Era duro, mas era certo." Na outra mesa, ocupada por rapazes elegantes, a conversa era incompreensível e perdia-se nos compassos de "Saint James Infirmary", derramados por um toca-discos colocado no alto.

— Está contente? — perguntou Rieux, elevando a voz.

— Está próximo — disse Rambert. — Talvez esta semana.

— É uma pena — gritou Tarrou.

— Por quê?

Tarrou olhou para Rieux.

— Oh! — disse Rieux. — Tarrou diz isso porque acha que você podia nos ser útil aqui. Mas eu compreendo muito bem o seu desejo de partir.

Tarrou ofereceu outra rodada. Rambert desceu do banco e olhou-o de frente pela primeira vez:

— Em que poderia eu ser-lhe útil?

— Bem — disse Tarrou, estendendo a mão para o copo, sem pressa. — Nas nossas comissões sanitárias.

Rambert retomou o ar de profunda reflexão que lhe era habitual e subiu de novo no banco.

— Essas comissões não lhe parecem úteis? — perguntou Tarrou, que acabava de beber e olhava para Rambert com atenção.

— Muito úteis — respondeu o jornalista, e bebeu.

Rieux notou que a sua mão tremia. Pensou que, com toda a certeza, sim, estava completamente bêbado.

No dia seguinte, quando Rambert entrou pela segunda vez no restaurante espanhol, passou no meio de um pequeno grupo de homens que tinha puxado cadeiras para a calçada e saboreava uma tarde verde e dourada em que o calor começava apenas a abrandar. Fumavam um tabaco de cheiro acre. No interior, o restaurante estava quase deserto. Rambert foi sentar-se à mesa do fundo, onde encontrara González pela primeira vez. Disse à empregada que esperaria. Eram sete e meia. Pouco a pouco, os homens chegaram para o jantar e instalaram-se. Começaram a servi-los e a abóbada muito baixa encheu-se de ruídos de talheres e de conversas surdas. Às oito horas, Rambert ainda esperava. Acenderam a luz. Novos clientes instalaram-se à mesa. Pediu o jantar. Às oito e meia, terminara sem ter visto González nem os dois rapazes. Fumou alguns cigarros. A sala esvaziava-se lentamente. Lá fora, a noite caía muito depressa. Uma brisa morna que vinha do mar levantava suavemente as cortinas das janelas. Às nove horas, Rambert viu que a sala estava vazia e que a empregada olhava para ele com espanto. Pagou e saiu. Em frente ao restaurante, um café estava aberto. Rambert instalou-se no balcão para vigiar a entrada do restaurante. Às nove e meia dirigiu-se ao seu hotel, procurando imaginar como havia de encontrar González, cujo endereço não tinha, com o coração desanimado por todas as providências que teria de retomar.

Foi nesse momento, na noite atravessada por ambulâncias fugidias, que ele compreendeu, como viria a dizer ao Dr. Rieux, que durante todo esse tempo tinha de algum modo esquecido a mulher para dedicar-se inteiramente à busca de uma abertura nos muros que o separavam dela. Mas foi nesse momento também que, com todos os caminhos mais uma vez fechados, ele a encontrou de novo no centro do seu desejo e com uma irrupção tão súbita de dor que começou a correr para o hotel a fim de fugir dessa queimadura atroz que, no entanto, levava consigo e que lhe devorava as têmporas.

Entretanto, no dia seguinte muito cedo procurou Rieux para perguntar-lhe como poderia encontrar Cottard.

— Tudo o que me resta fazer — disse — é seguir de novo a pista.

— Venha amanhã à noite — disse Rieux. — Tarrou pediu-me que convidasse Cottard, não sei para quê. Ele deve chegar às dez horas. Venha às dez e meia.

Quando, no dia seguinte, Cottard chegou à casa do médico, Tarrou e Rieux falavam de uma cura inesperada que ocorrera no serviço deste último.

— Um em dez. Teve sorte — dizia Tarrou.

— Bem! — exclamou Cottard. — Então não era peste.

Garantiram-lhe que se tratava efetivamente da doença.

— Não é possível, já que está curado. Sabem tão bem quanto eu que a peste não perdoa.

— Em geral, não — disse Rieux. — Mas, com um pouco de obstinação, têm-se surpresas.

Cottard ria.

— Não me parece. Ouviu os números, esta tarde?

Tarrou, que olhava para o capitalista com benevolência, respondeu que conhecia os números e que a situação era grave, mas o que provava isso? Provava que eram necessárias medidas ainda mais excepcionais.

— O senhor já as tomou.

— Já, mas é preciso que cada um as tome por conta própria.

Cottard olhava para Tarrou sem compreender. Este disse que homens demais continuavam inativos, que a epidemia dizia respeito a todos e que cada um devia cumprir o seu dever. As comissões voluntárias estavam abertas a todos.

— É uma ideia — disse Cottard —, mas isso não servirá para nada. A peste é forte demais.

— Vamos saber — retrucou pacientemente Tarrou — quando tivermos tentado tudo.

Durante esse tempo Rieux, à sua secretária, copiava fichas. Tarrou continuava a olhar para o capitalista, que se agitava na cadeira.

— Por que não se junta a nós, Sr. Cottard?

O outro levantou-se com um ar ofendido e pegou o chapéu redondo:

— Não é minha profissão. — Depois, num tom de bravata, acrescentou: — Além disso, sinto-me bem na peste. Não vejo por que haveria de me empenhar em fazê-la cessar.

Tarrou bateu na testa, como se estivesse por uma verdade súbita.

— Ah! É verdade, ia me esquecendo, sem isso o senhor seria preso.

Cottard estremeceu e agarrou-se à cadeira, como se fosse cair. Rieux tinha parado de escrever e olhava-o com um ar sério e interessado.

— Quem lhe disse isso? — gritou o capitalista.

Tarrou mostrou-se surpreso e respondeu:

— O senhor mesmo. Ou, pelo menos, foi o que o doutor e eu julgamos compreender. — E como Cottard, invadido de repente por uma raiva forte demais para ele, gaguejasse palavras incompreensíveis, acrescentou: — Não se irrite. Não será o doutor nem eu que irá denunciá-

-lo. A sua história não nos diz respeito. E, além disso, a polícia é algo de que jamais gostamos. Vamos, sente-se.

O capitalista olhou para a cadeira e sentou-se, após uma breve hesitação. Um momento depois suspirou.

— É uma velha história — reconheceu — que eles desenterraram. Achei que estava esquecida. Mas houve um que falou. Mandaram chamar-me e disseram que me mantivesse à disposição deles até o fim do inquérito. Compreendi que acabariam por me prender.

— É grave? — perguntou Tarrou.

— Depende da interpretação. De qualquer forma, não é um assassinato, em todo caso.

— Prisão ou trabalhos forçados?

Cottard parecia muito abatido.

— Prisão, se tiver sorte...

Mas logo depois recomeçou, com veemência:

— Foi um erro. Todos erram. E não consigo suportar a ideia de ser preso por isso, de ser separado da minha casa, dos meus hábitos, de todos aqueles que conheço.

— Hã? — perguntou Tarrou. — Foi por isso que resolveu enforcar-se?

— Foi. Uma bobagem, é claro.

Rieux falou pela primeira vez e disse a Cottard que compreendia a sua inquietação, mas que talvez tudo se solucionasse.

— Ah! Por ora, sei que nada tenho a temer.

— Vejo — disse Tarrou — que não fará parte de nossas comissões.

O outro, que fazia girar o chapéu entre as mãos, ergueu para Tarrou um olhar incerto.

— Não me queiram mal por isso.

— É claro que não. Mas tente, ao menos — disse Tarrou, sorrindo —, não propagar voluntariamente o micróbio.

Cottard protestou que não tinha desejado a peste, que ela viera espontaneamente e que não era culpa sua se ela o beneficiava no momento. E, quando Rambert chegou à porta, o capitalista acrescentou com muita energia na voz:

— De resto, a minha ideia é que não conseguirá nada.

Rambert soube que Cottard desconhecia o endereço de González, mas que podiam sempre voltar ao pequeno café. Marcaram encontro para o dia seguinte. E, como Rieux manifestasse o desejo de ser informado, Rambert convidou-o a ir com Tarrou ao seu quarto, no fim de semana, a qualquer hora da noite.

De manhã, Cottard e Rambert foram ao café e deixaram recado para Garcia marcando encontro para a tarde ou para o dia seguinte, em caso de impedimento. À tarde, esperaram em vão. No dia seguinte, Garcia estava lá. Ouviu em silêncio a história de Rambert. Não estava a par, mas sabia que haviam fechado bairros inteiros, durante 24 horas, a fim de procederem a verificações domiciliares. Era possível que González e os dois rapazes não tivessem conseguido atravessar as barreiras. Tudo o que podia fazer era colocá-lo de novo em contato com Raul. Naturalmente, não seria antes de dois dias.

— Compreendo — disse Rambert. — É preciso recomeçar tudo.

Dois dias depois, na esquina de uma rua, Raul confirmou a hipótese de Garcia: os bairros inferiores tinham sido fechados. Era preciso entrar novamente em contato com González. Dois dias depois, Rambert almoçava com o jogador de futebol.

— É uma idiotice — dizia. — Devíamos ter combinado uma maneira de nos encontrarmos.

Essa era também a opinião de Rambert.

— Amanhã de manhã, iremos à casa dos garotos e trataremos de resolver tudo.

No outro dia, os garotos não estavam em casa. Deixaram-lhe recado para que aparecesse no dia seguinte, ao meio-dia, na Praça do Liceu. E Rambert voltou para casa com uma expressão que impressionou Tarrou quando o encontrou à tarde:

— Algum problema? — perguntou-lhe.

— Fui obrigado a recomeçar — respondeu Rambert. E renovou o convite: — Apareça esta noite.

À noite, quando os dois homens penetraram no quarto de Rambert, ele estava estendido na cama. Levantou-se e encheu os copos que tinha preparado. Rieux, pegando o seu, perguntou-lhe se as coisas estavam bem encaminhadas. O jornalista respondeu que tinha feito tudo de novo, que chegara ao mesmo ponto e que teria em breve o seu último encontro. Bebeu e acrescentou:

— Naturalmente, eles não virão.

— É preciso não fazer disto um princípio — disse Tarrou.

— Os senhores não compreenderam ainda — respondeu Rambert, encolhendo os ombros.

— O quê?

— A peste.

— Ah! — exclamou Rieux.

— Não, não compreenderam que consiste em recomeçar.

Rambert foi a um canto do quarto e abriu um pequeno toca-discos.

— Que disco é este? — perguntou Tarrou. — Conheço a música.

Rambert respondeu que era "Saint James Infirmary". No meio do disco, ouviram-se dois tiros dispararem ao longe.

— Um cão ou uma fuga — disse Tarrou.

Um momento depois o disco acabou e a sirene de uma ambulância se fez ouvir, aumentou, passou sob as janelas do hotel, diminuiu e finalmente extinguiu-se.

— Este disco não é nada bom — disse Rambert. — E, além disso, já o ouvi pelo menos dez vezes hoje.

— Gosta tanto assim dele?

— Não, mas só tenho este. — E logo depois acrescentou: — Eu não disse que tudo consiste em recomeçar?

Perguntou a Rieux como iam as comissões. Havia cinco equipes trabalhando. Esperavam criar outras. O jornalista tinha se sentado na cama e parecia preocupado com as unhas. Rieux examinava-lhe a silhueta curta e robusta, curvada à beira da cama. Descobriu de repente que Rambert o fitava.

— Sabe, doutor, pensei muito na sua organização. Se não estou nela, é porque tenho as minhas razões. Quanto ao resto, creio que saberia ainda sacrificar a minha vida: fiz a guerra na Espanha.

— De que lado? — perguntou Tarrou.

— Do lado dos vencidos. Mas, desde então, pensei um pouco.

— Em quê? — insistiu Tarrou.

— Na coragem. Agora sei que o homem é capaz de grandes ações. Mas, se não for capaz de um grande sentimento, não me interessa.

— Tem-se a impressão de que o homem é capaz de tudo — disse Tarrou.

— Não. É incapaz de sofrer ou de ser feliz por muito tempo. Portanto, não é capaz de nada que preste. — Olhou para eles e continuou: — Vejamos, Tarrou, você é capaz de morrer por um amor?

— Não sei, mas parece-me que não, agora.

— Está vendo? Você é capaz de morrer por uma ideia, isso é visível a olho nu. Pois bem, estou farto das pessoas que morrem por uma ideia. Não acredito em heroísmo. Sei que é fácil e aprendi que é criminoso. O que me interessa é que se viva e que se morra pelo que se ama.

Rieux escutara o jornalista com atenção. Sem deixar de olhar para ele, disse, suavemente:

— O homem não é uma ideia, Rambert.

O outro saltou da cama com o rosto inflamado de paixão.

— É uma ideia, e uma ideia curta, a partir do momento que se desvia do amor. E, justamente, nós já não somos capazes de amar. Resignemo-nos, doutor. Esperemos vir a sê-lo e, se verdadeiramente não for possível, esperemos a libertação geral sem brincar de herói. Não irei mais longe.

Rieux levantou-se com um ar de súbito cansaço.

— Tem razão, Rambert, tem toda a razão, e por nada deste mundo eu gostaria de demovê-lo do que vai fazer, que me parece justo e bom. Mas devo dizer-lhe uma coisa: tudo isso não se trata de heroísmo. Trata-se de honestidade. É uma ideia que talvez faça rir, mas a única maneira de lutar contra a peste é a honestidade.

— O que é a honestidade? — perguntou Rambert, com um ar subitamente sério.

— Não sei o que ela é em geral. Mas, no meu caso, sei que consiste em fazer o meu trabalho.

— Ah! — disse Rambert com raiva. — Não sei qual é o meu trabalho. Na verdade, talvez esteja errado ao escolher o amor.

Rieux pôs-se diante dele:

— Não — disse com energia —, não está errado.

Rambert olhava-os, pensativo.

— Creio que ambos nada têm a perder em tudo isso. É mais fácil ficar do lado bom.

Rieux esvaziou o copo.

— Vamos — disse. — Temos muito que fazer.

E saiu.

Tarrou seguiu-o, mas pareceu mudar de ideia no momento de sair; voltou-se para o jornalista e disse:

— Sabe que a mulher de Rieux se encontra numa casa de saúde a algumas centenas de quilômetros daqui?

Rambert teve um gesto de surpresa, mas Tarrou já saíra.

Muito cedo, no dia seguinte, Rambert telefonou para o médico.

— Aceitaria que eu trabalhasse com o senhor até encontrar um meio de deixar a cidade?

Houve um silêncio do outro lado da linha e depois Rieux disse:

— Sim, Rambert. Muito obrigado.

3

Assim, durante semanas, os prisioneiros da peste debateram-se como puderam. E alguns, como Rambert, chegavam até a imaginar, como se vê, que ainda agiam como homens livres, que ainda podiam escolher. Mas, na realidade, podia-se dizer nesse momento, nos meados do mês de agosto, que a peste tudo dominara. Já não havia então destinos individuais, mas uma história coletiva que era a peste e sentimentos compartilhados por todos. O maior era a separação e o exílio, com o que isso comportava de medo e de revolta. Eis por que o narrador acha conveniente, no auge do calor e da doença, descrever de maneira geral, e a título de exemplo, as violências dos nossos concidadãos vivos, os enterros dos defuntos e os sofrimentos dos amantes separados.

Foi no meio desse ano que o vento se ergueu e soprou durante vários dias na cidade empestada. O vento é particularmente temido pelos habitantes de Orã, pois não encontra nenhum obstáculo natural no platô em que ela está construída e invade assim as ruas com toda a violência. Depois desses longos meses em que nem uma gota d'água refrescara a cidade, ela se recobrira de uma camada cinzenta que se descamava ao sopro do vento. Este levantava assim ondas de poeira e de papéis, que batiam nas pernas dos transeuntes, agora mais raros. Passavam apressados pelas ruas, curvados para a frente, com a mão ou um lenço sobre a boca. À noite, em lugar das reuniões em que se tentava prolongar o mais possível esses dias em que cada um podia ser o último, encontravam-se pequenos grupos de pessoas com pressa de voltar para casa ou de entrar nos cafés, se bem que durante alguns dias, com o crepúsculo que chegava bem mais rápido nessa época, as ruas ficavam desertas e só o vento soltava lamúrias contínuas. Do mar agitado e sempre invisível subia um cheiro de algas e de sal. Esta cidade deserta, branca de poeira, saturada de odores marinhos, toda sonora dos gritos do vento, gemia então como uma ilha infeliz.

Até então, a peste tinha feito muito mais vítimas nos subúrbios, mais povoados e menos confortáveis, que no centro da cidade. Mas ela pareceu de repente aproximar-se e instalar-se também nos bairros comerciais. Os habitantes acusavam o vento de transportar os germes da infecção. “Ele baralha as cartas”, dizia o gerente do hotel. Fosse como fosse, porém, os bairros do centro sabiam que tinha chegado a sua vez ao ouvirem vibrar muito perto deles, na noite, e cada vez com mais frequência, a sirene das ambulâncias, que fazia ressoar sob as suas janelas o apelo monótono e desapaixonado da peste.

Até no próprio interior da cidade, teve-se a ideia de isolar certos bairros particularmente castigados e de só autorizar a saída dos homens cujos serviços eram indispensáveis. Os que ali viviam até então não puderam deixar de considerar essa medida como uma peça que lhes havia sido pregada especialmente e, em todo caso, por contraste, pensavam nos habitantes dos outros bairros como homens livres. Estes, por outro lado, nos seus momentos difíceis, consolavam-se ao imaginar que havia outros ainda menos livres que eles. “Há sempre alguém mais prisioneiro que eu” — era a frase que resumia então a única esperança possível.

Mais ou menos nessa época, houve também uma recrudescência de incêndios, sobretudo nos bairros residenciais à entrada oeste da cidade. As informações revelaram que se tratava de pessoas egressas da quarentena e que, enlouquecidas pelo luto e pela desgraça, ateavam fogo às suas casas na ilusão de que faziam morrer a peste. Foi muito difícil combater essas empreitadas cuja frequência submetia bairros inteiros a um perigo constante pela violência do vento. Depois de ter demonstrado em vão que a desinfecção das casas, feita pelas autoridades, bastava para excluir qualquer risco de contágio, foi necessário instituir penas severas contra esses incendiários inocentes. E, sem dúvida, não era a pena de prisão que fazia recuar esses infelizes, mas a certeza, comum a todos os habitantes, de que uma pena de prisão equivalia a uma pena de morte, em consequência da excessiva mortalidade verificada na penitenciária municipal. Evidentemente, essa crença não era destituída de fundamento: por motivos óbvios, parecia que a peste se empenhara em atacar particularmente aqueles que tinham adquirido o hábito de viver em grupo — soldados, religiosos e prisioneiros. Apesar do isolamento de certos detidos, uma prisão é uma comunidade e a prova disso é que na nossa prisão municipal os guardas, tanto quanto os presos, pagavam o seu tributo à doença. Do ponto de vista superior da peste, todos aqueles homens, desde o diretor ao último dos detidos, estavam condenados e, talvez pela primeira vez, reinava na prisão uma justiça absoluta.

Foi em vão que as autoridades tentaram introduzir hierarquia nesse nivelamento, concebendo a ideia de condecorar os guardas da prisão mortos no exercício das suas funções. Como fora decretado o estado de sítio e, de certa forma, podia-se considerar que os guardas da prisão estavam mobilizados, a medalha militar lhes era concedida postumamente. No entanto, se os detidos não manifestaram nenhum protesto, os meios militares não aceitaram bem a ideia e fizeram notar, com razão, que se podia estabelecer no espírito do público uma lamentável confusão. Fez-se justiça ao seu pedido e pensou-se que o mais simples era atribuir aos guardas a medalha da epidemia. Para os primeiros, porém, o mal estava feito, não se podia pensar em retirar-lhes as condecorações e os meios militares continuaram a manter o seu ponto de vista. Por outro lado, no que se refere à medalha da epidemia, ela apresentava o inconveniente de não produzir o efeito moral que se obtivera por meio da atribuição de uma condecoração militar, visto que, em tempo de epidemia, era banal obter uma condecoração deste gênero. Todos ficaram descontentes.

Além disso, a administração da penitenciária não pôde atuar como as autoridades religiosas e, em menor escala, as militares. Na verdade, os monges dos dois únicos conventos da cidade tinham sido dispersados e alojados provisoriamente em casas de famílias piedosas.

Da mesma forma, sempre que possível, eram destacadas pequenas companhias das casernas para se aquartelarem em escolas e edifícios públicos. Assim, a doença, que aparentemente tinha forçado os habitantes à solidariedade de sitiados, quebrava ao mesmo tempo as associações tradicionais e devolvia os indivíduos à sua solidão. Isto causava tumultos.

Pode-se pensar que todas essas circunstâncias, acrescentadas ao vento, levaram também o incêndio a certos espíritos. As portas da cidade foram atacadas de novo durante a noite, repetidamente, mas dessa vez por pequenos grupos armados. Houve troca de tiros, feridos e algumas fugas. Os postos de guarda foram reforçados e essas tentativas cessaram com certa rapidez. No entanto, isso bastou para levantar na cidade um sopro de revolução que provocou algumas cenas de violência. Casas incendiadas ou fechadas por motivos sanitários foram saqueadas. A bem da verdade, é difícil supor que esses atos tenham sido premeditados. Na maior parte das vezes, uma oportunidade súbita levava pessoas até então respeitáveis a ações repreensíveis que eram logo imitadas. Encontraram-se, assim, indivíduos furiosos capazes de se precipitarem numa casa ainda em chamas na presença do próprio dono, estupidificado pela dor.

Diante da indiferença do morador, o exemplo dos primeiros foi seguido por muitos espectadores e, nessa rua obscura, à luz do incêndio, viram-se fugir por todos os lados sombras deformadas pelas chamas moribundas e pelos objetos ou móveis que carregavam nos ombros. Foram incidentes que forçaram as autoridades a assimilar o estado de peste ao estado de sítio e a aplicar as leis daí decorrentes. Fuzilaram-se dois ladrões, mas não é certo que isso impressionasse os outros, pois, no meio de tantos mortos, as duas execuções passaram despercebidas: eram uma gota d'água no oceano. E, na verdade, cenas semelhantes se desenrolaram com bastante frequência sem que as autoridades fizessem menção de intervir. A única medida que pareceu impressionar os habitantes foi a instituição do toque de recolher. A partir das onze horas, mergulhada na noite completa, a cidade era de pedra.

Sob os céus enluarados, ela alinhavava os muros esbranquiçados e as suas ruas retilíneas, jamais manchadas pela massa negra de uma árvore, jamais perturbadas pelos passos de um transeunte ou pelo latido de um cão. A grande cidade silenciosa não passava então de um aglomerado de cubos maciços e inertes, dentre os quais as efígies taciturnas de benfeitores esquecidos ou de grandes homens antigos, sufocados para sempre no bronze, tentavam sozinhas, com os seus falsos rostos de pedra ou de ferro, evocar uma imagem degradada do que fora o homem. Esses ídolos medíocres reinavam sob um céu espesso nas encruzilhadas sem vida, brutos insensíveis que bem representavam o reino imóvel em que havíamos entrado ou, pelo menos, a sua ordem última, a de uma necrópole em que a peste, a pedra e a noite teriam feito calar, enfim, todas as vozes.

Mas a noite também estava em todos os corações, e as verdades, como as lendas que se contavam sobre os enterros, não eram feitas para tranquilizar os nossos concidadãos. Porque é efetivamente necessário falar dos enterros e o narrador pede desculpas. Sente naturalmente a crítica que lhe poderia ser feita a este respeito, mas a única justificativa é que houve enterros durante toda essa época que, de certo modo, obrigaram-no, como obrigaram a todos os nossos concidadãos, a preocupar-se com enterros. Não é, em todo caso, que ele goste desse tipo de cerimônias, preferindo, pelo contrário, a sociedade dos vivos e, para dar um exemplo, os banhos de mar. Mas, afinal, os banhos de mar tinham sido suprimidos e a sociedade dos vivos receava durante todo o dia ser obrigada a ceder lugar à sociedade dos mortos. Era a evidência. Na verdade, era sempre possível esforçar-se por não vê-la, fechar os olhos e recusá-la, mas a evidência tem uma força terrível que acaba sempre vencendo. Qual o meio, por exemplo, de recusar os enterros no dia em que os nossos entes queridos precisam ser enterrados?

Pois bem, o que caracterizava no início as nossas cerimônias era a rapidez! Todas as formalidades haviam sido simplificadas e, de uma maneira geral, a pompa fúnebre fora suprimida. Os doentes morriam longe da família e tinham sido proibidos os velórios rituais, de modo que os que morriam à tardinha passavam a noite sós e os que morriam de dia eram enterrados sem demora. Naturalmente, a família era avisada, mas, na maior parte dos casos, não podia deslocar-se por estar de quarentena, se tinha vivido perto do doente. No caso de a família não morar com o defunto, apresentava-se à hora indicada, que era a da partida para o cemitério, depois de o corpo ter sido lavado e colocado no caixão.

Suponhamos que essa formalidade se tenha passado no hospital auxiliar de que se ocupava o Dr. Rieux. A escola tinha uma saída por trás do edifício principal. Numa grande peça que dava para o corredor, amontoavam-se os caixões. No próprio corredor, a família encontrava um único caixão, já fechado. Passava-se logo ao mais importante, quer dizer, fazia-se o chefe da família assinar papéis. Em seguida, colocava-se o corpo num carro que podia ser um verdadeiro carro funerário ou uma ambulância adaptada. Os parentes tomavam um dos táxis ainda autorizados e, a toda a velocidade, os carros dirigiam-se ao cemitério por ruas exteriores. À porta, os guardas faziam parar o cortejo, davam uma carimbada no salvo-conduto oficial, sem o qual era impossível ter o que os nossos concidadãos chamam de última morada, desapareciam, e os carros iam colocar-se perto de um quadrado onde numerosas covas esperavam que as enchessem. Um padre acolhia o corpo, pois os serviços fúnebres tinham sido suprimidos na igreja. Tiravam o caixão para as preces, passavam-lhe uma corda, ele era arrastado, deslizava, batia no fundo, o padre agitava o seu hissope e já a primeira pá de terra caía sobre o esquife. A ambulância partira um pouco antes para se submeter a uma desinfecção e, enquanto as pás de terra ressoavam cada vez mais surdas, a família metia-se no táxi. Quinze minutos depois chegava em casa.

Assim, tudo se passava na verdade com o máximo de rapidez e o mínimo de riscos. E, sem dúvida, no princípio, pelo menos, é evidente que o sentimento natural das famílias se ofendia. Em tempo de peste, porém, não é possível levar em conta semelhantes considerações: tinha-se sacrificado tudo à eficácia. Além disso, se, a princípio, o moral da população se ressentira com essas práticas, porque o desejo de ser enterrado decentemente é muito mais profundo do que se supõe, pouco depois, por felicidade, o problema do abastecimento tornou-se delicado e o interesse dos habitantes migrou para preocupações mais imediatas. Absorvidas pelas filas que era preciso fazer, pelas providências a tomar e pelas formalidades a cumprir caso quisessem comer, as pessoas não tiveram tempo de se ocupar da maneira como se morria à sua volta e como elas próprias morreriam um dia. Assim, essas dificuldades materiais que deviam ser um mal revelaram-se depois um benefício. E tudo teria corrido bem, se a epidemia não se tivesse alastrado, como já vimos.

Pois os caixões escassearam, faltou pano para as mortalhas e lugar nos cemitérios. Foi necessário tomar algumas precauções. O mais simples, e ainda por razões de eficácia, pareceu agrupar as cerimônias e, quando a coisa era necessária, multiplicar as viagens entre o hospital e o cemitério. Assim, no que diz respeito ao serviço de Rieux, o hospital dispunha nesse momento de cinco caixões. Uma vez cheios, a ambulância os transportava.

No cemitério, eram esvaziados, os corpos cor de ferro eram colocados em macas e esperavam num local preparado para esse fim. Os caixões eram regados com uma solução antisséptica e levados novamente para o hospital, onde a operação recomeçava tantas vezes quantas fossem necessárias. A organização era, portanto, muito boa e o prefeito mostrava-se satisfeito. Disse até a Rieux que, afinal, isso valia mais que as carretas mortuárias conduzidas por negros, tal como se encontravam nas crônicas de antigas pestes.

— Sim — respondeu Rieux —, é o mesmo enterro, mas nós fazemos fichas. O progresso é incontestável.

Apesar desses êxitos de administração, o caráter desagradável de que se revestiam agora as formalidades obrigou a Prefeitura a afastar os parentes da cerimônia. Tolerava-se apenas que viessem até a porta do cemitério e até isso não era oficial. Porque, no que se refere à última cerimônia, as coisas tinham mudado um pouco. Num extremo do cemitério, num local coberto de arbustos, tinham sido abertas duas enormes fossas. Havia a fossa dos homens e a das mulheres. Sob este aspecto, as autoridades respeitavam as conveniências e foi só muito mais tarde que, pela força das circunstâncias, este último pudor desapareceu e enterraram de qualquer maneira, uns sobre os outros, sem preocupações de decência, os homens e as mulheres. Felizmente, essa confusão extrema marcou apenas os últimos momentos do flagelo. No período de que nos ocupamos, a separação das fossas existia e as autoridades eram muito exigentes em relação a isso. No fundo de cada uma delas, uma espessa camada de cal viva fumegava e fervilhava. Nas bordas do mesmo buraco, um montículo da mesma cal deixava suas bolhas arrebentarem ao ar livre. Depois de acabadas as viagens da ambulância, levavam-se as macas em cortejo, deixavam escorregar para o fundo, mais ou menos ao lado uns dos outros, os corpos desnudados e ligeiramente retorcidos que, nesse momento, eram recobertos de cal viva e depois de terra, mas só até uma certa altura, a fim de poupar espaço para os futuros hóspedes. No dia seguinte, os parentes eram convidados a assinar um registro, o que mostra a diferença que pode haver entre os homens e, por exemplo, os cães: a verificação era sempre possível.

Para todas essas operações era preciso pessoal e este estava sempre prestes a faltar. Muitos dos enfermeiros e coveiros, a princípio oficiais, depois improvisados, morreram de peste. Por mais precauções que se tomassem, o contágio acabava por se fazer um dia. No entanto, quando se pensa bem, o mais extraordinário é que nunca faltaram homens para exercer essa profissão durante todo o tempo da epidemia. O período crítico ocorreu um pouco antes de a peste ter atingido o seu auge e as inquietações do doutor Rieux eram então fundamentadas. Nem para os trabalhos especializados nem para o que se chamavam os trabalhos grosseiros a mão de obra era suficiente. Mas, a partir do momento em que a peste se apossou realmente de toda a cidade, então o seu próprio excesso provocou consequências bastante cômodas, pois ela desorganizou a vida econômica e suscitou assim um número considerável de desempregados. Na maior parte dos casos, não havia recrutamento para os técnicos, mas os trabalhos grosseiros encontraram-se extremamente facilitados. A partir desse momento, na realidade, viu-se sempre a miséria mostrar-se mais forte que o medo, tanto mais que o trabalho era pago na proporção dos riscos. Os serviços sanitários passaram a dispor de uma lista de pretendentes e, logo que se abria uma vaga, avisavam-se os primeiros da lista, que, salvo no caso de terem também entrado de férias no intervalo, não deixavam de se apresentar. Foi assim que o prefeito, que hesitara muito tempo em utilizar os presos temporários ou condenados à prisão perpétua para este gênero de trabalho, pôde evitar que se chegasse a esse extremo. Enquanto houvesse desempregados, ele era de opinião que se podia esperar.

Bem ou mal, o fato é que, até o fim do mês de agosto, os nossos concidadãos puderam, pois, ser conduzidos à sua última morada, se não decentemente, pelo menos dentro de uma ordem suficiente para que a administração mantivesse a consciência de que cumpria o seu dever. Mas é necessário antecipar um pouco a sequência dos acontecimentos para relatar os últimos procedimentos a que foi preciso recorrer. Com efeito, no estado em que a peste se manteve, a partir do mês de agosto o acúmulo de vítimas ultrapassou em muito as possibilidades que o nosso pequeno cemitério podia oferecer. De nada servira derrubar muros, abrir aos mortos uma saída para os terrenos vizinhos: em breve tornou-se necessário encontrar outra coisa. Decidiu-se, em primeiro lugar, fazer os enterros à noite, o que logo dispensou certos cuidados. Puderam amontoar-se os corpos cada vez mais numerosos nas ambulâncias. E alguns retardatários que, contra todas as regras, permaneciam nos subúrbios depois do toque de recolher (ou aqueles que o dever levava para lá) encontravam por vezes longas ambulâncias brancas que corriam a toda a velocidade, fazendo soar discretamente a sirene nas ruas vazias da noite. Apressadamente, os corpos eram lançados nas fossas. Mal tinham acabado de cair e já as pás de cal se abatiam sobre os rostos e a terra os cobria de modo anônimo, nas covas que se abriam cada vez mais profundas.

Um pouco depois, contudo, foi preciso procurar outro lugar, tomar outras medidas. Um decreto da Prefeitura expropriou os jazigos perpétuos e todos os restos exumados foram encaminhados ao forno crematório. Em breve, tornou-se necessário conduzir os próprios mortos da peste para a cremação. Mas então foi preciso utilizar o antigo forno de incineração que se encontrava no leste da cidade, fora das portas. Afastou-se para mais longe o piquete da guarda e um empregado da Prefeitura facilitou muito a tarefa das autoridades ao aconselhar o uso dos bondes que antigamente serviam à orla marítima e que se encontravam desativados. Para esse fim, adaptou-se o interior dos veículos retirando os assentos e desviou-se a linha para o forno, que se tornou, assim, uma estação final.

E, durante todo o fim do verão, como em meio às chuvas do outono, era possível ver passar, à beira-mar, no coração de cada noite, estranhos cortejos de bondes sem passageiros, oscilando acima do mar. Os habitantes acabaram sabendo do que se tratava. E, apesar das patrulhas que proibiam o acesso à orla marítima, alguns grupos conseguiam insinuar-se com certa frequência por entre os rochedos escarpados sobre as vagas para atirar flores aos carros, à passagem dos bondes. Ouviam-se então os solavancos dos veículos na noite de verão, com a sua carga de flores e de mortos.

Pela manhã, em todo caso, nos primeiros dias, um vapor espesso e nauseabundo pairava sobre os bairros orientais da cidade. Na opinião dos médicos, essas exalações, embora desagradáveis, não eram nocivas a ninguém. Mas os habitantes desses bairros ameaçaram imediatamente abandoná-los, persuadidos de que a peste assim se abatia também sobre eles do alto dos céus, de modo que as autoridades foram obrigadas a desviar a fumaça por um complicado sistema de canalização e os habitantes acalmaram-se. Só nos dias de muito vento um vago cheiro vindo do leste lhes lembrava que estavam instalados numa nova ordem e que, todas as noites, as chamas da peste devoravam o tributo que eles pagavam.

Foram essas as consequências extremas da epidemia. Mas, felizmente, ela não aumentou depois, porque se pode calcular que a engenhosidade das nossas repartições, as disposições da Prefeitura e até mesmo a capacidade de absorção do forno poderiam ter sido ultrapassadas. Rieux sabia que se tinham previsto então soluções desesperadas, como o lançamento dos cadáveres ao mar, e imaginava facilmente a sua espuma monstruosa sobre a água azul. Sabia também que, se as estatísticas continuassem a subir, nenhuma organização, por melhor que fosse, resistiria; que os homens viriam morrer amontoados e apodrecer na rua, apesar da Prefeitura, e que a cidade veria, nas praças públicas, os mortos agarrarem-se aos vivos, com um misto de ódio legítimo e de estúpida esperança.

De qualquer forma era esse tipo de evidência ou de apreensão que mantinha, nos nossos concidadãos, o sentimento do exílio e da separação. A este respeito, o narrador sabe perfeitamente quanto é lamentável não poder relatar algo de verdadeiramente espetacular, como, por exemplo, algum herói altruísta ou alguma ação brilhante, semelhantes aos que se encontram nas velhas histórias. É que nada é menos espetacular que um flagelo e, pela sua própria duração, as grandes desgraças são monótonas. Na lembrança dos sobreviventes, os dias terríveis da peste não surgem como chamas grandes e cruéis, e sim como um interminável tropel que tudo esmaga à sua passagem.

Não, a peste nada tinha a ver com as grandes imagens delirantes que tinham perseguido o Dr. Rieux no princípio da epidemia. Ela era, em primeiro lugar, uma administração prudente e impecável de bom funcionamento. Foi assim que, diga-se de passagem, para nada trair e, sobretudo, para não se trair a si próprio, o narrador tendeu para a objetividade. Não quis modificar quase nada pelos efeitos da arte, a não ser no que diz respeito às necessidades básicas de um relato mais ou menos coerente. É a própria objetividade que o obriga agora a dizer que, se o grande sofrimento dessa época, tanto o mais geral quanto o mais profundo, era a separação, e se é indispensável, em sua consciência, fazer uma nova descrição do sofrimento nessa fase da peste, não deixa de ser verdade que até esse sofrimento era então menos patético.

Teriam os nossos concidadãos, pelo menos os que mais haviam sofrido com essa separação, se habituado à situação? Não seria inteiramente justo afirmar tal coisa. Seria mais exato dizer que, tanto moral quanto fisicamente, sofriam de descarnação. No começo da peste, lembravam-se nitidamente do ente que haviam perdido e sentiam saudade. Mas, se se lembravam nitidamente do rosto amado, de seu riso, de determinado dia que agora reconheciam ter sido feliz, tinham dificuldade de imaginar o que o outro podia estar fazendo no próprio momento em que o evocavam e em lugares de ora em diante tão longínquos. Em suma, nesse momento, tinham memória, mas uma imaginação insuficiente. Na segunda fase da peste, perderam também a memória. Não que tivessem esquecido esse rosto, mas, o que vem a dar no mesmo, ele perdera a carne, já não o sentiam no interior de si próprios. E, enquanto tendiam a queixar-se, nas primeiras semanas, de só lhes restarem sombras dos objetos de seu amor, compreenderam, com a continuação, que essas sombras podiam tornar-se ainda mais descarnadas ao perderem até as cores ínfimas que a recordação conservava. Ao fim desse longo tempo de separação, já não imaginavam essa intimidade que fora sua, nem como havia podido viver perto deles um ser em que podiam a todo momento pousar a mão.

Deste ponto de vista, tinham entrado na própria ordem da peste, tanto mais eficaz quanto mais medíocre era. Ninguém mais, entre nós, tinha grandes sentimentos. Mas todos experimentavam sentimentos monótonos. "É tempo de acabar com isso" — diziam os nossos concidadãos, porque em período de flagelo é normal desejar o fim dos sofrimentos coletivos e de fato desejavam que aquilo acabasse. Mas tudo isso se dizia sem o calor e sem o sentimento amargo do princípio, e apenas com as poucas razões que nos restavam ainda claras, e que eram bem pobres. Ao grande impulso feroz das primeiras semanas sucedera um abatimento que seria erro considerar como resignação, mas que nem por isso deixava de ser uma espécie de aquiescência provisória.

Os nossos concidadãos tinham se adaptado, como se costuma dizer, porque não havia outro modo de proceder. Tinham ainda, naturalmente, a atitude da desgraça e do sofrimento, mas já não os sentiam. De resto, o Dr. Rieux, por exemplo, achava que essa era justamente a desgraça e que o hábito do desespero é pior que o próprio desespero. Antes, os separados não eram realmente infelizes, pois havia no seu sofrimento uma luz que acabava de se extinguir. Agora, eram vistos pelas esquinas, nos cafés ou em casa dos amigos, plácidos e distraídos, e com um ar tão entediado que, graças a eles, toda a cidade parecia uma sala de espera. Os que tinham uma profissão executavam-na ao ritmo da própria peste, meticulosamente e sem brilho. Todos eram modestos. Pela primeira vez, os separados não tinham aversão a falar dos ausentes, a usar a linguagem de todos, a examinar a sua separação sob o mesmo enfoque que as estatísticas da epidemia. Enquanto, até então, tinham subtraído ferozmente o seu sofrimento à desgraça coletiva, aceitavam agora a confusão. Sem memória e sem esperança, instalavam-se no presente. Na verdade, tudo se tornava presente para eles. A peste, é preciso que se diga, tirara a todos o poder do amor e até mesmo da amizade. Porque o amor exige um pouco de futuro e para nós só havia instantes.

É claro que nada disso era absoluto. Pois se é verdade que todos os separados chegaram a esse estado, é justo acrescentar que não chegaram todos ao mesmo tempo e que, da mesma forma, uma vez instalados nessa nova atitude, lampejos, retrocessos, bruscos estados de lucidez levavam os doentes a uma sensibilidade mais nova e mais dolorosa. Eram necessários para isso momentos de distração, em que eles formavam algum projeto que implicava o fim da peste. Era preciso que eles sentissem, inopinadamente e por efeito de alguma graça, a mordida de um ciúme sem objeto. Outros encontravam também renascimentos súbitos, saíam do seu torpor em certos dias da semana, no domingo, naturalmente, e aos sábados à tarde, porque esses dias eram consagrados a certos ritos, do tempo do ausente. Ou então uma certa melancolia que os invadia ao fim da tarde dava-lhes o aviso, aliás nem sempre confirmado, de que a memória ia voltar. Essa hora da tarde, que para os crentes é a do exame de consciência, é dura para o prisioneiro ou o exilado que só pode examinar o vácuo. Ela mantinha-os suspensos por um momento; depois, voltavam à atonia, encerravam-se na peste.

Já se compreendeu que isso consistia em renunciarem ao que tinham de mais pessoal. Enquanto nos primeiros tempos da peste eles se surpreendiam com a quantidade de pequenas coisas que contavam muito para eles, sem terem qualquer existência para os outros, e faziam assim a experiência da vida pessoal, agora, pelo contrário, só se interessavam por aquilo que interessava aos outros, já não tinham senão ideias gerais e o seu próprio amor assumira para eles a forma mais abstrata. Estavam a tal ponto abandonados à peste que lhes acontecia às vezes só desejarem o sono e surpreenderem-se a pensar: "Que venham logo os tumores e se acabe com isto!" Mas, na realidade, já estavam dormindo e todo esse tempo não passou de um longo sono. A cidade estava povoada por sonolentos acordados que só escapavam realmente ao seu destino nos raros momentos em que, de noite, a sua ferida aparentemente fechada se reabria bruscamente. E, despertados em sobressalto, apalpavam então, distraídos, os bordos irritados dessa ferida, redescobrindo num lampejo o seu sofrimento subitamente rejuvenescido e, com ele, a imagem perturbada do seu amor. De manhã, voltavam ao flagelo, quer dizer, à rotina.

Mas, perguntarão, que aspecto tinham esses separados? Pois bem, muito simples: não tinham aspecto nenhum. Ou, se preferirem, tinham o aspecto de todos, um aspecto inteiramente geral. Compartilhavam a placidez e as agitações pueris da cidade. Perdiam a aparência do senso crítico ao mesmo tempo que ganhavam a aparência do sangue-frio. Era possível ver-se, por exemplo, os mais inteligentes simularem procurar, como todos, nos jornais ou nas emissões radiofônicas, razões para acreditarem num fim rápido da peste e aparentemente conceberem esperanças quiméricas ou sentirem receios sem fundamento ao lerem considerações que um jornalista havia escrito um pouco ao acaso, bocejando de tédio. Os demais bebiam a sua cerveja ou tratavam dos seus doentes, descansavam ou se esgotavam, arquivavam fichas ou faziam girar discos, sem se distinguirem muito uns dos outros. Em outras palavras, já não escolhiam nada. A peste suprimira os juízos de valor. E isso se via pela maneira como ninguém mais se ocupava da qualidade do vestuário ou dos alimentos que se compravam. Aceitava-se tudo em bloco.

Para encerrar, pode-se dizer que os separados já não tinham esse curioso privilégio que no princípio os preservava. Tinham perdido o egoísmo do amor e as vantagens que dele tiravam. Pelo menos então a situação era clara: o flagelo era problema de todos. Todos nós, no meio das detonações que irrompiam às portas da cidade, dos carimbos que marcavam o compasso da nossa vida ou da nossa morte, em meio aos incêndios e às fichas, ao terror e às formalidades, prometidos a uma morte ignominiosa mas registrada, entre fumaças terríveis e as sirenes tranquilas das ambulâncias, todos nós nos nutríamos do mesmo pão do exílio, esperando sem o saber a mesma reunião e a mesma paz perturbadoras. O nosso amor, sem dúvida, estava presente ainda, mas simplesmente era inutilizável, pesado, inerte, estéril, como o crime ou a condenação. Não era mais que uma paciência sem futuro e uma espera obstinada. E, deste ponto de vista, a atitude de alguns dos nossos concidadãos fazia pensar nas longas filas, nos quatro cantos da cidade, diante das lojas de alimentos. Era a mesma resignação e a mesma persistência, ao mesmo tempo ilimitada e sem ilusões. Seria apenas necessário elevar esse sentimento a uma escala mil vezes maior no que diz respeito à separação, porque se tratava então de uma outra fome, capaz de tudo devorar.

Em todo caso, supondo que se queira ter uma ideia justa do estado de espírito em que se encontravam os separados da nossa cidade, seria preciso evocar de novo as eternas tardes douradas e poeirentas que caíam sobre o espaço urbano sem árvores, enquanto homens e mulheres se espalhavam por todas as ruas. Porque, estranhamente, o que chegava então dos terraços ainda ensolarados, na ausência dos ruídos de veículos e de máquinas que normalmente constituem toda a linguagem das cidades, era apenas um rumor de passos e de vozes surdas, o doloroso deslizar de milhares de solas, ritmado pelo silvo do flagelo no céu pesado, um interminável e sufocante arrastar de pés que enchia pouco a pouco toda a cidade e que, tarde após tarde, dava a sua voz mais fiel e mais melancólica à obstinação cega que, nos nossos corações, substituía então o amor.

4

Durante os meses de setembro e outubro, a peste manteve a cidade sob o seu domínio. Já que se tratava de marcar passo, várias centenas de milhares de homens continuaram a arrastar os pés durante semanas intermináveis. A bruma, o calor e a chuva sucederam-se no céu. Bandos silenciosos de estorninhos e de tordos, vindos do sul, passaram muito alto, mas contornaram a cidade, como se o flagelo de Paneloux, a estranha peça de madeira que girava, aos silvos, por cima das casas, os mantivesse a distância. No começo de outubro, grandes tempestades varreram as ruas. E durante todo esse tempo nada de importante se produziu além desse monstruoso arrastar de pés.

Rieux e seus amigos descobriram então a que ponto estavam cansados. Na verdade, os homens das comissões sanitárias já não conseguiam digerir esse cansaço. O Dr. Rieux apercebia-se disso ao observar nos amigos e em si próprio a evolução de uma curiosa indiferença. Esses homens, por exemplo, que até aqui tinham mostrado vivo interesse por todas as notícias que diziam respeito à peste, já não se preocupavam com elas. Rambert, que fora encarregado provisoriamente de dirigir uma das casas de quarentena, instalada há pouco no seu hotel, conhecia perfeitamente o número dos que tinha em observação. Estava a par dos mínimos pormenores do sistema de evacuação imediata que organizara para aqueles que mostravam subitamente sinais da doença. A estatística dos efeitos do soro sobre os internados estava gravada na sua memória. Mas ele era incapaz de dizer o número semanal das vítimas da peste, ignorava se ela realmente progredia ou recuava. E, apesar de tudo, mantinha a esperança de uma evasão próxima.

Quanto aos outros, absorvidos no seu trabalho dia e noite, não liam os jornais nem ouviam rádio. E, se lhes anunciavam um resultado, simulavam interessar-se, mas acolhiam-no, na verdade, com a indiferença distraída que atribuímos aos combatentes das grandes guerras, esgotados pelo esforço, dedicados apenas a não desfalecer no seu dever cotidiano, mas já sem esperar pela operação decisiva nem pelo armistício.

Grand, que continuava a efetuar os cálculos exigidos pela peste, teria certamente sido incapaz de indicar os seus resultados gerais. Ao contrário de Tarrou, de Rambert e de Rieux, visivelmente resistentes ao cansaço, a sua saúde nunca havia sido boa. Ora, ele acumulava as funções de auxiliar da Prefeitura, a sua secretaria junto a Rieux e os trabalhos noturnos. Viam-no assim num estado contínuo de esgotamento, sustentado por duas ou três ideias fixas, como a de se oferecer umas férias completas depois da peste, durante uma semana pelo menos, e de trabalhar então de maneira positiva, "Tirem o chapéu, meus senhores!", no que tinha à mão. Era também sujeito a súbitos enternecimentos e, nessas ocasiões, falava de bom grado de Jeanne a Rieux, perguntava a si mesmo onde estaria ela naquele momento e se, ao ler os jornais, pensaria nele. Foi com ele que Rieux se surpreendeu um dia a falar de sua própria mulher no tom mais banal, o que nunca fizera até então. Incerto do crédito que podia atribuir aos telegramas sempre tranquilizadores da mulher, resolvera telegrafar ao médico-chefe da clínica onde ela se tratava. Em resposta, tinha recebido a comunicação de um agravamento do estado da paciente e a garantia de que tudo seria feito para deter a evolução do mal. Tinha guardado para si a notícia, e não se explicava, a não ser pelo cansaço, como tinha podido confiá-la a Grand. O empregado municipal, depois de ter-lhe falado de Jeanne, interrogara-o acerca de sua mulher e Rieux respondera. "Como sabe, isso agora cura-se muito bem", dissera Grand. Rieux tinha concordado, dizendo simplesmente que a separação começava a ser longa e que ele poderia talvez ter ajudado a mulher a vencer a doença, ao passo que hoje ela devia sentir-se totalmente só. Depois, calara-se e só respondera muito evasivamente às perguntas de Grand.

Os outros encontravam-se no mesmo estado. Tarrou resistia melhor, mas os cadernos mostram que se a sua curiosidade não se tornara menos profunda, perdera em diversidade. Durante todo esse período, na realidade, ele aparentemente só se interessava por Cottard. À noite, na casa de Rieux, onde acabara por se instalar desde que o hotel fora transformado em local de quarentena, mal ouvia Grand ou o doutor enunciarem os resultados. Desviava imediatamente a conversa para os pequenos pormenores da vida de Orã que geralmente o ocupavam.

Quanto a Castel, no dia em que veio anunciar a Rieux que o soro estava pronto e depois de terem decidido fazer a primeira experiência no garoto do Sr. Othon, que acabavam de remover para o hospital e cujo caso parecia desesperador a Rieux, este comunicava ao velho amigo as últimas estatísticas quando reparou que seu interlocutor adormecera profundamente na cadeira. E, diante desse rosto em que habitualmente um ar de ternura e de ironia punha uma perpétua juventude e que agora, subitamente abandonado, com um filete de saliva a unir-lhe os lábios entreabertos, deixava ver os estragos e a velhice, Rieux sentiu um aperto na garganta.

Era por tais fraquezas que Rieux podia julgar o seu cansaço. A sensibilidade lhe fugia. Amarrada a maior parte do tempo, endurecida e seca, irrompia de vez em quando e abandonava-o a emoções que já não conseguia dominar. Sua única defesa era refugiar-se nesse endurecimento e apertar o nó que nele se formara. Sabia efetivamente que essa era a melhor maneira de continuar. Quanto ao resto, não tinha muitas ilusões e o seu cansaço tirava-lhe as que ainda conservava. Porque sabia que, durante um período cujo término não conseguia vislumbrar, o seu papel já não era o de curar. O seu papel era diagnosticar. Descobrir, ver, descrever, registrar, depois condenar, essa era a sua tarefa. Esposas agarravam-lhe as mãos e gritavam: "Doutor, dê-lhe a vida!" Mas ele não estava ali para dar vida, estava ali para ordenar o isolamento. De que servia o ódio que lia, então, nas fisionomias? "O senhor não tem coração", tinham-lhe dito um dia. Sim, ele tinha um coração. Servia-lhe para suportar as vinte horas por dia em que via morrer homens que haviam sido feitos para viver. Servia-lhe para recomeçar todos os dias. De agora em diante, o coração mal dava para isso. Como esse coração seria suficiente para dar vida?

Não, não eram socorros que ele distribuía durante todo o dia, e sim informações. Aquilo, é claro, não se podia chamar uma profissão de homem. Mas afinal a quem, então, aquela multidão aterrorizada e dizimada tinha deixado tempo para exercer uma profissão de homem? Ainda bem que havia a fadiga. Se Rieux estivesse mais vigoroso, aquele cheiro de morte espalhado por toda parte poderia tê-lo tornado sentimental. Mas quando só se dorme quatro horas, não se é sentimental. Veem-se as coisas como elas são, isto é, veem-se segundo a justiça, a horrenda e irrisória justiça. E os outros, os condenados, também eles o sentiam bem. Antes da peste, recebiam-no como um salvador. Ele ia consertar tudo com três pílulas e uma seringa, e apertavam-lhe o braço ao conduzi-lo pelos corredores. Era lisonjeiro, mas perigoso. Agora, pelo contrário, apresentava-se acompanhado de soldados, era necessário dar coronhadas para que a família se decidisse a abrir a porta. Teriam desejado arrastá-lo e arrastar toda a humanidade com eles para a morte. Ah! Era bem verdade que os homens não podiam dispensar os homens, que ele se achava tão despojado quanto esses desgraçados e que merecia esse mesmo tremor de piedade que sentia crescer em si depois de deixá-los.

Eram pelo menos essas as ideias que o Dr. Rieux, durante essas intermináveis semanas, ventilava com as que se relacionavam à sua situação de separado. E eram também aquelas cujo reflexo ele lia no semblante dos amigos. Mas o efeito mais perigoso do esgotamento que vencia, pouco a pouco, todos os que continuavam a luta contra o flagelo não estava nessa indiferença aos acontecimentos exteriores e às emoções dos outros, e sim na negligência a que haviam chegado. Porque tinham então tendência a evitar todos os gestos que não fossem absolutamente indispensáveis e que lhes pareciam sempre acima das suas forças. Foi assim que esses homens chegaram a desprezar cada vez mais as regras de higiene que tinham codificado, a esquecer algumas das desinfecções que deviam praticar em si próprios, a correr por vezes, sem se prevenirem contra o contágio, para junto de doentes atacados de peste pulmonar, porque, alertados no último momento de que deviam dirigir-se a casas infectadas, tinha-lhes parecido de antemão exaustivo voltarem a qualquer local para fazerem as instilações necessárias. Nisso residia o verdadeiro perigo, pois era a própria luta contra a peste que os tornava então mais vulneráveis à peste. Apostavam, em suma, no acaso e o acaso não pertence a ninguém.

Contudo, havia na cidade um homem que não parecia nem esgotado nem desanimado e que continuava a ser a imagem viva da satisfação. Era Cottard. Mantinha-se a distância, preservando, no entanto, suas relações com os outros. Mas optara por visitar Tarrou sempre que o trabalho deste o permitia; por um lado, porque Tarrou estava bem informado sobre o seu caso e, por outro, porque ele sabia acolher o pequeno capitalista com uma cordialidade inalterável. Era um milagre perpétuo, mas Tarrou, apesar do esforço que despendia, continuava benévolo e atencioso. Mesmo quando o cansaço o arrasava em certas noites, no dia seguinte ele encontrava nova energia. "Com esse", dissera Cottard a Rambert, "pode-se conversar, porque é um homem. Sempre se obtém a compreensão dele."

É por isso que, nessa época, as notas de Tarrou convergem pouco a pouco para o personagem Cottard. Tarrou tentou fazer um quadro das reações e reflexões de Cottard, tal como elas lhe eram confiadas por ele ou tal como ele as interpretava. Sob a rubrica "Relações entre

Cottard e a Peste", esse quadro ocupa algumas páginas do caderno e o narrador acha útil fazer aqui um breve sumário. A opinião geral de Tarrou sobre o pequeno capitalista resumia-se neste juízo: "É um personagem que cresce." Aparentemente, aliás, ele crescia em bom humor. Não lhe desagradava a feição que os acontecimentos tomavam. Exprimia, às vezes, o fundo do seu pensamento diante de Tarrou por meio de observações deste gênero: "É claro que a coisa não vai melhor. Mas, ao menos, estamos todos no mesmo barco."

"Evidentemente", acrescentava Tarrou, "ele está ameaçado como os outros, mas está justamente com os outros. Depois, não está seriamente convencido, tenho certeza, de que possa ser atingido pela peste. Parece viver com a ideia, aliás não de todo tola, de que um homem atingido por uma grande doença, ou uma angústia profunda, está dispensado, por isso mesmo, de todas as outras doenças ou angústias. 'Já reparou', disse-me ele, 'que não se podem acumular as doenças? Imagine que você esteja com uma doença grave ou incurável, um câncer sério ou uma boa tuberculose: nunca pegará peste ou tifo. É impossível. Aliás, a coisa vai ainda mais longe, pois nunca se viu um canceroso morrer de desastre de carro.' Falsa ou verdadeira, esta ideia deixa Cottard de bom humor. A única coisa que ele não quer é ficar separado dos outros. Prefere estar sitiado com todos a estar preso sozinho. Com a peste, já não há que inquietar-se com inquéritos secretos, com processos, com fichas, com instruções misteriosas ou prisão iminente. Para dizer a verdade, já não há polícia, não há mais crimes, novos ou antigos, já não há culpados, há apenas condenados que esperam o mais arbitrário dos perdões, e, dentre eles, os próprios policiais." Assim, Cottard, e sempre segundo a interpretação de Tarrou, era levado a considerar os sintomas de angústia e de perturbação que apresentavam os nossos concidadãos com uma satisfação indulgente e compreensiva que podia ser expressa por um "Continuem falando, senti isso antes de vocês".

"Em vão eu lhe disse que a única maneira de não estar separado dos outros era afinal ter uma consciência tranquila. Ele me olhou com maldade e disse: 'Então, desse modo, ninguém está nunca com ninguém.' E depois: 'Pode ter certeza, sou eu quem o digo. A única maneira de juntar as pessoas ainda é mandar-lhes a peste. Olhe à sua volta.' E, na verdade, eu compreendo bem o que ele quer dizer e o quanto a vida de hoje deve parecer-lhe confortável. Como não haveria ele de reconhecer reações que foram suas — a tentativa que cada um faz para congregar todos à sua volta; a gentileza com que nos desdobramos para informar às vezes um transeunte perdido e o mau humor de que outras vezes damos prova; a precipitação das pessoas para os restaurantes de luxo, o seu prazer em lá se encontrarem e em lá se demorarem; a afluência desordenada que faz filas todos os dias no cinema, que enche todas as salas de espetáculos e os próprios cabarés, que se espalha como uma maré desenfreada em todos os lugares públicos; o recuo diante de qualquer contato, o apetite de calor humano que, no entanto, impele os homens uns para os outros, cotovelos para cotovelos, sexos para sexos? Cottard conheceu tudo isso antes deles, é evidente. Exceto as mulheres, porque, com a sua cabeça... E suponho que, quando se sentiu tentado a frequentá-las, recusou-se, para não ganhar uma fama que poderia prejudicá-lo no futuro.

"Em resumo, a peste lhe convém. De um homem solitário que não queria sê-lo ela fez um cúmplice. Porque, visivelmente, é um cúmplice, e um cúmplice que se deleita. É cúmplice de tudo o que vê, das superstições, dos terrores ilegítimos, das suscetibilidades dessas almas em alerta; da sua mania de querer falar da peste o menos possível e, no entanto, de falar dela sem cessar; da sua aflição e da sua palidez à menor dor de cabeça, desde que se sabe que a doença começa por cefaleias; e da sua sensibilidade irritadiça, suscetível, instável, enfim, que transforma em ofensa esquecimentos e se aflige com a perda de um botão de camisa."

Acontecia muitas vezes a Tarrou sair com Cottard. Relatava em seguida, nos seus cadernos, como mergulhavam na multidão sombria dos crepúsculos ou das noites, ombro a ombro, imergindo numa massa branca e preta, em que uma rara lâmpada brilhava, acompanhando o rebanho humano para os prazeres ardentes que o defendiam contra o frio da peste. O que Cottard, alguns meses antes, procurava nos lugares públicos, o luxo e a vida ampla, aquilo com que sonhava sem poder satisfazer-se, isto é, o gozo desenfreado, todo um povo o procurava agora. Enquanto o preço das coisas subia irresistivelmente, nunca se tinha desperdiçado tanto dinheiro, e, quando o essencial faltava à maioria, nunca se tinha esbanjado mais o supérfluo. Multiplicavam-se todos os jogos de uma ociosidade que era apenas desemprego. Tarrou e Cottard seguiam por vezes, durante longos minutos, um desses casais que antes se aplicavam em esconder o que os unia e que agora, apertados um contra o outro, caminhavam obstinadamente através da cidade, sem ver a multidão que os rodeava, com a distração um pouco invariável das grandes paixões. Cottard enternecia-se. "Ah! Que safados!", dizia ele. E falava alto, expandia-se no meio da febre coletiva, das gorjetas reais que soavam à sua volta e das intrigas que se teciam diante dos seus olhos.

Entretanto, Tarrou achava que havia pouca maldade na atitude de Cottard. Sua frase "Conheci isto antes deles" revelava mais infelicidade que triunfo. "Creio", dizia Tarrou, "que ele começa a amar esses homens, prisioneiros entre o céu e os muros da cidade. Por exemplo, lhes teria explicado de bom grado, se pudesse, que a coisa não era tão terrível assim. 'Eles dizem', afirmou-me ele, 'que depois da peste vão fazer isso, depois da peste vão fazer aquilo... Envenenam a própria existência, em vez de ficarem tranquilos. E nem sequer se dão conta das vantagens de que desfrutam. Será que eu poderia dizer que depois da minha prisão vou fazer qualquer coisa? A prisão é um começo, não é um fim. Ao passo que a peste... Quer a minha opinião? Eles são infelizes porque não se entregam. E eu sei bem o que digo.'

"Com efeito, ele sabe o que diz", acrescentava Tarrou. "Avalia no seu justo valor as contradições dos habitantes de Orã, que, ao mesmo tempo que sentem profundamente a necessidade de calor que os aproxima, não conseguem contudo abandonar-se a ele, por causa da desconfiança que os afasta uns dos outros. É sabido que não se pode ter confiança no vizinho, que é capaz de nos passar a peste à nossa revelia e de aproveitar-se do nosso abandono para nos contagiar. Quando se passou o tempo, como Cottard, a ver indicadores possíveis em todos aqueles cuja companhia, contudo, se procurava, pode-se compreender esse sentimento. É fácil ser indulgente com pessoas que vivem a pensar que a peste pode, de um dia para o outro, pôr-lhes a mão no ombro e que ela se prepara, talvez, para fazer isso no momento em que elas se regozijam de estar ainda sãs e salvas. Tanto quanto isso é possível, ele está à vontade no terror. Mas, porque ele sentiu tudo isso antes deles, creio que não consegue sentir inteiramente com eles a crueldade dessa incerteza. Em suma, como todos nós que não morremos ainda da peste, ele sente efetivamente que a sua vida e a sua liberdade estão todos os dias à véspera de serem destruídas. Mas, já que ele próprio viveu no terror, acha normal que os outros o conheçam por sua vez. Mais exatamente, o terror parece-lhe então menos pesado de suportar do que se estivesse totalmente só. É nisso que ele está errado e que tem mais dificuldade de compreender que os outros. Mas, afinal, é por isso que merece mais que os outros que tentemos compreendê-lo."

Finalmente, as páginas de Tarrou terminam por uma narrativa que ilustra essa consciência singular que chegava ao mesmo tempo a Cottard e aos atacados pela peste. Esse relato reconstitui aproximadamente a atmosfera difícil da época e é por isso que o narrador lhe atribui importância.

Eles tinham ido à Ópera Municipal, onde estava em cartaz *Orfeu e Eurídice*. Cottard convidara Tarrou. Tratava-se de uma companhia que viera, na primavera da peste, fazer algumas apresentações na nossa cidade. Bloqueada pela doença, a companhia se vira forçada, após um acordo com a nossa Ópera, a repetir o espetáculo uma vez por semana. Assim, há meses, todas as sextas-feiras, no nosso teatro municipal, ressoavam os lamentos melodiosos de Orfeu e os chamados impotentes de Eurídice. No entanto, esse espetáculo continuava a conhecer o interesse do público e tinha sempre grandes bilheterias. Instalados nos lugares mais caros, Cottard e Tarrou dominavam uma plateia repleta pelos mais elegantes dos nossos concidadãos. Os que chegavam esforçavam-se visivelmente em fazer notar a sua entrada. Sob a luz resplandecente da ribalta, enquanto os músicos afinavam discretamente os instrumentos, as silhuetas destacavam-se com precisão, passavam de uma fila a outra, inclinavam-se com graça. No ligeiro rumor de uma conversa de bom-tom, os homens retomavam a segurança que lhes faltava algumas horas antes, entre as ruas negras da cidade. A casaca expulsava a peste.

Durante todo o primeiro ato, Orfeu queixou-se com facilidade, algumas mulheres de túnica comentaram com graça o seu infortúnio e cantou-se o amor em pequenas árias. A sala reagiu com um entusiasmo discreto. Mal se notou que Orfeu introduzia na sua ária do segundo ato tremores que não figuravam e pedia, com um ligeiro excesso de patético, ao Senhor dos Infernos que se deixasse comover pelo seu pranto. Certos gestos bruscos que lhe escaparam apareceram aos mais perspicazes como um efeito de estilização que aumentava ainda mais o valor da interpretação do cantor.

Foi necessário o dueto de Orfeu e Eurídice, no terceiro ato (era o momento em que Eurídice escapava ao seu amante), para que uma certa surpresa corresse pela sala. E, como se o cantor tivesse apenas esperado esse movimento do público ou, mais certamente ainda, como se o rumor vindo da plateia tivesse confirmado o que ele sentia, foi esse o momento que ele escolheu para avançar para a boca da cena de uma forma grotesca, com os braços e pernas afastados no seu traje antigo, para vir abater-se no bucolismo do cenário, que nunca deixara de ser anacrônico, mas que assim se tornou aos olhos dos espectadores pela primeira vez e de uma maneira terrível. Isto porque, ao mesmo tempo, a orquestra calou-se, as pessoas da plateia levantaram-se e começaram lentamente a evacuar a sala, primeiro em silêncio, como se sai de uma igreja depois de acabada a missa ou de uma câmara mortuária depois de uma visita, as mulheres segurando as saias e saindo de cabeça baixa, os homens guiando as companheiras pelo cotovelo, evitando o choque das cadeiras. Pouco a pouco, porém, o movimento precipitou-se, o murmúrio tornou-se exclamação e a multidão afluiu às saídas, comprimindo-se, acabando por se empurrar aos gritos. Cottard e Tarrou, que apenas se tinham levantado, ficaram sós diante de uma das imagens do que era a sua vida de então: a peste no palco, sob o aspecto de um histrião desarticulado, e, na sala, todo um luxo tornado inútil sob a forma de leques esquecidos e de rendas agarradas ao vermelho das poltronas.

Rambert, durante os primeiros dias do mês de setembro, trabalhara seriamente ao lado de Rieux. Apenas pedira uma folga no dia em que devia encontrar-se com González e os dois rapazes na frente do liceu.

Ao meio-dia, González e o jornalista viram chegar os dois rapazes, que riam. Disseram que não tinha havido sorte da outra vez, mas que era preciso esperar. Em todo caso, já não era a sua semana de plantão. Era preciso ter paciência até a semana seguinte. Então recomeçariam. Rambert disse que esta era a palavra exata. González propôs, portanto, um encontro para a próxima segunda-feira. Dessa vez, porém, instalariam Rambert na casa de Marcel e Louis. "Vamos marcar um encontro, você e eu. Se eu não aparecer, você vai diretamente à casa deles. Vamos explicar onde eles moram." Mas Marcel, ou Louis, disse nesse momento que o mais simples era conduzirem imediatamente o companheiro. Se não fosse muito exigente, havia comida para os quatro. E, dessa forma, ele se informaria logo. González disse que era uma excelente ideia e os quatro desceram para o porto.

Marcel e Louis moravam no final do Bairro da Marinha, perto das portas que davam para a estrada da orla marítima. Era uma pequena casa espanhola, de paredes espessas, janelas exteriores de madeira pintada, compartimentos nus e sombrios. Havia arroz, servido pela mãe dos rapazes, uma velha espanhola, sorridente e cheia de rugas. González admirou-se, pois já havia falta de arroz na cidade. "Nós o arranjamos nas portas", disse Marcel. Rambert comia e bebia e González afirmou que ele era um companheiro de verdade, enquanto o jornalista pensava unicamente na semana que tinha de passar.

Na realidade, teve de esperar duas semanas, pois os turnos de guarda foram elevados para 15 dias, a fim de reduzir o número de equipes. E, durante esses 15 dias, Rambert trabalhou sem se poupar, de maneira ininterrupta, com os olhos de certo modo fechados, desde a aurora até a noite. Tarde da noite, deitava-se e dormia um sono profundo. A passagem brusca da ociosidade a esse trabalho exaustivo deixava-o quase sem sonhos e sem forças. Falava pouco da sua fuga próxima. Um único fato notável: ao fim de uma semana, confessou ao doutor que, pela primeira vez, na noite anterior, se embriagara. Ao sair do bar, teve de repente a impressão de que as virilhas se inchavam e os braços se moviam com dificuldade em torno da axila. Pensou que era a peste. E a única reação que pôde ter então, e que concordou com Rieux não ser racional, foi correr ao alto da cidade e lá, numa pequena praça, de onde ainda não se avistava o mar, mas de onde se via um pouco mais de céu, chamou a sua mulher com um grande grito, por cima dos muros da cidade. De volta em casa, não descobrindo no corpo nenhum sinal de infecção, não se orgulhara muito dessa crise súbita. Rieux disse que compreendia muito bem que se pudesse agir assim. "De qualquer modo", disse ele, "pode acontecer que se tenha vontade de fazê-lo."

— O senhor Othon falou-me a seu respeito esta manhã — acrescentou subitamente Rieux, no momento em que Rambert ia deixá-lo. — Perguntou-me se eu o conhecia. "Aconselhe-o, então, a não frequentar os meios de contrabando", disse-me ele. "Está se expondo."

— Que quer dizer isso?

— Quer dizer que tem de apressar-se.

— Obrigado — disse Rambert, apertando a mão do médico. Já à porta, voltou-se de repente. Rieux notou que, pela primeira vez desde a peste, ele sorria: — Por que não me impede então de partir? Dispõe de todos os meios.

Rieux abanou a cabeça com o seu movimento habitual e respondeu que isso era problema de Rambert, que escolhera a felicidade, e que ele, Rieux, não tinha argumentos a contrapor. Sentia-se incapaz de julgar o que era bem ou mal naquele caso.

— Nessas condições, por que me diz que devo me apressar?

— Talvez seja porque também tenho vontade de fazer qualquer coisa pela felicidade.

No dia seguinte, não falaram mais nada, mas trabalharam juntos. Uma semana depois, Rambert estava enfim instalado na pequena casa espanhola. Tinham-lhe feito uma cama no compartimento comum. Como os rapazes não comiam em casa e como lhe tinham recomendado que saísse o menos possível, vivia só a maior parte do tempo ou conversava com a velha mãe espanhola. Era seca e ativa, vestida de negro, com o rosto moreno e enrugado debaixo dos cabelos brancos muito limpos. Silenciosa, sorria apenas com os olhos quando olhava para Rambert.

Às vezes ela perguntava-lhe se não tinha medo de levar a peste à sua mulher. Ele pensava que era um risco que valia a pena correr, mas que afinal a probabilidade era mínima, ao passo que, permanecendo na cidade, arriscavam-se a que ficassem separados para sempre.

— Ela é simpática? — perguntava a velha, sorrindo.

— Muito simpática.

— Bonita?

— Acho que sim.

— Ah! — dizia ela. — É por isso.

Rambert refletia. Era sem dúvida por isso, mas era impossível que fosse só por isso.

— Não acredita em Deus? — perguntou a velha, que ia à missa todas as manhãs.

Rambert admitiu que não e a velha disse ainda que era por isso.

— Tem razão, é preciso ir ao encontro dela. Senão o que lhe restaria?

O resto do tempo, Rambert andava à volta das paredes nuas e caiadas, tocando os leques pregados nas paredes, ou então contava as bolas de lã que arrematavam a franja do pano de mesa. À noite, os rapazes voltavam. Não falavam muito, senão para dizer que não chegara ainda o momento. Depois do jantar, Marcel tocava guitarra e eles bebiam licor de anis. Rambert parecia pensativo.

Na quarta-feira, Marcel disse ao entrar: "É para amanhã à meia-noite. Prepare-se." Dos dois homens que guardavam o posto com eles, um estava atacado pela peste e o outro, que normalmente dividia o quarto com o primeiro, estava em observação. Assim, durante dois ou três dias, Marcel e Louis estariam a sós. No decurso da noite acertariam os últimos detalhes. No dia seguinte seria possível. Rambert agradeceu. "Está contente?", perguntou a velha. Ele disse que sim, mas pensava em outra coisa.

No dia seguinte, sob um céu pesado, o calor era úmido e sufocante. As notícias da peste eram más. A velha espanhola conservava, contudo, a serenidade. "Há pecado no mundo", dizia. "Por isso, forçosamente..." Como Marcel e Louis, Rambert estava de torso nu. Porém, por mais que fizesse, o suor corria-lhe entre os ombros e sobre o peito. Na semipenumbra da casa de persianas fechadas, isso tornava-lhes os torsos morenos e lustrosos. Rambert dava voltas, sem falar. Bruscamente, às quatro horas da tarde, vestiu-se e disse que ia sair.

— Cuidado — recomendou Marcel —, é para a meia-noite. Está tudo preparado.

O jornalista foi à casa do médico. A mãe de Rieux disse-lhe que o encontraria no hospital. Diante do posto da guarda, a mesma multidão continuava a girar sobre si própria. "Circulem", dizia um sargento de olhos arregalados. Os outros circulavam, mas em roda. "Não há nada a esperar", dizia o sargento, cujo suor atravessava o dólmã. Era também a opinião dos outros, mas ficavam, assim mesmo, apesar do calor infernal. Rambert mostrou o seu salvo-conduto ao sargento, que lhe indicou o gabinete de Tarrou. A porta dava para o pátio. Rambert cruzou com o padre Paneloux, que saía do gabinete.

Numa pequena sala branca que cheirava a farmácia e a pano úmido, Tarrou, sentado atrás de uma secretária de madeira preta, com as mangas da camisa arregaçadas, enxugava com um lenço o suor que lhe corria pela curva do braço.

— Ainda aqui? — perguntou.

— Ainda. Queria falar com Rieux.

— Está na sala. Mas, se isso pudesse arranjar-se sem ele, seria melhor.

— Por quê?

— Está esgotado. Evito tudo o que possa perturbá-lo.

Rambert olhava para Tarrou. Tinha emagrecido. O cansaço turvava-lhe os olhos e os traços. Os ombros fortes estavam curvados. Alguém bateu e entrou um enfermeiro, de máscara branca. Colocou em cima da secretária de Tarrou um maço de fichas e, com uma voz que o pano abafava, disse apenas: "Seis." Depois saiu.

Tarrou olhou para o jornalista e mostrou-lhe as fichas que abriu em leque.

— Belas fichas, hein? Pois bem, são mortos, os mortos da noite.

Tinha a fronte cheia de sulcos. Juntou de novo o maço de fichas.

— A única coisa que nos resta é a contabilidade.

Tarrou levantou-se, apoiando-se na mesa.

— Vai partir em breve?

— Hoje, à meia-noite.

Tarrou disse que isso o alegrava e que Rambert devia ter cuidado.

— Diz isso sinceramente?

Tarrou encolheu os ombros.

— Na minha idade, é preciso ser sincero. Mentir é cansativo demais.

— Tarrou — disse o jornalista —, queria falar com o doutor. Desculpe-me.

— Eu sei. Ele é mais humano que eu. Vamos.

— Não é isso — disse Rambert com dificuldade. E calou-se.

Tarrou olhou para ele e, de repente, sorriu-lhe.

Seguiram por um pequeno corredor cujas paredes estavam pintadas de verde-claro e onde flutuava uma luz de aquário. Pouco antes de chegarem a uma porta dupla envidraçada, por detrás da qual se via um curioso movimento de sombras, Tarrou fez Rambert entrar numa sala muito pequena, inteiramente coberta de armários. Abriu um deles, tirou de um esterilizador duas máscaras de gaze hidrófila e estendeu uma a Rambert, convidando-o a usá-la. O jornalista perguntou se aquilo servia para alguma coisa e Tarrou respondeu que não, mas que dava confiança aos outros.

Empurraram a porta envidraçada. Era uma sala imensa, de janelas hermeticamente fechadas, apesar da estação. No alto das paredes, ronronavam ventiladores e as suas hélices curvas agitavam o ar espesso e superaquecido por cima de duas fileiras de camas cinzentas. De todos os lados vinham gemidos surdos ou agudos que compunham um lamento monótono. Homens vestidos de branco deslocavam-se com lentidão na luz crua que transbordava das janelas guarnecidas de grades. Rambert sentia-se pouco à vontade no calor terrível da sala e teve dificuldade em reconhecer Rieux, curvado sobre uma forma que gemia. O doutor incisava as virilhas do doente cujas pernas duas enfermeiras, uma de cada lado da cama, mantinham afastadas. Quando se reergueu, deixou cair os instrumentos numa bandeja que um ajudante lhe estendia e ficou por um momento imóvel, a olhar para o homem em quem faziam um curativo.

— Que há de novo? — perguntou a Tarrou, que se aproximava.

— Paneloux aceita substituir Rambert na casa de quarentena. Já fez muito. Falta a terceira comissão de pesquisa, a se reagrupar sem Rambert.

Rieux aprovou com a cabeça.

— Castel terminou os primeiros preparados e propõe uma experiência.

— Ah! — disse Rieux. — Muito bem.

— Por fim, está aqui Rambert.

Rieux voltou-se. Por cima da máscara os seus olhos franziram-se ao ver o jornalista.

— Que faz aqui? — perguntou. — Devia estar longe.

Tarrou disse que era para a meia-noite e Rambert acrescentou: "Em princípio."

A cada vez que um deles falava, a máscara de gaze inchava e ficava úmida à altura da boca. Isso tornava a conversa um pouco irreal, como um diálogo de estátuas.

— Queria falar-lhe — disse Rambert.

— Vamos sair juntos, se quiser. Espere-me no gabinete de Tarrou.

Um momento depois, Rieux e Rambert instalavam--se no banco traseiro do carro do médico. Tarrou dirigia.

— Acabou a gasolina — disse ele ao arrancar. — Amanhã, teremos de andar a pé.

— Doutor — disse Rambert —, não vou embora, fico com o senhor.

Tarrou nem pestanejou. Continuava a dirigir. Rieux parecia incapaz de sair de seu cansaço.

— E ela? — perguntou com uma voz surda.

Rambert disse que tinha refletido, que continuava a acreditar no que acreditava, mas que, se partisse, teria vergonha. Isso perturbaria o seu amor por aquela que tinha deixado. Mas Rieux endireitou-se e disse, numa voz firme, que aquilo era tolice e que não era vergonha escolher a felicidade.

— Sim — disse Rambert —, mas pode haver vergonha em ser feliz sozinho.

Tarrou, que nada dissera até então, observou, sem voltar a cabeça, que, se Rambert queria compartilhar a desgraça dos homens, jamais teria tempo para ser feliz. Era preciso escolher.

— Não é isso — disse Rambert. — Sempre achei que era estranho a esta cidade e que nada tinha a ver com vocês. Mas agora que vi o que vi, sei que sou daqui, quer queira, quer não. A história diz respeito a todos nós.

Ninguém respondeu e Rambert pareceu impacientar-se.

— Aliás, sabem muito bem disso. Senão o que estariam fazendo neste hospital? Acaso fizeram a sua escolha e renunciaram à felicidade?

Nem Tarrou nem Rieux responderam ainda. O silêncio durou muito tempo, até que se aproximaram da casa do médico. E Rambert fez de novo a sua última pergunta, com mais força ainda. Só Rieux se voltou para ele. Ergueu-se com esforço.

— Perdoe-me, Rambert — disse —, mas não sei. Fique conosco, já que assim o deseja.

Uma guinada do carro fez Rieux calar-se. Depois prosseguiu, olhando para a frente:

— Nada no mundo vale que nos afastemos daquilo que amamos. E, contudo, também eu me afasto, sem que possa saber por quê.

Deixou-se cair de novo sobre a almofada.

— É um fato, é só. Registremo-lo e aceitemos as suas consequências.

— Que consequências? — perguntou Rambert.

— Ah! — disse Rieux. — Não se pode, ao mesmo tempo, curar e saber. Então, curemos, o mais depressa possível. É o mais urgente.

À meia-noite, Tarrou e o doutor faziam para Rambert o mapa do bairro que estava encarregado de fiscalizar quando Tarrou olhou para o relógio. Ao levantar a cabeça, encontrou o olhar de Rambert.

— Não os avisou?

O jornalista desviou o olhar.

— Tinha mandado um recado — disse, com esforço — antes de vir ao encontro de vocês.

Foi nos últimos dias de outubro que o soro de Castel foi experimentado. Praticamente era a última esperança de Rieux. Em caso de novo fracasso, o médico estava convencido de que a cidade toda ficaria entregue aos caprichos da doença, quer a epidemia prolongasse os seus efeitos durante longos meses ainda, quer decidisse deter-se sem razão.

Na véspera do dia em que Castel veio visitar Rieux, o filho do Sr. Othon adoecera e toda a família fora posta de quarentena. A mãe, que saíra de lá pouco antes, viu-se pois isolada pela segunda vez. Cumpridor das determinações legais, o juiz mandara chamar o Dr. Rieux logo que reconheceu no corpo da criança os sinais da doença. Quando Rieux chegou, o pai e a mãe estavam de pé, junto à cama. A menina tinha sido afastada. O garoto estava no período de abatimento e deixou-se examinar sem se queixar. Quando o médico levantou a cabeça, encontrou o olhar do juiz e, atrás dele, o rosto pálido da mãe, que colocara um lenço na boca e seguia os gestos de Rieux com os olhos dilatados.

— É isso, não é verdade? — perguntou o juiz, com uma voz fria.

— Sim — respondeu Rieux, olhando de novo para a criança.

Os olhos da mãe dilataram-se ainda mais, mas ela continuava calada. O juiz calou-se também e depois disse, num tom mais baixo:

— Pois bem, doutor, temos de fazer o que está determinado.

Rieux evitava olhar para a mãe, que mantinha o lenço na boca.

— Será rápido — disse ele, hesitando —, se eu puder telefonar.

O Sr. Othon disse que ia indicar-lhe o caminho. Mas o doutor voltou-se para a mulher:

— Lamento muito. Acho que devia preparar as suas coisas. Sabe como é.

A Sra. Othon parecia perplexa. Olhava para o chão.

— Sim — disse ela, balançando a cabeça. — É o que vou fazer.

Antes de sair, Rieux não pôde deixar de perguntar se não precisavam de nada. A mulher continuava a olhá-lo em silêncio. Mas dessa vez o juiz desviou o olhar.

— Não — disse ele, engolindo a saliva —, mas salve o meu filho.

A quarentena, que a princípio era uma simples formalidade, tinha sido organizada por Rieux e Rambert de uma maneira muito rigorosa. Em especial, tinham exigido que os membros de uma mesma família fossem sempre isolados uns dos outros. Se um dos membros da família tivesse sido infectado sem o saber, era preciso não multiplicar as possibilidades da doença. Rieux explicou estas razões ao juiz, que as achou razoáveis. Entretanto, a mulher e ele olharam-se de tal modo que o médico sentiu até que ponto aquela separação os deixava perturbados. A Sra. Othon e sua filha puderam ser alojadas no hotel de quarentena dirigido por Rambert. Para o juiz de instrução, porém, já não havia lugar senão no campo de isolamento que a Prefeitura estava organizando, no estádio municipal, com o auxílio de barracas emprestadas pelo serviço de vigilância sanitária. Rieux pediu desculpas, mas o juiz disse que havia uma só regra para todos e que era justo obedecer.

Quanto ao garoto, foi transportado para o hospital auxiliar, para uma antiga sala de aula em que haviam sido instalados dez leitos. Umas vinte horas depois, Rieux julgou o seu caso desesperador. O pequenino corpo deixava-se devorar pela infecção, sem reagir. Pequenos tumores, dolorosos mas ainda em formação, bloqueavam as articulações dos frágeis membros. Estava de antemão vencido. Foi por isso que Rieux teve a ideia de experimentar nele o soro de Castel. Nessa mesma noite, depois do jantar, eles praticaram a longa inoculação, sem obter uma única reação da criança. No dia seguinte, de madrugada, todos se dirigiram ao leito do menino para fazer um julgamento sobre a experiência decisiva.

A criança, saída do seu torpor, agitava-se convulsivamente entre os lençóis. O Dr. Castel e Tarrou estavam junto dele desde as quatro horas da manhã, acompanhando passo a passo os progressos ou recuos da doença. À cabeceira do leito, o corpo maciço de Tarrou estava um pouco curvado. Aos pés da cama, sentado junto de Rieux, que estava de pé, Castel lia, aparentando toda a tranquilidade, um velho livro. Pouco a pouco, à medida que o dia avançava na antiga sala de aula, os outros chegavam. Em primeiro lugar, Paneloux, que se colocou do outro lado do leito em relação a Tarrou e encostado à parede. Lia-se no seu rosto uma expressão dolorosa, e o cansaço de todos esses dias em que ele se entregara ao trabalho traçara rugas na fronte congestionada. Por sua vez, Joseph Grand chegou. Eram sete horas e o empregado municipal desculpou-se por estar esfalfado. Só podia ficar um instante, mas talvez já soubessem alguma coisa de preciso. Sem falar, Rieux mostrou-lhe a criança, que, com os olhos fechados e o rosto transtornado, os dentes cerrados até o limite das suas forças, o corpo imóvel, virava e revirava a cabeça da direita para a esquerda no travesseiro sem fronha. Quando, finalmente, estava bastante claro para que, no quadro-negro que ficara ao fundo da sala, pudessem distinguir-se vestígios de antigas fórmulas de equações, chegou Rambert. Encostou-se aos pés da cama vizinha e tirou um maço de cigarros. Depois de lançar um olhar ao pequeno, no entanto, voltou a guardar o maço no bolso.

Castel, que continuava sentado, olhava para Rieux por cima dos óculos.

— Tem notícias do pai?

— Não — disse Rieux —, está no campo de isolamento.

O médico apertava com força a barra do leito onde a criança gemia. Não tirava os olhos do pequeno doente, que se enrijeceu bruscamente e, com os dentes de novo cerrados, se encolheu um pouco no nível da cintura, afastando lentamente os braços e as pernas. Do pequenino corpo, nu sob o cobertor militar, veio um cheiro de lã e de suor acre. A criança descontraiu-se pouco a pouco, levou os braços e as pernas para o centro da cama e, ainda cego e mudo, pareceu respirar mais depressa. Rieux encontrou o olhar de Tarrou, que desviou os olhos.

Tinham visto morrer crianças, já que o terror, há meses, não escolhia, mas nunca tinham acompanhado o seu sofrimento minuto a minuto, como faziam desde essa manhã. E, naturalmente, a dor infligida a esses inocentes nunca deixara de lhes parecer o que era na verdade, isto é, um escândalo. Mas até então ao menos escandalizavam-se abstratamente, de certo modo, pois nunca tinham olhado de frente, tão longamente, a agonia de um inocente.

Justamente como se lhe mordessem o estômago, o pequeno dobrava-se de novo com um gemido débil. Ficou assim encolhido durante longos segundos, sacudido por calafrios e tremores convulsivos, como se a sua frágil carcaça se curvasse sob o vento furioso da peste e estalasse aos sopros repetidos da febre. Passada a tempestade, ele se descontraiu um pouco, a febre pareceu retirar-se e abandoná-lo ofegante num patamar úmido e envenenado, em que o repouso já se parecia com a morte. Quando a vaga ardente o atingiu de novo pela terceira vez e o soergueu um pouco, o menino se retorceu, recuou para o fundo do leito no terror da chama que o queimava e agitou loucamente a cabeça, repelindo o cobertor. Grossas lágrimas lhe jorravam das pálpebras inflamadas e corriam pela face lívida, e, no fim da crise, exausto, crispando as pernas ossudas e os braços cuja carne se fundira em 48 horas, a criança assumiu no leito devastado uma postura de grotesco crucificado.

Tarrou curvou-se e, com a pesada mão, enxugou o pequeno rosto, encharcado de lágrimas e de suor. Castel fechara um momento antes o seu livro e olhava para o doente. Começou uma frase, mas foi obrigado a tossir para poder terminar, pois a sua voz desafinava bruscamente.

— Não houve remissão matinal, não é verdade, Rieux?

Rieux disse que não, mas que a criança resistia havia mais tempo do que o normal. Paneloux, que parecia um pouco abatido, encostado à parede, disse então, surdamente:

— Se tiver de morrer, terá sofrido mais tempo.

Rieux voltou-se bruscamente para ele e abriu a boca para falar, mas calou-se, fez um esforço visível para se dominar e voltou o olhar para a criança.

A luz aumentava na sala. Nas outras cinco camas, formas mexiam-se e gemiam, mas com uma discrição que parecia combinada. O único que gritava, no outro extremo da sala, soltava com intervalos regulares pequenas exclamações que traduziam mais espanto que dor. Parecia que, mesmo para os doentes, não era já o terror dos primeiros tempos. Agora, havia até uma espécie de aquiescência na maneira como aceitavam a doença. Só o pequeno se debatia com todas as suas forças. Rieux, que de vez em quando lhe tomava o pulso, sem necessidade, aliás, mais para sair da imobilidade impotente em que se encontrava, sentia, ao fechar os olhos, essa agitação misturar-se ao tumulto do seu próprio sangue. Confundia-se então com a criança supliciada e tentava apoiá-la com toda a sua força ainda intacta. No entanto, reunidas um minuto, as pulsações dos seus dois corações desencontravam-se, a criança lhe escapava e seu esforço perdia-se no vácuo. Soltava então o frágil pulso e voltava ao seu lugar.

Ao longo das paredes caiadas, a luz passava do rosa ao amarelo. Por trás da janela, uma manhã de calor começava a crepitar. Mal se ouviu Grand sair, dizendo que voltaria. Todos esperavam. A criança, sempre de olhos fechados, parecia acalmar-se um pouco. As mãos, em posição de garras, raspavam suavemente os flancos do leito. Depois subiram, coçaram o cobertor perto dos joelhos e, de repente, o pequeno dobrou as pernas, aproximou as coxas do ventre e imobilizou-se. Abriu então os olhos pela primeira vez e olhou para Rieux, que se encontrava diante dele. No rosto cavado, agora como fixado numa argila cinzenta, a boca abriu-se e, quase imediatamente, emitiu um único grito contínuo que a respiração mal modulava e que encheu de súbito a sala de um protesto monótono, desafinado e tão pouco humano que parecia vir de todos os homens ao mesmo tempo. Rieux cerrou os dentes e Tarrou voltou-se. Rambert aproximou-se do leito, perto de Castel, que fechou o livro que ficara aberto sobre os joelhos. Paneloux olhou para a boca infantil, conspurcada pela doença, tomada desse grito de todas as idades. E deixou-se cair de joelhos e todos acharam natural ouvi-lo dizer, numa voz um pouco abafada, mas nítida, por detrás do lamento anônimo que não cessava: "Meu Deus, salvai esta criança."

Mas a criança continuava a gritar e, à sua volta, os doentes agitaram-se. Aquele cujas exclamações não haviam cessado, no outro extremo da sala, precipitou o ritmo do seu lamento até fazer dele também um verdadeiro grito, enquanto os outros gemiam cada vez com mais força. Uma maré de soluços irrompeu na sala, cobrindo a oração de Paneloux, e Rieux, agarrado à barra do leito, fechou os olhos, bêbado de cansaço e de desgosto.

Quando voltou a abri-los, encontrou Tarrou a seu lado.

— Preciso ir embora — disse. — Não consigo mais suportá-los.

Mas, subitamente, os outros doentes calaram-se. O médico reconheceu então que o grito da criança tinha enfraquecido, que enfraquecia ainda e que acabava de cessar. À sua volta, os lamentos recomeçavam, mas surdamente e como um eco longínquo da luta que acabava de terminar. Porque a luta chegara ao fim. Castel tinha passado para o outro lado do leito e disse que estava tudo acabado. Com a boca aberta, mas muda, a criança repousava no fundo dos cobertores em desordem, subitamente menor, com restos de lágrimas no rosto.

Paneloux aproximou-se do leito e fez os gestos da bênção. Depois saiu pelo corredor central.

— Será preciso recomeçar tudo? — perguntou Tarrou a Castel.

O velho médico balançava a cabeça.

— Talvez — disse, com um sorriso crispado. — Afinal, ele resistiu muito tempo.

Mas Rieux saía já da sala, com um passo tão precipitado e com um tal aspecto que, quando passou por Paneloux, este estendeu o braço para detê-lo.

— Vamos, doutor — disse-lhe.

Com o mesmo movimento arrebatado, Rieux voltou-se e lançou-lhe com violência:

— Ah! Aquele, pelo menos, era inocente, como o senhor bem sabe!

Depois voltou-se e, atravessando a porta da sala antes de Paneloux, chegou ao fundo do pátio da escola. Sentou-se num banco, entre pequenas árvores poeirentas, e enxugou o suor que já lhe escorria pelos olhos. Tinha vontade de gritar mais, para desfazer enfim o nó violento que lhe apertava o coração. O calor caía lentamente entre os ramos das árvores. O céu azul da manhã cobria-se rapidamente de uma névoa esbranquiçada que tornava o ar mais abafado. Rieux deixou-se ficar no banco. Olhava para os galhos, para o céu, retomava lentamente a respiração, vencendo pouco a pouco o cansaço.

— Por que me falou com tanta raiva? — disse uma voz atrás dele. — Também para mim o espetáculo é insuportável.

Rieux voltou-se para Paneloux.

— É verdade — disse. — Desculpe-me. Mas o cansaço é uma loucura. E há horas, nesta cidade, em que nada sinto senão a minha revolta.

— Compreendo — murmurou Paneloux. — Isso é revoltante, pois ultrapassa a nossa compreensão. Mas talvez devamos amar o que não conseguimos compreender.

Rieux endireitou-se bruscamente. Olhava para Paneloux com toda a força e toda a paixão de que era capaz e balançava a cabeça.

— Não, padre — disse ele. — Tenho outra ideia a respeito do amor. E vou recusar, até a morte, amar esta criação em que as crianças são torturadas.

No rosto de Paneloux passou uma sombra de perturbação.

— Ah, doutor — exclamou, com tristeza —, acabo de compreender aquilo a que se chama a graça.

Mas Rieux deixara-se cair de novo no seu banco. Do fundo do cansaço que lhe voltara respondeu com mais suavidade:

— É o que eu não tenho, bem sei. Mas não quero discutir isso com o senhor. Trabalhamos juntos para qualquer coisa que nos une para além das blasfêmias e das orações. Só isso é o que importa.

Paneloux sentou-se junto de Rieux. Parecia comovido.

— Sim — disse ele —, é verdade, também o senhor trabalha para a salvação do homem.

Rieux tentou sorrir.

— A salvação é, para mim, uma palavra demasiado grande. Não vou tão longe. É a saúde do homem que me interessa, a saúde em primeiro lugar.

Paneloux hesitou.

— Doutor... — disse ele.

Mas deteve-se. Também sobre a sua fronte o suor começava a escorrer. Murmurou "Adeus", e seus olhos brilhavam quando se levantou. Ia partir quando Rieux, que refletia, se levantou também e deu um passo na sua direção.

— Perdoe-me, mais uma vez. Este rompante não voltará a se repetir.

Paneloux estendeu-lhe a mão e disse com tristeza:

— E, contudo, não o convenci.

— Que importância tem isso? — respondeu Rieux. — Como sabe, o que eu odeio é a morte e o mal. E quer queira, quer não, estamos juntos para sofrê-los e combatê-los. — Rieux segurava a mão de Paneloux. — Como vê — disse, evitando fixá-lo —, nem mesmo Deus pode nos separar agora.

Desde que entrara para as comissões sanitárias, Paneloux não abandonara os hospitais e os lugares onde se encontrava a peste. Tinha-se colocado, entre os salvadores, na posição que lhe parecia ser a sua. Quer dizer, no primeiro posto. Não lhe tinham faltado os espetáculos da morte. Embora, em princípio, estivesse protegido pelo soro, a preocupação com a sua própria morte não lhe era estranha. Aparentemente, mantivera sempre a calma. No entanto, a partir do dia em que vira lentamente uma criança morrer, pareceu modificar-se. Lia-se no seu rosto uma tensão crescente. E no dia em que disse a Rieux, sorrindo, que preparava nesse momento um curto tratado sobre o tema "Um padre pode consultar um médico?", o doutor teve a impressão de que se tratava de algo mais sério do que parecia dizer Paneloux. Como o médico exprimisse o desejo de tomar conhecimento desse trabalho, Paneloux anunciou-lhe que devia fazer um sermão na missa dos homens e que, nessa ocasião, exporia pelo menos alguns dos seus pontos de vista.

— Gostaria que viesse, doutor, o assunto vai interessar-lhe.

O padre fez o seu segundo sermão num dia de grande ventania. Para dizer a verdade, a assistência era menos numerosa que por ocasião do primeiro sermão. É que esse gênero de espetáculo já não tinha para os nossos concidadãos a atração da novidade. Nas circunstâncias difíceis que a cidade atravessava, a própria palavra "novidade" tinha perdido o seu sentido. Aliás, a maior parte das pessoas, quando não havia desertado inteiramente dos seus deveres religiosos, ou quando não os fazia coincidir com uma vida pessoal profundamente imoral, havia substituído as práticas normais por superstições pouco razoáveis. Era mais fácil usar medalhas protetoras ou amuletos de São Roque do que ir à missa.

Pode-se dar como exemplo o uso imoderado que os nossos concidadãos faziam das profecias. Na primavera, com efeito, esperara-se, de uma hora para outra, o fim da doença, e ninguém pensava em pedir detalhes sobre a duração da epidemia, já que todos estavam persuadidos de que ela não duraria para sempre. Mas, à medida que os dias passavam, começaram a recear que aquela desgraça não tivesse realmente fim e, ao mesmo tempo, o término da doença tornou-se o objeto de todas as esperanças. Era assim que passavam de mão em mão diversas profecias atribuídas a magos ou a santos da Igreja Católica. Editores da cidade viram rapidamente o proveito que poderiam tirar dessa mania e difundiram em numerosos exemplares os textos que circulavam. Compreendendo que a curiosidade do público era insaciável, mandaram fazer pesquisas nas bibliotecas municipais sobre todos os testemunhos do gênero que a história podia fornecer e espalharam-nos pela cidade. Quando a própria história já não tinha profecias, encomendaram-nas a jornalistas, que, ao menos neste ponto, se mostraram tão competentes quanto os seus modelos dos séculos passados.

Algumas dessas profecias apareciam até em folhetins nos jornais e não eram lidas com menos avidez que as histórias sentimentais que lá se encontravam em tempo de saúde. Algumas dessas previsões baseavam-se em cálculos estranhos, em que entravam o milésimo do ano, o número de mortos e a conta dos meses já passados sob o regime da peste. Outras estabeleciam comparações com as grandes pestes da história, tiravam delas semelhanças (que as profecias chamavam de constantes) e, por meio de cálculos não menos estranhos, pretendiam extrair delas ensinamentos relativos à presente provação. Mas as mais apreciadas pelo público eram, sem dúvida, as que, numa linguagem apocalíptica, anunciavam séries de acontecimentos, cada um dos quais podia ser aquele que a cidade sentia e cuja complexidade permitia todas as interpretações. Nostradamus e Santa Odília foram assim consultados diariamente e sempre com proveito. O que, de resto, se tornava comum a todas as profecias era o fato de elas serem, finalmente, tranquilizadoras. Só a peste não o era.

Essas superstições substituíam para os nossos concidadãos a religião e foi por isso que o sermão de Paneloux se realizou numa igreja que tinha vaga a quarta parte. Na tarde do sermão, quando Rieux chegou, o vento, que se infiltrava em filetes de ar pelas portas de entrada, circulava livremente entre os ouvintes. E foi numa igreja fria e silenciosa, no meio de uma assistência composta exclusivamente de homens, que ele se instalou e viu o padre Paneloux subir ao púlpito. Este falou num tom mais brando e mais refletido que da primeira vez e em várias ocasiões os ouvintes notaram certa hesitação no seu discurso. Coisa mais curiosa ainda, dizia "nós", em vez de empregar a segunda pessoa do plural.

No entanto, a sua voz tornou-se pouco a pouco mais firme. Começou por lembrar que a peste estava entre nós havia longos meses e que, agora que a conhecíamos melhor, por a termos visto tantas vezes sentar-se à nossa mesa ou à cabeceira dos que nos eram queridos, caminhar ao nosso lado ou esperar a nossa chegada aos locais de trabalho, agora, portanto, poderíamos talvez apreender melhor o que ela nos dizia sem descanso e que talvez, com a primeira surpresa, não tivéssemos escutado bem. O que o padre Paneloux já pregara no mesmo lugar continuava verdadeiro — ou era essa, pelo menos, a sua convicção. Ou talvez ainda, como acontecia a todos (e batia no peito), ele o tivesse pensado e dito sem caridade. O que continuava verdadeiro, entretanto, era que de tudo, e sempre, havia alguma coisa a extrair. A provação mais cruel era ainda benefício para o cristão. E justamente o que o cristão, neste caso, devia procurar era o seu benefício, e do que era ele feito, e como podia encontrá-lo.

Nesse momento, à volta de Rieux, as pessoas pareceram enterrar-se entre os braços de seus bancos e instalar-se o mais confortavelmente que podiam. Uma das portas almofadadas da entrada bateu suavemente. Alguém se deu ao trabalho de segurá-la. E Rieux, distraído por essa agitação, mal ouviu Paneloux, que retomava o sermão. Dizia, mais ou menos, que não se devia tentar explicar o espetáculo da peste, mas sim tentar aprender o que com ele se podia aprender. Rieux compreendeu confusamente que, segundo o padre, nada havia a explicar. O seu interesse fixou-se quando Paneloux disse vigorosamente que havia coisas que se podiam explicar em relação a Deus e outras que não se podiam. Havia, certamente, o bem e o mal e, geralmente, as pessoas sabiam explicar facilmente o que os distinguia. A dificuldade começava porém no interior do mal. Havia, por exemplo, o mal aparentemente necessário e o mal aparentemente inútil. Havia Dom Juan mergulhado nos Infernos e a morte de uma criança. Pois, se é justo que um libertino seja fulminado, não se compreende o sofrimento de uma criança. E, na verdade, nada havia de mais importante sobre a Terra que o sofrimento de uma criança e o horror que esse sofrimento traz consigo e as suas razões que é preciso descobrir. No resto da vida, Deus nos facilitava tudo e, até então, a religião não tinha méritos. Aqui, pelo contrário, ele encostava-nos contra a parede. Estávamos assim sob as muralhas da peste e era à sua sombra mortal que era necessário encontrar o nosso benefício. O padre Paneloux chegava até mesmo a recusar as oportunidades que lhe permitissem escalar a muralha. Teria sido fácil a ele dizer que a eternidade das delícias que esperavam a criança podia compensar o seu sofrimento, mas, na verdade, ele nada sabia. Quem podia afirmar que a eternidade de uma alegria podia compensar um instante da dor humana? Não seria um cristão, certamente, cujo Mestre conheceu a dor nos membros e na alma. Não, o padre continuaria encostado à muralha, fiel a esse esquartejamento de que a cruz era o símbolo, diante do sofrimento de uma criança. E diria sem temor aos que o escutavam nesse dia: "Meus irmãos, chegou a hora. É preciso crer em tudo ou tudo negar. E quem, dentre vós, ousaria negar tudo?"

Rieux mal tivera tempo de pensar que Paneloux beirava a heresia e já o outro recomeçava, com veemência, para afirmar que esta injunção, esta pura exigência, era o benefício do cristão. Era, também, a sua virtude. O padre sabia que o que havia de excessivo na virtude de que ia falar abalaria muitos espíritos habituados a uma moral mais indulgente e mais clássica. Mas a religião do tempo da peste não podia ser a religião de todos os dias e, se Deus podia admitir, e mesmo desejar, que a alma repouse e se rejubile nos tempos de felicidade, desejava-a excessiva nos excessos da desgraça. Deus concedia hoje às suas criaturas a graça de colocá-las numa desgraça tal que lhes era necessário reencontrar e assumir a maior virtude, que é a do Tudo ou Nada.

Um autor profano, no século passado, pretendera revelar o segredo da Igreja ao afirmar que não havia Purgatório. Subentendia, assim, que não havia meias medidas, que só havia o Paraíso e o Inferno, e que só se podia ser salvo ou condenado, segundo o que se tinha escolhido. Era, na opinião de Paneloux, uma heresia que só podia nascer no seio de uma alma libertina. Pois existia um Purgatório. Mas havia épocas, sem dúvida, em que não se podia contar muito com esse Purgatório, havia épocas em que não se podia falar de pecado venial. Todo pecado era mortal e toda indiferença, criminosa. Tudo ou nada.

Paneloux deteve-se e Rieux ouviu melhor, nesse momento, debaixo das portas, as lamúrias do vento que parecia redobrar lá fora. Nesse instante, o padre dizia que a virtude da aceitação total de que falava não podia ser compreendida no sentido restrito que lhe era habitualmente atribuído, que não se tratava da banal resignação, nem mesmo da difícil humildade. Tratava-se de humilhação, mas de uma humilhação consentida pelo humilhado. Sem dúvida, o sofrimento de uma criança era humilhante para o espírito e para o coração. Mas exatamente por isso era necessário passar por essa prova. Era por isso — e Paneloux afirmou ao seu auditório que o que iria dizer não era coisa fácil — que era preciso querê-la, porque Deus a queria. Só assim o cristão nada se pouparia e, com todas as saídas fechadas, iria ao fundo da escolha essencial. Escolheria crer em tudo, para não ficar reduzido a tudo negar. E como as boas mulheres que nas igrejas, naquele momento, ao saber que os tumores que se formavam eram o caminho natural por onde o corpo rejeitava a infecção, diziam "Meu Deus, dai-nos tumores", o cristão saberia abandonar-se à vontade divina, ainda que incompreensível. Não se podia dizer "Isso eu compreendo, mas aquilo é inaceitável", era preciso agarrar-se avidamente a este inaceitável que nos era oferecido, justamente para que fizéssemos nossa escolha. O sofrimento das crianças era o nosso pão amargo, mas, sem esse pão, nossa alma pereceria de fome espiritual.

Nessa altura, o burburinho surdo que geralmente acompanhava as pausas do padre Paneloux começava a fazer-se ouvir, quando, inesperadamente, o pregador recomeçou com força, aparentando perguntar, em lugar dos seus ouvintes, qual era, em suma, a conduta a adotar. Receava efetivamente que eles fossem pronunciar a aterradora palavra "fatalismo". Pois bem, ele não recuaria diante do termo, se lhe permitissem acrescentar o adjetivo ativo. Sem dúvida, e mais uma vez, não se devia imitar os cristãos da Abissínia de que falara. Não se devia sequer pensar em imitar os persas atingidos pela peste, que lançavam os seus bandos sobre as brigadas sanitárias cristãs, invocando o Céu em altas vozes, para pedir que mandasse a peste a esses infiéis que queriam combater o mal enviado por Deus. Mas, por outro lado, também não se devia imitar os monges do Cairo, que, nas epidemias do século passado, davam a comunhão pegando a hóstia com uma pinça, para evitar o contato com aquelas bocas úmidas e quentes em que a infecção podia dormir. Os doentes persas e os monges pecavam igualmente. Isto porque, para os primeiros, o sofrimento de uma criança não contava e, para os outros, pelo contrário, o receio deveras humano da dor tudo invadira. Em ambos os casos, o problema era escamoteado. Todos permaneciam surdos à voz de Deus. Mas havia outros exemplos que Paneloux queria recordar. Segundo o cronista da grande peste de Marselha, dos 81 religiosos do Convento de La Mercy, só quatro sobreviveram à febre. E, destes quatro, três fugiram. Assim falavam os cronistas e não fazia parte de seu ofício dizer mais. Mas, ao ler isso, o pensamento do padre Paneloux ia para aquele que ficara sozinho, apesar dos 77 cadáveres e, sobretudo, apesar do exemplo dos seus três irmãos. E o padre, batendo com o punho no rebordo do púlpito, exclamava: "Meus irmãos, é preciso ser aquele que fica!"

Não se tratava de recusar as precauções, a ordem inteligente que uma sociedade introduzia na desordem de um flagelo. Não se devia escutar os moralistas, que diziam ser preciso cair de joelhos e tudo abandonar. Era preciso apenas começar a caminhar para a frente, nas trevas, um pouco às cegas, e tentar praticar o bem. Quanto ao resto, porém, era preciso ficar e aceitar entregar-se a Deus, mesmo na morte das crianças e sem procurar um refúgio pessoal.

Então o padre Paneloux evocou a grande figura do bispo Belzunce durante a peste de Marselha. Lembrou que, pelo fim da epidemia, o bispo, tendo feito tudo o que devia fazer, julgando que já não havia remédio, se trancou com víveres na sua casa, que mandou murar; que os habitantes, de quem era o ídolo, por uma reviravolta de sentimentos, tal como se encontra por vezes no excesso das dores, zangaram-se com ele, cercaram-lhe a casa de cadáveres para infectá-lo e chegaram até a atirar corpos por cima dos muros para fazê-lo morrer com mais certeza. Assim o bispo, numa última fraqueza, tinha julgado isolar-se da morte no mundo e os mortos caíam-lhe do céu sobre a cabeça. Esse era também o nosso caso, já que devíamos persuadir-nos de que não havia ilha na peste. Não, não havia meio-termo. Era preciso admitir o escândalo, pois era necessário escolher entre odiar a Deus e amá-Lo. E quem ousaria escolher o ódio a Deus?

"Meus irmãos", disse por fim Paneloux, anunciando que ia terminar, "o amor de Deus é um amor difícil. Ele pressupõe o abandono total de si mesmo e o menosprezo da pessoa. Mas só ele pode apagar o sofrimento e a morte das crianças, só ele, em todo caso, pode torná-la necessária, pois é impossível compreendê-la e não podemos senão aceitá-la. Eis a difícil lição que desejava compartilhar convosco. Eis a fé, cruel aos olhos dos homens, decisiva aos olhos de Deus, de quem é preciso nos aproximarmos. Diante desta imagem terrível, é preciso que nos igualemos. Neste cume, tudo se confundirá e se igualará, a verdade brotará da injustiça aparente. É assim que em muitas igrejas do sul da França os mortos da peste dormem, há séculos, sob as lajes do coro, e os padres falam por cima dos seus túmulos e o espírito que eles propagam brota dessa cinza para a qual as crianças deram, contudo, a sua parte."

Quando Rieux saiu, um vento violento infiltrou-se pela porta entreaberta e atingiu em pleno rosto os fiéis. Trazia até a igreja um cheiro de chuva, um aroma de calçadas molhadas que lhes deixava adivinhar o aspecto da cidade antes de saírem. Diante do Dr. Rieux, um velho padre e um jovem diácono, que saíam nesse momento, seguravam com dificuldade os chapéus. Nem por isso o mais velho deixou de comentar o sermão. Prestava homenagem à eloquência de Paneloux, mas mostrava-se inquieto com as ousadias de pensamento que o padre tinha mostrado. Achava que esse sermão indicava mais inquietação que força e, na idade de Paneloux, um padre já não tinha o direito de ficar inquieto. O jovem diácono, com a cabeça baixa para proteger-se do vento, afirmou que acompanhava o padre, que estava a par de sua evolução, que o seu tratado seria ainda muito mais ousado e que não obteria o imprimatur.

— Qual é afinal a ideia dele? — perguntou o velho padre.

Tinham chegado ao adro e o vento cercava-os, uivando, cortando a palavra ao mais novo. Quando este conseguiu falar, disse simplesmente:

— Se um padre consulta um médico, há contradição.

A Rieux, que lhe relatava as palavras de Paneloux, Tarrou disse que conhecia um padre que perdera a fé durante a guerra, ao deparar-se com o rosto de um rapaz com os olhos vazados.

— Paneloux tem razão — disse Tarrou. — Quando a inocência tem os olhos vazados, um cristão deve perder a fé ou aceitar que lhe furem os olhos. Paneloux não quer perder a fé. Irá até o fim. Foi isso o que quis dizer.

Será que esta observação de Tarrou permite esclarecer um pouco os lamentáveis acontecimentos que se seguiram e em que a atitude de Paneloux pareceu incompreensível aos que o cercavam? É o que se verá.

Na verdade, alguns dias depois do sermão, Paneloux ocupou-se em mudar de casa. Era a época em que a evolução da doença provocava mudanças constantes na cidade. E, assim como Tarrou tivera de abandonar o hotel para morar em casa de Rieux, o padre teve de deixar a casa em que a sua ordem o instalara para ir morar em casa de uma pessoa idosa, frequentadora das igrejas e ainda imune à peste. Durante a mudança, o padre sentira aumentar o cansaço e a angústia. E foi assim que ele perdeu a estima da dona da casa. Como esta lhe tivesse louvado calorosamente os méritos da profecia de Santa Odília, o padre demonstrara uma impaciência muito leve, devida sem dúvida ao cansaço. Por mais esforços que fizesse em seguida para obter da velha senhora pelo menos uma neutralidade benévola, não o conseguiu. Tinha causado má impressão. E todas as noites, antes de voltar para o quarto cheio de rendas de crochê, tinha de contemplar as costas de sua anfitriã sentada na sala ao mesmo tempo que levava a recordação do "Boa noite, padre Paneloux" que ela lhe dirigia secamente e sem se voltar. Foi numa noite dessas que, no momento de se deitar, com a cabeça latejante, ele sentiu desencadearem-se, nos pulsos e nas têmporas, as ondas de uma febre, latente havia dias.

O que se seguiu só ficou conhecido depois, pelo relato de sua anfitriã. De manhã ela se levantara cedo, como de costume. Ao fim de certo tempo, admirada de não ver o padre sair do quarto, decidira, depois de muita hesitação, bater à porta. Encontrara-o ainda deitado, depois de uma noite de insônia. Respirava com dificuldade e parecia mais congestionado que habitualmente. Segundo seus próprios termos, tinha-lhe proposto com cortesia chamar o médico, mas a proposta fora repelida com uma violência que ela considerava lamentável. Nada pudera fazer senão retirar-se. Um pouco mais tarde, o padre tocara a campainha chamando-a. Tinha-se desculpado pelo mau humor e declarara-lhe que não seria a peste, que não apresentava nenhum dos sintomas e que se tratava de um cansaço passageiro. A velha senhora respondera-lhe com dignidade que a sua proposta não nascera de nenhuma inquietação dessa ordem, que não visava a sua própria segurança, que estava nas mãos de Deus, mas que só pensara na saúde do padre, pela qual se julgava, em parte, responsável. Mas, como ele nada mais acrescentasse, a sua anfitriã, a acreditar nas suas palavras, desejosa de cumprir inteiramente o seu dever, propusera-lhe, mais uma vez, chamar o médico. O padre recusara de novo, mas acrescentando explicações que a velha senhora julgara muito confusas. Pensava apenas ter compreendido — e isso justamente parecia-lhe incompreensível — que o padre recusava essa consulta porque estava em desacordo com os seus princípios. Concluíra que a febre perturbava as ideias de seu inquilino e que ela estava reduzida a levar-lhe um chá.

Sempre decidida a cumprir com grande exatidão as obrigações que a situação lhe criava, visitara regularmente o doente de duas em duas horas. O que mais a impressionara fora a agitação incessante em que o padre passara o dia. Tirava os lençóis e tornava a cobrir-se, passando incessantemente as mãos sobre a testa úmida e erguendo-se muitas vezes para tentar tossir, com uma tosse estrangulada, rouca e úmida, aos arrancos. Parecia então incapaz de extirpar do fundo da garganta os tampões de algodão que o teriam sufocado. Ao fim dessas crises, deixava-se cair para trás, com todos os sinais de esgotamento. Por fim, erguia-se de novo e, durante um breve momento, olhava para a frente, com uma fixidez mais veemente que toda a agitação anterior. Mas a velha senhora hesitava ainda em chamar o médico e contrariar o doente. Podia ser um simples acesso de febre, por mais impressionante que parecesse.

À tarde, contudo, tentou falar com o padre, recebendo como resposta apenas algumas palavras confusas. Renovou a proposta. Mas então o padre ergueu-se e, meio sufocado, respondeu-lhe distintamente que não queria o médico. Nesse momento, a anfitriã decidiu que esperaria até o dia seguinte de manhã e que, se o estado do padre não tivesse melhorado, telefonaria para o número que a Agência Ransdoc repetia todos os dias uma dezena de vezes pelo rádio. Sempre atenta aos seus deveres, pretendia visitar o seu locatário durante a noite e velar por ele. Mas à noite, depois de lhe ter dado um chá fresco, quis descansar um pouco e só acordou de madrugada. Então correu para o quarto.

O padre estava estendido, sem um movimento. À extrema congestão da véspera sucedera uma espécie de lividez que se acentuava pelas formas ainda cheias do rosto. O padre olhava fixamente para o pequeno lustre de contas multicores que pendia por cima da cama. À entrada da velha senhora, voltou a cabeça na sua direção. Segundo ela, parecia nessa altura ter sido surrado durante toda a noite e ter perdido todas as forças para reagir. Ela perguntou-lhe como estava. E, numa voz em que notou o tom estranhamente indiferente, ele disse que ia mal, que não precisava de médico e que bastava que o levassem para o hospital, para que tudo se fizesse segundo as regras. Aterrada, a velha correu para o telefone.

Rieux chegou ao meio-dia. Diante do relato, respondeu apenas que Paneloux tinha razão e que devia ser tarde demais. O padre recebeu-o com o mesmo ar indiferente. Rieux examinou-o e ficou surpreendido por não encontrar nenhum dos sintomas principais da peste bubônica ou pulmonar, a não ser o ingurgitamento e a opressão dos pulmões. De qualquer maneira, o pulso estava tão baixo e o estado geral era tão alarmante que havia poucas esperanças.

— O senhor não tem nenhum dos sintomas principais da doença — disse-lhe o médico —, mas, em todo caso, há dúvidas e tenho de isolá-lo.

O padre sorriu estranhamente, como por delicadeza, mas calou-se. Rieux saiu para telefonar e voltou. Olhava para o padre.

— Ficarei perto do senhor — disse-lhe, suavemente.

O outro pareceu reanimar-se e voltou para o médico uns olhos aos quais uma espécie de calor parecia ter retornado. Depois articulou com dificuldade, de maneira que era impossível saber se o dizia com tristeza ou não:

— Obrigado. Mas os religiosos não têm amigos. Concentraram tudo em Deus.

Pediu o crucifixo que estava colocado à cabeceira do leito e, quando o recebeu, voltou para ele o olhar.

No hospital, Paneloux não descerrou os dentes. Abandonou-se como uma coisa a todos os tratamentos que lhe impuseram, mas não largou o crucifixo. Entretanto, o caso do padre continuava a ser ambíguo. A dúvida persistia no espírito de Rieux. Era a peste e não era? Havia algum tempo ela parecia comprazer-se em confundir os diagnósticos. No caso de Paneloux, porém, o que se seguiu viria demonstrar que esta incerteza não tinha importância.

A febre subiu. A tosse tornou-se cada vez mais rouca e torturou o doente durante todo o dia. À noite, finalmente, o padre expectorou o algodão que o sufocava. Estava vermelho. Em meio ao tumulto da febre, Paneloux conservava o olhar indiferente e quando, no dia seguinte de manhã, o encontraram morto, meio fora do leito, seu olhar não exprimia nada. Na ficha escreveram: "Caso duvidoso."

O dia de Todos os Santos, naquele ano, não foi o que era habitualmente. Na verdade, o tempo era o de costume.

Mudara bruscamente e os calores tardios tinham dado lugar de repente a uma tempestade mais baixa. Como nos outros anos, um vento frio soprava agora de modo contínuo. Grossas nuvens corriam de um lado para outro no horizonte e cobriam de sombra as casas nas quais caía, após a sua passagem, a luz fria e dourada do céu de novembro. As primeiras capas de chuva tinham surgido. Mas notava-se um número surpreendente de tecidos impermeabilizados e brilhantes. Com efeito, os jornais tinham contado que, duzentos anos antes, durante as grandes pestes do Sul, os médicos usavam oleados para a sua própria preservação. As lojas tinham se aproveitado disso para liquidar um estoque de roupas fora de moda, graças às quais todos esperavam imunizar-se.

Mas todos esses sinais da estação não podiam fazer esquecer que os cemitérios estavam desertos. Nos outros anos, os bondes se enchiam do cheiro enjoativo dos crisântemos e as mulheres dirigiam-se em bandos aos locais onde estavam enterrados os seus para cobrir-lhes de flores as sepulturas. Era o dia em que se tentava compensar junto ao morto o isolamento do esquecimento em que fora mantido durante longos meses. Mas, naquele ano, ninguém queria mais pensar nos mortos. É que, precisamente, já se pensava demais nisso. E não se tratava mais de voltar a eles com um pouco de pesar e muita melancolia. Já não eram os abandonados junto dos quais os vivos vão justificar-se uma vez por ano. Eram intrusos que se desejava esquecer. Eis por que o Dia de Finados, nesse ano, foi, de certo modo, escamoteado. Segundo Cottard, em quem Tarrou reconhecia uma linguagem cada vez mais irônica, todos os dias eram o dia dos mortos.

E, realmente, as fogueiras da peste ardiam com uma satisfação cada vez maior no forno crematório. De um dia para o outro, na verdade, o número de mortos não aumentava. Mas parecia que a peste se tinha instalado confortavelmente no seu paroxismo e incorporava aos seus assassinatos diários a precisão e a regularidade de um bom funcionário. Em princípio, segundo a opinião de pessoas competentes, era bom sinal. O gráfico da evolução da peste, com sua incessante curva ascendente, depois o longo platô que lhe sucedera, parecia inteiramente reconfortante ao doutor Richard, por exemplo. "É um bom gráfico, um excelente gráfico", dizia ele. Achava que a doença tinha atingido o que ele chamava de "patamar". Daqui em diante, só poderia decrescer. E ele atribuía o mérito disso ao novo soro de Castel, que acabava de obter, com efeito, alguns êxitos imprevistos. O velho Castel não o contradizia, mas considerava que na realidade nada se podia prever, já que a história das epidemias comportava saltos imprevistos. A Prefeitura, que há muito desejava tranquilizar a opinião pública, sem que a peste lhe desse meios para tal, propunha-se reunir os médicos para lhes pedir um relatório sobre o assunto quando o próprio Dr. Richard, logo ele, foi arrebatado pela peste e precisamente no patamar da doença.

A administração, diante desse exemplo — sem dúvida, impressionante, mas que afinal nada provava —, voltou ao pessimismo com a mesma inconsequência com que acolhera, a princípio, o otimismo. Castel limitava-se a preparar o seu soro com o maior cuidado possível. De qualquer forma, já não havia nenhum lugar público que não estivesse transformado em hospital ou em isolamento, e, se a Prefeitura ainda era respeitada, é porque era efetivamente necessário manter um local de reunião. De um modo geral, porém, graças à relativa estabilidade da peste nessa época, a organização criada por Rieux não foi de modo algum ultrapassada. Os médicos e os auxiliares, que contribuíam com um esforço inesgotável, não eram obrigados a imaginar um esforço ainda maior. Deviam apenas prosseguir com regularidade, se assim pode-se dizer, esse trabalho sobre-humano. As formas pulmonares da infecção, que já se tinham manifestado, multiplicavam-se então nos quatro cantos da cidade, como se o vento acendesse e alimentasse incêndios nos peitos. Em meio a vômitos de sangue, os doentes eram arrebatados muito mais rapidamente. O contágio tinha probabilidade de ser maior, com essa nova forma da epidemia. Na realidade, as opiniões dos especialistas haviam sido sempre contraditórias sobre esse ponto. Contudo, para maior segurança, o pessoal sanitário continuava a respirar através de máscaras de gaze desinfetadas. À primeira vista, em todo caso, a doença deveria ter-se alastrado. No entanto, como os casos de peste bubônica diminuíam, a balança mantinha-se em equilíbrio.

Havia, porém, outros motivos de inquietação, em consequência das dificuldades de abastecimento que cresciam com o tempo. A especulação interviera e oferecia, a preços fabulosos, os gêneros de primeira necessidade que faltavam no mercado habitual. As famílias pobres viam-se, assim, numa situação muito difícil, enquanto às ricas não faltava praticamente nada. Enquanto a peste, pela imparcialidade eficaz com que exercia seu ministério, deveria ter reforçado a igualdade entre os nossos concidadãos pelo jogo normal dos egoísmos, ao contrário, tornava mais acentuado no coração dos homens o sentimento da injustiça. Restava, é bem verdade, a igualdade irrepreensível da morte, mas essa ninguém queria. Os pobres que passavam fome pensavam, com mais nostalgia ainda, nas cidades e nos campos vizinhos, onde a vida era livre e o pão não era caro. Já que não podiam alimentá-los devidamente, eles tinham a impressão, pouco sensata, aliás, de que deveriam tê-los deixado partir. De tal modo que se difundira um lema que se lia, às vezes, nos muros ou se gritava à passagem do prefeito: "Pão ou ar." Esta fórmula irônica dava o alarme de certas manifestações logo reprimidas, mas cuja gravidade todos percebiam.

Os jornais, evidentemente, obedeciam às instruções que recebiam, de otimismo a qualquer preço. Ao lê-los, o que caracterizava a situação era "o exemplo comovente de calma e de sangue-frio" dado pela população. Numa cidade fechada sobre si mesma, porém, em que nada conseguia ficar em segredo, ninguém tinha ilusões sobre o "exemplo" dado pela comunidade. E, para se ter uma ideia justa da calma e do sangue-frio de que se falava, bastava entrar num local de quarentena ou num dos campos de isolamento que haviam sido organizados pelas autoridades. Acontece que o narrador, ocupado com outros chamados, não os conheceu. Eis por que só pode citar aqui o testemunho de Tarrou.

Tarrou, na verdade, relata em seus cadernos uma visita que fez com Rambert ao campo instalado no estádio municipal. O estádio fica situado quase às portas da cidade e dá, por um lado, para a rua onde passam os bondes e, pelo outro, para os terrenos baldios que se estendem até a beira do platô em que a cidade está construída. Habitualmente, é cercado por muros altos de cimento e bastara colocar sentinelas às quatro portas de entrada para dificultar a fuga. Da mesma forma, os muros impediam as pessoas do exterior de importunar, com sua curiosidade, os infelizes que estavam de quarentena. Em compensação, estes, durante todo o dia, ouviam, sem vê-los, os carros que passavam e adivinhavam, pelo maior rumor que estes deixavam para trás, as horas de entrada e de saída das repartições. Sabiam, assim, que a vida da qual estavam excluídos continuava a alguns metros dali e que os muros de cimento separavam dois universos mais estranhos um ao outro do que se estivessem em planetas diferentes.

Foi uma tarde de domingo que Tarrou e Rambert escolheram para se dirigir ao estádio. Acompanhava-os González, o jogador de futebol, que Rambert voltara a encontrar e que acabara aceitando dirigir, por turnos, a vigilância do estádio. Rambert devia apresentá-lo ao administrador do campo. González dissera aos dois homens, no momento em que se tinham encontrado, que era àquela hora, antes da peste, que ele se preparava para começar a sua partida. Agora que os estádios estavam requisitados, não era mais possível. González sentia-se e parecia inteiramente ocioso. Essa era uma das razões pelas quais aceitara esta vigilância, com a condição de exercê-la apenas durante os fins de semana. O céu estava meio encoberto e González, de nariz no ar, observou com pesar que esse tempo, nem chuvoso nem quente, era o mais favorável a uma boa partida. Recordava como podia o cheiro de loção nos vestiários, as tribunas apinhadas, os uniformes de cores vivas sobre o terreno fulvo, o limão dos intervalos e a limonada que pinica as gargantas secas com mil agulhas refrescantes. Tarrou nota, aliás, que, durante todo o trajeto através das ruas esburacadas do subúrbio, o jogador não parava de chutar todas as pedrinhas que encontrava. Procurava acertar nos bueiros e, quando conseguia, exclamava: "Um a zero." Quando acabava de fumar, atirava a ponta do cigarro à frente e tentava, com o pé, pegá-la no ar. Perto do estádio, crianças que jogavam mandaram uma bola para perto do grupo que passava e González deu-se ao trabalho de devolvê-la com precisão.

Finalmente, entraram no estádio. As tribunas estavam cheias de gente. Mas o terreno estava coberto de várias centenas de barracas vermelhas, no interior das quais se avistavam, de longe, camas e embrulhos. As tribunas haviam sido conservadas, para que os internados pudessem abrigar-se do calor ou da chuva. Ao anoitecer, deviam simplesmente retornar às barracas. Debaixo das tribunas encontravam-se os chuveiros, que tinham sido arranjados, e os antigos vestiários dos jogadores, que tinham sido transformados em gabinetes e enfermarias. A maior parte dos internados encontrava-se nas tribunas. Outros vagavam pelos corredores laterais. Outros, ainda, estavam agachados à entrada da sua barraca e lançavam sobre todas as coisas um olhar errante. Nas tribunas, muitos estavam deitados e pareciam esperar.

— Que fazem durante o dia? — perguntou Tarrou a Rambert.

— Nada.

Quase todos, na verdade, tinham os braços caídos e as mãos vazias. Essa imensa assembleia de homens mantinha-se curiosamente silenciosa.

— Nos primeiros dias, ninguém se entendia aqui — disse Rambert. — Mas, à medida que os dias foram passando, começaram a falar cada vez menos.

A julgar por suas anotações, Tarrou os compreendia e via-os a princípio amontoados em suas barracas, ocupados em escutar as moscas ou coçar-se, uivando a sua cólera ou o seu medo, quando encontravam um ouvido complacente. Mas, a partir do momento em que o campo ficara superpovoado, foi diminuindo gradativamente a complacência dos ouvidos. Restava-lhes, portanto, calar e desconfiar. Na verdade, havia uma espécie de desconfiança que caía do céu cinzento e, no entanto, luminoso sobre o campo vermelho.

Sim, todos tinham um ar de desconfiança. Já que os tinham separado dos outros, devia haver alguma razão, e apresentavam o rosto dos que procuram as suas razões e as temem. Cada um daqueles que Tarrou olhava tinha os olhos desocupados e todos pareciam sofrer de uma separação muito genérica daquilo que constituía a sua vida. E, como não podiam pensar sempre na morte, não pensavam em nada. Estavam de férias. "Mas o pior", escrevia Tarrou, "é eles serem esquecidos e saberem disso. Os que os conheciam esqueceram-nos porque pensam em outra coisa, e isso é bem compreensível. Quanto aos que os amam, esqueceram-se também, pois são forçados a esgotar-se em diligências e projetos para retirá-los dali e, de tanto pensarem nessa saída, já não pensam naqueles que querem retirar. Também isso é normal. E, afinal, vê-se que ninguém é realmente capaz de pensar em ninguém, ainda que seja na pior das desgraças. Porque pensar realmente em alguém é pensar de minuto a minuto, sem se deixar distrair pelo que quer que seja: nem os cuidados da casa, nem a mosca que voa, nem as refeições, nem uma coceira. Mas há sempre moscas e coceiras. É por isso que a vida é difícil de viver. E eles sabem disso muito bem."

O administrador, que se dirigia a eles, disse-lhes que um tal de Sr. Othon desejava vê-los. Conduziu González ao seu gabinete e depois levou-os a um canto das tribunas, de onde o Sr. Othon, que se sentara a alguma distância, se levantou para recebê-los. Continuava a vestir-se da mesma maneira e usava o mesmo colarinho engomado. Tarrou notou apenas que os cabelos nas têmporas estavam muito mais eriçados e que um dos cordões dos sapatos se desatara. O juiz parecia cansado e nem uma única vez olhou os seus interlocutores de frente. Disse que tinha muito prazer em vê-los e encarregou-os de agradecer ao Dr. Rieux pelo que fizera.

Os outros calaram-se.

— Espero — disse o juiz, algum tempo depois — que Philippe não tenha sofrido muito.

Era a primeira vez que Tarrou o ouvia pronunciar o nome do filho, e compreendeu que alguma coisa mudara. O sol baixava no horizonte e, entre duas nuvens, os raios penetravam lateralmente nas tribunas, dourando-lhes o rosto.

— Não — disse Tarrou —, não, ele realmente não sofreu.

Quando se retiraram, o juiz continuava a olhar para o lado de onde vinha o sol.

Foram despedir-se de González, que examinava um quadro de vigilância por turnos. O jogador riu ao apertar-lhes a mão.

— Ao menos revi os vestiários — disse ele. — Estão como antes.

Pouco depois, o administrador reconduzia Tarrou e Rambert quando se ouviu um enorme zumbido nas tribunas. Em seguida os alto-falantes que, nos bons tempos, serviam para anunciar os resultados das partidas ou para apresentar os times declararam fanhosos que os internados deviam voltar às barracas para que fosse servido o jantar. Lentamente, os homens abandonaram as tribunas e dirigiram-se às barracas, arrastando o passo. Depois de todos estarem instalados, dois pequenos carros elétricos, como os que se veem nas estações ferroviárias, passaram por entre as barracas, transportando enormes panelas. Os homens estendiam os braços, duas conchas mergulhavam nas panelas e delas saíam para encherem as duas tigelas. O carrinho prosseguia na sua marcha. A cena recomeçava na barraca seguinte.

— É científico — disse Tarrou ao administrador.

— É verdade — respondeu o outro, satisfeito, apertando-lhes a mão —, é científico.

Chegava o crepúsculo e o céu se descobrira. Uma luz suave e fresca banhava o campo. Na calma da tarde, ruídos de colheres e de pratos vinham de todos os lados. Morcegos voavam por cima das barracas e desapareciam subitamente. Um bonde gritava numa curva, do outro lado do muro.

— Pobre juiz — murmurou Tarrou à saída. — Era preciso fazer qualquer coisa por ele. Mas como se ajuda um juiz?

Havia assim, na cidade, vários outros campos sobre os quais o narrador, por escrúpulo e por falta de informação direta, nada mais pode dizer. Mas o que ele pode afirmar é que a existência desses campos, o cheiro de homens que deles vinha, as vozes enormes dos alto-falantes no crepúsculo, o mistério dos muros e o temor desses lugares condenados pesavam duramente sobre o moral dos nossos concidadãos e aumentavam ainda mais a desorientação e o mal-estar de todos. Os incidentes e os conflitos com a administração multiplicaram-se.

No fim de novembro, entretanto, as manhãs tornaram-se muito frias. Chuvas diluvianas lavaram as calçadas, limparam o céu e deixaram-no limpo de nuvens sobre as ruas reluzentes. Um sol fraco espalhava sobre a cidade, todas as manhãs, uma luz brilhante e gélida. Pela tarde, ao contrário, o ar ficava de novo morno. Foi esse o momento que Tarrou escolheu para se revelar um pouco junto ao Dr. Rieux.

Por volta das dez horas, depois de um dia longo e exaustivo, Tarrou acompanhou Rieux, que ia fazer ao velho asmático a sua visita da noite. O céu brilhava suavemente sobre as casas do velho bairro. Uma ligeira brisa soprava sem ruído através das encruzilhadas obscuras. Saindo das ruas calmas os dois homens deram com a tagarelice do velho. Este informou-os de que havia alguns que não estavam de acordo, que a manteiga ia sempre para os mesmos, que tanto o jarro vai à fonte que um dia quebra e que provavelmente — nesse ponto, esfregava as mãos — ia haver problemas. O médico tratou-o sem que ele parasse de comentar os acontecimentos.

Ouviam passos por cima deles. A velha, notando o ar interessado de Tarrou, explicou-lhe que havia vizinhas no terraço. Souberam, ao mesmo tempo, que havia uma bela vista lá de cima e que, como os terraços das casas se tocavam, por vezes era possível às mulheres do bairro visitarem-se sem sair de casa.

— É verdade — disse o velho —, podem subir. Lá em cima o ar é bom.

Encontraram o terraço vazio e guarnecido de três cadeiras. De um lado, tão longe quanto a vista podia alcançar, só se viam terraços que acabavam por ir encostar-se a uma massa escura e pedregosa, em que reconheceram a primeira colina. Do outro lado, por cima de algumas ruas e do porto invisível, o olhar mergulhava num horizonte em que o céu e o mar se misturavam numa palpitação indistinta. Para além do que eles sabiam ser as falésias, um clarão cuja origem não distinguiam reaparecia regularmente: o farol do canal, desde a primavera, continuava a girar para os navios que buscavam outros portos. No céu varrido e polido pelo vento brilhavam estrelas puras a que o clarão longínquo do farol misturava, de momento a momento, uma cinza passageira. A brisa trazia cheiros de especiarias e de pedra. O silêncio era absoluto.

— Está bom aqui — disse Rieux. — É como se a peste nunca tivesse subido até aqui.

Tarrou, de costas para ele, olhava para o mar.

— É verdade — retrucou ele, um momento depois. — Está bom.

Veio sentar-se perto do médico e olhou para ele atentamente. Por três vezes o clarão reapareceu no céu. Das profundezas da rua chegou até eles um ruído de louça. Na casa, uma porta bateu.

— Rieux — disse Tarrou, num tom natural —, nunca procurou saber quem eu era? Sente amizade por mim?

— Sim — respondeu Rieux —, sinto amizade por você. Mas, até agora, o que nos faltou foi tempo.

— Bem, isso me tranquiliza. Quer que esta hora seja a da amizade?

Como única resposta, Rieux sorriu.

— Está bem...

Algumas ruas adiante, um automóvel pareceu deslizar longamente sobre a rua molhada. Afastou-se e, depois disso, exclamações indistintas, vindas de longe, romperam outra vez o silêncio.

Depois ele caiu de novo sobre os dois homens com todo o seu peso de céu e de estrelas. Tarrou levantara-se para se empoleirar no parapeito do terraço, de frente para Rieux, que continuava enterrado na cadeira. Só se via dele uma forma maciça, recortada no céu. Falou longamente, e eis, mais ou menos, o seu discurso reconstituído:

— Digamos, para simplificar, Rieux, que eu já sofria da peste muito antes de conhecer esta cidade e esta epidemia. Basta dizer que sou como todos. Mas há pessoas que não o sabem ou que se sentem bem nesse estado e pessoas que o sabem e que gostariam de sair dele. Por mim, sempre quis sair dele.

"Quando eu era jovem, vivia com a ideia da minha inocência, isto é, sem ideia nenhuma. Não sou do gênero atormentado, comecei como convinha. Tudo me corria bem, sentia-me à vontade com a inteligência, melhor ainda com as mulheres, e, se tinha algumas inquietações, passavam como tinham vindo. Um dia, comecei a refletir. Agora...

"Devo dizer-lhe que não era pobre como você. Meu pai era procurador-geral, o que é uma bela situação. Contudo, ninguém o diria ao vê-lo, pois era bonachão por natureza. Minha mãe era simples e apagada, nunca deixei de amá-la, mas prefiro não falar dela. Ele ocupava-se de mim com afeto, e creio até que se esforçava por me compreender. Tinha as suas aventuras por fora, agora posso afirmá-lo com certeza, e estou longe de me indignar. Conduzia-se em tudo isso como era de esperar que se conduzisse: sem chocar ninguém. Para encurtar, não era muito original e, hoje que está morto, compreendo que, se não viveu como um santo, também não era má pessoa. Adaptava-se ao meio, e é esse o gênero de homem por quem se sente uma afeição razoável, que é a que se faz duradoura.

"Tinha, entretanto, uma particularidade: o grande guia Chaix era o seu livro de cabeceira. Não que viajasse muito, exceto nas férias, para ir à Bretanha, onde tinha uma pequena propriedade. Mas era capaz de dizer exatamente as horas de partida e de chegada do Paris-Berlim, as combinações de horários que era necessário fazer para ir de Lyon a Varsóvia, a quilometragem exata entre quaisquer capitais à sua escolha. Você é capaz de dizer como se vai de Briançon a Chamonix? Até um chefe de estação se perderia. Mas meu pai, não. Exercitava-se quase todas as noites em enriquecer os seus conhecimentos nessa matéria e sentia nisso um certo orgulho. Eu me divertia muito e interrogava-o muitas vezes, encantado por conferir as suas respostas no Chaix e verificar que não se enganara. Esses pequenos exercícios ligaram-nos muito um ao outro, pois eu fornecia-lhe um auditório cuja boa vontade ele apreciava. Quanto a mim, pensava que essa superioridade no que tange às estradas de ferro valia tanto quanto qualquer outra.

"Mas estou divagando e arrisco-me a atribuir demasiada importância a esse bom homem. Porque, para terminar, ele só teve uma influência indireta na minha determinação. Quando muito, forneceu-me uma oportunidade. Na verdade, quando fiz 17 anos, meu pai convidou-me a ir ouvi-lo. Tratava-se de um caso importante, no Supremo, e certamente ele tinha pensado poder mostrar-se na sua melhor forma. Acho também que ele contava com essa cerimônia, própria para impressionar as imaginações jovens, para me levar a entrar para a carreira que ele próprio escolhera. Eu tinha aceitado, pois isso dava prazer ao meu pai e, da mesma forma, eu tinha curiosidade de vê-lo e ouvi-lo em um papel diferente do que representava entre nós. Não pensava em mais nada. O que se passava num tribunal sempre me parecera tão natural e inevitável quanto um desfile de 14 de julho ou uma distribuição de prêmios. Fazia disso uma ideia muito abstrata e que não me incomodava.

"Contudo, não conservei desse dia senão uma única imagem: a do réu. Creio que ele era realmente culpado, mas não importa de quê. Mas o homenzinho de cabelo ruivo e ralo, de uns 30 anos, parecia tão decidido a admitir tudo, tão sinceramente aterrorizado pelo que tinha feito e pelo que iam fazer-lhe que, ao fim de alguns minutos, eu não tinha olhos senão para ele. Parecia uma coruja assustada por uma luz demasiado viva. O nó da sua gravata não se ajustava exatamente ao ângulo do colarinho. Roía as unhas de uma única mão, a direita... Em resumo, não vou insistir mais, já compreendeu que ele estava vivo.

"Eu, porém, só naquele momento me dava conta disso, bruscamente, pois até então só tinha pensado nele dentro da categoria de 'acusado'. Não posso dizer que esquecia ali o meu pai, mas qualquer coisa me apertava o estômago e me tirava toda a atenção além daquela que eu prestava ao acusado. Não ouvia quase nada, sentia que queriam matar aquele homem que estava vivo e um instinto imenso como uma vaga me levava para o seu lado com uma espécie de cega obstinação. Só despertei, realmente, com o requisitório de meu pai.

"Transformado pela toga vermelha, nem bonachão nem afetuoso, sua boca fervilhava de frases enormes que, sem parar, saíam dela como serpentes. E compreendi que ele pedia a morte daquele homem, em nome da sociedade, e que pedia até que lhe cortassem a cabeça. É verdade que ele dizia apenas: 'Aquela cabeça deve cair.' Mas, no fim, a diferença não era grande. E deu no mesmo, na verdade, já que obteve a cabeça. Simplesmente não foi ele que fez então o trabalho. E eu, que acompanhei em seguida o caso até sua conclusão, tive com esse infeliz uma intimidade bem mais vertiginosa do que jamais teve o meu pai. Este devia, contudo, segundo o costume, assistir àquilo que se chamava delicadamente de 'os últimos momentos' e que é preciso classificar como 'o mais abjeto dos assassinatos'.

"A partir desse dia não consegui olhar para o guia Chaix sem uma repugnância abominável. A partir desse dia passei a interessar-me com horror pela justiça, pelas condenações à morte, pelas execuções, verificando, com uma vertigem, que meu pai devia ter assistido a vários assassinatos e que era justamente nesses dias que ele se levantava muito cedo. Na realidade, nessas ocasiões, ele dava corda no despertador. Não me atrevi a falar disso à minha mãe, mas observei-a melhor, então, e compreendi que já não havia nada entre eles e que ela levava uma vida de renúncia. Isso ajudou-me a perdoá-lo, como eu dizia então. Mais tarde, soube que não havia nada a perdoar a ele, pois ela tinha sido pobre toda a sua vida até o casamento e a pobreza ensinara-lhe a resignação.

"Espera, sem dúvida, que eu lhe diga que parti logo. Não, fiquei vários meses, quase um ano. Mas meu coração estava doente. Uma noite, o meu pai pediu o despertador, pois tinha de levantar-se cedo. Não dormi a noite toda. No dia seguinte, quando voltou, eu tinha partido. Digamos logo que meu pai me mandou procurar, que fui vê-lo e que, sem lhe explicar nada, disse-lhe que me mataria se ele me forçasse a voltar. Acabou aceitando, pois era cordato por temperamento, fez-me um discurso sobre a estupidez que havia em eu querer viver a minha vida (era assim que ele explicava o meu gesto, e eu não o dissuadi), deu-me mil conselhos e reprimiu as lágrimas sinceras que lhe vinham aos olhos. Mais tarde, embora bastante tempo depois, fui regularmente ver minha mãe e encontrei-o então. Creio que essas entrevistas lhe bastaram. Quanto a mim, não tinha animosidade contra ele, apenas um pouco de tristeza no coração. Quando morreu, minha mãe veio viver comigo, onde ainda estaria se, por sua vez, não tivesse morrido também.

"Insisti longamente nesse princípio porque foi realmente o princípio de tudo. Agora irei mais depressa. Conheci a pobreza aos 18 anos, ao sair da abastança. Exerci mil profissões para ganhar a vida. E não me dei muito mal. Mas o que me interessava era a condenação à morte. Queria ajustar umas contas com a coruja ruiva. Por isso meti-me na política, como se diz. Não queria ser atacado pela peste. Eis tudo. Acreditei que a sociedade em que eu vivia repousava na condenação à morte e que, ao combatê-la, eu combateria o assassinato. Acreditei nisso, outros me disseram e, para terminar, em grande parte era verdade. Coloquei-me, pois, com aqueles que amava e que não deixei de amar. Fiquei com eles durante muito tempo e não há país da Europa cujas lutas eu não tenha compartilhado. Passemos adiante.

"É claro, eu sabia que também nós procedíamos, ocasionalmente, a condenações. Mas diziam-me que essas poucas mortes eram necessárias para construir um mundo em que não se mataria ninguém. De certo modo era verdade e, afinal, talvez eu não seja capaz de me manter nesse gênero de verdade. O certo é que eu hesitava. Mas pensava na coruja e a coisa continuava. Até o dia em que vi uma execução (foi na Hungria) e a mesma vertigem que atacara a criança que eu era obscureceu os meus olhos de homem.

"Nunca viu um homem ser fuzilado? Não, com certeza, isso se faz em geral a convite, e o público é escolhido antecipadamente. O resultado é que você conhece isso apenas pelas gravuras e pelos livros. Uma venda, um poste e, longe, alguns soldados. Pois bem, não é nada disso. Sabe que o pelotão se coloca a 1,50 metro do condenado? Sabe que, se o condenado desse dois passos à frente, bateria com o peito nas espingardas? Sabe que, a essa curta distância, os executores concentram todos os tiros na região do coração e que, com as suas grandes balas, fazem um buraco onde se poderia meter o punho? Não, não sabe, pois são pormenores de que não se fala. O sono dos homens é mais sagrado que a vida dos empestados. Não se deve impedir a boa gente de dormir. Seria preciso mau gosto, e o gosto consiste em não insistir, todos sabem disso. Mas eu, por mim, não dormi bem desde aquela época. O mau gosto me ficou na boca e desde então não deixei de insistir, quer dizer, de pensar.

"Compreendi assim que eu, pelo menos, não tinha deixado de ser um empestado durante todos esses longos anos em que, portanto, com toda a minha alma, eu julgava lutar contra a peste. Descobri que tinha contribuído indiretamente para a morte de milhares de homens, que tinha até provocado essa morte, achando bons os princípios e as ações que a tinham fatalmente acarretado. Os outros não pareciam perturbados por isso, ou, pelo menos, nunca falavam disso espontaneamente. Mas eu tinha um nó na garganta. Estava com eles e, contudo, estava só. Quando me acontecia exprimir os meus escrúpulos, diziam-me que era preciso refletir no que estava em jogo e davam-me razões muitas vezes impressionantes para me fazerem engolir o que eu não conseguia deglutir. Mas eu respondia que os grandes empestados, os que vestem togas vermelhas, dispõem também de excelentes razões nesses casos e que, se eu admitisse as razões de força maior e as necessidades invocadas pelos pequenos empestados, não poderia rejeitar as dos grandes. Eles faziam-me notar que a melhor maneira de dar razão às togas vermelhas era deixar-lhes a exclusividade da condenação. Mas eu me dizia então que, se acaso se cedesse uma vez, não haveria motivo para parar. Parece-me que a história me deu razão: hoje cada qual mata o mais que pode. Estão todos no furor do crime e não podem proceder de outra maneira.

"Meu negócio, em todo caso, não era o raciocínio. Era a coruja ruiva, essa suja aventura em que bocas sujas e empestadas anunciavam a um homem acorrentado que ia morrer e preparavam tudo para que ele morresse, na verdade, após noites e noites de agonia, durante as quais ele esperava de olhos abertos ser assassinado. Meu negócio era o buraco no peito. E dizia a mim mesmo, entretanto, que, pelo menos de minha parte, recusaria sempre dar uma razão, uma única — compreende? — para essa repugnante carnificina. Sim, escolhi essa cegueira obstinada enquanto esperava poder ver mais claro.

"Desde então, não mudei. Há muito tempo que tenho vergonha, uma vergonha mortal, de ter sido, ainda que de longe, ainda que na boa vontade, por minha vez, um assassino. Com o tempo, compreendi apenas que até os melhores entre muitos não se conseguiam impedir, hoje, de matar ou de consentir em matar, porque estava na lógica em que viviam, e não se podia fazer um gesto neste mundo sem se correr o risco de fazer morrer. Sim, continuei a ter vergonha, aprendi isso — que estávamos todos na peste — e perdi a paz. Ainda hoje a procuro, tentando compreendê-los a todos e não ser o inimigo mortal de ninguém. Sei apenas que é preciso fazer o necessário para deixar de ser um empestado e que só isso nos pode fazer esperar a paz, ou, na sua falta, uma boa morte. É isso que pode aliviar os homens e, se não os salvar, pelo menos fazer-lhes o menos mal possível e até, às vezes, um pouco de bem. E foi por isso que decidi recusar tudo o que, de perto ou de longe, por boas ou más razões, faz morrer ou justifica que se faça morrer.

"É ainda por isso que esta epidemia não me ensina nada senão que é preciso combatê-la a seu lado. Sei, de ciência certa (sim, Rieux, sei tudo da vida, como vê), que cada um traz em si a peste, porque ninguém, não, ninguém no mundo está isento dela. Sei ainda que é preciso vigiar-se sem descanso para não se ser levado, num minuto de distração, a respirar na cara de outro e transmitir-lhe a infecção. O que é natural é o micróbio. O resto — a saúde, a integridade, a pureza, se quiser — é um efeito da vontade, de uma vontade que não deve jamais se deter. O homem direito, aquele que não infecta quase ninguém, é aquele que tem o menor número de distrações possível. E como é preciso ter vontade e atenção para nunca se ficar distraído! Sim, Rieux, é bem cansativo ser um empestado. Mas é ainda mais cansativo não querer sê-lo. É por isso que todos parecem cansados, já que todos, hoje em dia, se acham um pouco empestados. Mas é por isso que alguns que querem deixar de sê-lo conhecem um extremo de cansaço de que já nada os libertará a não ser a morte.

"Até lá, sei que já não valho mais nada para este mundo e que, a partir do momento em que renunciei a matar, me condenei a um exílio definitivo. São os outros que farão a história. Sei, também, que não posso, aparentemente, julgar esses outros. Falta-me uma qualidade para ser um assassino razoável. Não é, pois, uma superioridade. Agora, porém, consinto em ser o que sou — aprendi a ser modesto. Digo apenas que há neste mundo flagelos e vítimas e que é necessário, tanto quanto possível, recusarmo-nos a estar com o flagelo. Isto parecerá a você talvez um pouco simples. Não sei se é simples, mas sei que é verdadeiro. Ouvi tantos raciocínios que por pouco me fizeram perder a cabeça — mas que viraram outras cabeças o bastante para fazê-las consentir no assassinato — que compreendi que toda a desgraça dos homens provinha de eles não terem uma linguagem clara. Decidi então falar e agir claramente, para me colocar no bom caminho. Por isso digo que há flagelos e vítimas, e nada mais. Se, ao dizer isto, me torno eu próprio um flagelo, não é por minha vontade. Procuro ser um assassino inocente. Como vê, não é uma grande ambição.

"Seria necessário, sem dúvida, que houvesse uma terceira categoria, a dos verdadeiros médicos, mas é fato que não se encontram muitos e que isso deve ser difícil. Foi assim que decidi pôr-me do lado das vítimas, em todas as ocasiões, para limitar os prejuízos. No meio delas, posso ao menos procurar saber como se chega à terceira categoria, isto é, à paz."

Ao terminar, Tarrou balançava a perna e batia levemente com o pé no terraço. Depois de um silêncio, o médico soergueu-se um pouco e perguntou-lhe se tinha alguma ideia sobre o caminho que era preciso seguir para se chegar à paz.

— Tenho. A simpatia.

Duas sirenes de ambulância ressoaram ao longe. As exclamações, ainda agora indistintas, juntaram-se nos confins da cidade, perto da colina pedregosa. Ouviu-se, ao mesmo tempo, qualquer coisa que se assemelhava a uma detonação. Depois o silêncio voltou. Rieux contou duas piscadelas do farol. A brisa pareceu ganhar mais força e, ao mesmo tempo, um sopro do mar trouxe um cheiro de sal. Ouvia-se agora, nitidamente, a surda respiração das vagas contra a falésia.

— Em resumo — disse Tarrou com simplicidade —, o que me interessa é saber como alguém pode tornar-se um santo.

— Mas você não acredita em Deus...

— Justamente. Poder ser um santo sem Deus é o único problema concreto que tenho hoje.

Bruscamente, um grande clarão irrompeu do lado dos gritos e, subindo a corrente do vento, um clamor tenebroso chegou até os dois homens. O clarão apagou-se imediatamente e longe, à beira dos terraços, ficou apenas uma mancha vermelha. Numa pausa do vento ouviram-se claramente gritos de homens, depois o barulho de uma descarga e o protesto de uma multidão. Tarrou levantara-se e escutava. Não se ouvia mais nada.

— Houve briga de novo nas portas.

— Agora acabou — disse Rieux.

Tarrou murmurou que nunca acabava e que haveria mais vítimas, pois essa era a ordem natural.

— Talvez — respondeu o médico —, mas, sabe, sinto-me mais solidário com os vencidos do que com os santos. Creio que não sinto atração pelo heroísmo e pela santidade. O que me interessa é ser um homem.

— Sim, buscamos a mesma coisa, mas eu sou menos ambicioso.

Rieux pensou que Tarrou gracejava e olhou para ele. Mas, na vaga claridade que vinha do céu, viu um rosto triste e sério. O vento levantara-se de novo e Rieux sentia-o morno sobre a pele. Tarrou agitou-se.

— Sabe o que devíamos fazer em prol da amizade?

— O que quiser — respondeu Rieux.

— Tomar um banho de mar. Mesmo para um futuro santo, é um prazer digno.

Rieux sorria.

— Com os nossos salvo-condutos, podemos ir até o cais. Afinal, é bobagem viver só na peste. Na realidade, um homem deve lutar pelas vítimas. Mas, se deixa de gostar de todo o resto, de que serve lutar?

— Tem razão — disse Rieux. — Vamos.

Pouco depois, o carro parava junto às grades do porto. A lua nascera. Um céu leitoso projetava sombras pálidas. Por trás deles, estendia-se a cidade e dela vinha um sopro quente e mórbido, que os impelia para o mar. Mostraram os papéis a um guarda, que os examinou durante bastante tempo. Passaram e, através dos terraplenos cobertos de tonéis, entre os cheiros de vinho e de peixe, tomaram a direção do cais. Pouco antes de chegarem, o cheiro de iodo e de algas anunciou-lhes o mar. Depois ouviram-no.

Assobiava suavemente aos pés dos grandes blocos do cais e, quando os transpuseram, ele apareceu-lhes, espesso como veludo, flexível e macio como um animal. Instalaram-se nos rochedos voltados para o largo. Lentas, as águas inchavam e desciam. Essa respiração calma do mar fazia nascer e desaparecer reflexos oleosos na superfície das águas. Diante deles, a noite que não tinha limites. Rieux, que sentia sob os dedos a face gasta dos rochedos, experimentava uma estranha felicidade. Voltado para Tarrou, adivinhou, sob o rosto calmo e grave do amigo, essa mesma felicidade que nada esquecia, nem mesmo o assassinato.

Despiram-se. Rieux mergulhou primeiro. Frias no começo, as águas pareceram-lhe mornas quando voltou à tona. Ao fim de algumas braçadas, sabia que o mar nessa noite estava morno: eram os mares do outono que retomavam da terra o calor armazenado durante longos meses. Nadava regularmente. As batidas dos pés deixavam atrás dele uma efervescência de espuma, a água fugia ao longo dos seus braços para colar-se às pernas. Um baque surdo indicou-lhe que Tarrou mergulhara. Rieux, de costas, ficou imóvel diante do céu cheio de luar e de estrelas. Respirou profundamente. Depois ouviu com uma nitidez cada vez maior o barulho de água batida, estranhamente nítido no silêncio e na solidão da noite. Tarrou aproximava-se, e logo se ouvia a sua respiração. Rieux voltou-se, colocou-se ao lado do amigo e nadou no mesmo ritmo. Tarrou avançava com mais força e ele teve de acelerar os movimentos. Durante alguns minutos, avançaram com a mesma cadência e o mesmo vigor, solitários, longe do mundo, libertos enfim da cidade e da peste. Rieux foi o primeiro a parar e os dois voltaram lentamente, a não ser num momento em que entraram numa corrente gelada. Sem nada dizerem, ambos aceleraram os movimentos, fustigados por essa surpresa do mar.

Novamente vestidos, partiram sem terem pronunciado uma palavra. Mas entendiam-se, era suave a lembrança dessa noite. Quando viram de longe a sentinela da peste, Rieux sabia que Tarrou dizia para si próprio, como ele, que a doença acabava de esquecê-los, que isso era bom, e que agora era preciso recomeçar.

Sim, era preciso recomeçar e a peste não esquecia ninguém por muito tempo. Durante o mês de dezembro, ela ardeu nos peitos dos nossos concidadãos, iluminou o forno, povoou os acampamentos sombrios de mãos vazias, não deixou, enfim, de progredir, paciente e sincopada. As autoridades tinham contado com os dias frios para deterem esse avanço e, contudo, ele passava pelos primeiros rigores da estação sem desanimar. Era preciso esperar ainda. Mas, depois de tanto esperar, não se espera mais — e a nossa cidade inteira vivia sem futuro.

Quanto a Rieux, o instante fugidio de paz e de amizade que lhe fora dado não teve continuidade. Tinham aberto mais um hospital e o médico só conversava com os doentes. Notou entretanto que, nessa fase da epidemia, enquanto a peste assumia cada vez mais a forma pulmonar, os doentes pareciam, de certo modo, ajudar o médico. Em lugar de se abandonarem à prostração e às loucuras do início, pareciam ter uma ideia mais correta dos seus interesses e reclamavam por si mesmos o que lhes podia ser mais favorável. Pediam incessantemente para beber e todos queriam calor. Embora o cansaço fosse o mesmo para o médico, ele se sentia, no entanto, menos só nessas ocasiões.

Por volta do fim de dezembro, Rieux recebeu do Sr. Othon, o juiz de instrução, que se encontrava ainda no campo de isolamento, uma carta dizendo que o seu tempo de quarentena tinha passado, que a administração não encontrava a data da sua entrada e que, certamente, o mantinham ainda isolado por engano. Sua mulher, que já saíra havia algum tempo, protestara na Prefeitura, onde tinha sido mal recebida e onde lhe tinham dito que nunca havia enganos. Rieux fez Rambert intervir e, alguns dias depois, viu chegar o Sr. Othon. Houvera, com efeito, um engano, e Rieux indignou-se um pouco por isso. Mas o Sr. Othon, que tinha emagrecido, levantou a mão mole e disse, medindo as palavras, que todos se podiam enganar. O médico pensou apenas que qualquer coisa mudara.

— O que vai fazer, senhor juiz? Os seus processos esperam-no — disse Rieux.

— Não — respondeu ele —, queria tirar uma licença.

— Na verdade, precisa de repouso.

— Não é isso, queria voltar para o campo de isolamento.

Rieux admirou-se.

— Mas acaba de sair de lá!

— Não me expliquei bem. Disseram-me que havia voluntários da administração no campo. — O juiz rolava um pouco os olhos redondos e tentava abaixar um tufo de cabelos. — Sabe, teria uma ocupação. E, depois, pode parecer bobagem, mas eu me sentiria menos afastado do meu garoto.

Rieux olhava para ele. Não era possível que naqueles olhos duros e vazios se instalasse subitamente uma suavidade. Mas eles tinham se tornado mais brumosos, tinham perdido a pureza de metal.

— Certamente — disse. — Vou tratar disso, já que assim o deseja.

De fato, o médico tratou do caso e a vida da cidade empestada retomou o seu ritmo até o Natal. Tarrou continuava a passear por toda parte a sua tranquilidade eficiente. Rambert confidenciou ao médico que tinha estabelecido, graças aos dois guardas conhecidos seus, uma espécie de correspondência clandestina com a mulher. Recebia uma carta de tempos em tempos. Ofereceu a Rieux fazê-lo beneficiar-se do seu sistema e este aceitou.

Escreveu, pela primeira vez em longos meses, mas com enorme dificuldade. Havia uma linguagem que ele perdera. A carta partiu. A resposta demorava a vir. Por seu lado, Cottard prosperava e as suas pequenas especulações enriqueciam-no. Quanto a Grand, o período das festas não lhe devia ser favorável.

O Natal daquele ano foi mais a festa do Inferno que a do Evangelho. As lojas desertas e privadas de luz, os chocolates falsos ou as caixas vazias nas vitrines, os bondes carregados de rostos sombrios, nada lembrava os Natais passados. Nessa festa em que toda a gente, rica ou pobre, se juntava outrora já não havia lugar senão para alguns prazeres solitários e vergonhosos que os privilegiados se ofereciam a preço de ouro, no fundo de uma loja sórdida. Mais que de ações de graças, as igrejas estavam cheias de lamentos. Na cidade, lúgubre e gelada, algumas crianças corriam, ignorantes ainda do que as ameaçava. Mas ninguém ousava anunciar-lhes o Deus de outrora, carregado de oferendas, velho como o sofrimento humano, mas novo como a jovem esperança. Só havia lugar no coração de todos para uma esperança muito velha e muito taciturna, a mesma que impede os homens de se entregarem à morte e que não é mais que uma simples obstinação em viver.

Na véspera, Grand tinha faltado ao encontro. Rieux, inquieto, passara em sua casa de manhã cedo, sem encontrá-lo. Todos haviam sido alertados. Por volta das onze horas, Rambert veio ao hospital dizer ao médico que tinha avistado Grand de longe, vagando pelas ruas, com o rosto desfigurado. Depois perdera-o de vista. O médico e Tarrou partiram de automóvel à sua procura.

Ao meio-dia, hora gelada, o médico, que saíra do carro, olhava de longe Grand, quase colado a uma vitrine cheia de brinquedos grosseiramente esculpidos em madeira. Lágrimas corriam pelo rosto do velho funcionário sem interrupção. E essas lágrimas perturbaram Rieux, porque as compreendia e as sentia também na garganta apertada. Ele se lembrou do noivado do infeliz, diante de uma loja de Natal, e de Jeanne voltando-se para ele para lhe dizer que estava contente. Do fundo dos anos longínquos, no próprio coração dessa loucura, a voz fresca de Jeanne voltava até Grand, disso tinha certeza. Rieux sabia o que pensava nesse minuto aquele velho que chorava, e achava, como ele, que este mundo sem amor era como um mundo morto e que chega sempre uma hora em que nos cansamos das prisões, do trabalho e da coragem, para reclamar o rosto de um ser e o coração maravilhado de ternura.

Mas o outro viu-o pelo vidro. Sem parar de chorar, voltou-se e encostou-se à vitrine, para vê-lo chegar.

— Ah, doutor! Ah, doutor! — dizia.

Rieux balançava a cabeça para mostrar aprovação, incapaz de pronunciar uma palavra. Essa tristeza era também sua e o aperto que sentia no coração nesse momento era a imensa cólera que surge no homem diante da dor que todos os homens compartilham.

— Sim, Grand — disse.

— Gostaria de ter tempo para lhe escrever uma carta. Para que ela saiba... e para que possa ser feliz sem remorso...

Com uma espécie de violência, Rieux fez Grand avançar. O outro, quase se deixando arrastar, continuava a balbuciar fragmentos de frases.

— Isso está durando demais. A gente tem vontade de se entregar. Ah, doutor! Eu tenho assim este ar calmo. Mas sempre precisei fazer um grande esforço para ser apenas normal. Mas agora até isso é demais.

Parou, com as pernas e os braços tremendo e com os olhos desvairados. Rieux pegou-lhe a mão. Estava ardendo.

— É preciso voltar para casa.

Mas Grand fugiu dele e correu alguns passos, depois parou, abriu os braços e pôs-se a oscilar para a frente e para trás. Deu uma volta sobre si mesmo e caiu na calçada gélida, com o rosto sujo das lágrimas que continuavam a correr. Os transeuntes olhavam de longe, paravam bruscamente, sem ousar prosseguir. Foi necessário que Rieux carregasse o velho nos braços.

Agora, na cama, Grand sufocava: tinha os pulmões tomados. Rieux refletia. O funcionário municipal não tinha família. Para que serviria levá-lo? Ficaria só, com Tarrou, que trataria dele...

Grand estava enterrado no fundo do seu travesseiro, com a pele esverdeada e o olhar apagado. Olhava fixamente para um fogo medíocre que Rieux acendia na lareira com os restos de um caixote. "Isto vai mal", dizia ele. E do fundo dos seus pulmões em chamas saía um crepitar estranho que acompanhava tudo o que dizia. Rieux recomendou-lhe que se calasse e disse que ia voltar. O doente esboçou um sorriso estranho e, com ele, veio-lhe ao rosto uma espécie de ternura. Piscou o olho com esforço. "Se escapar desta, é para tirar o chapéu, doutor!" Mas logo a seguir caiu na prostração.

Algumas horas depois Rieux e Tarrou foram encontrar o doente meio erguido no leito e Rieux ficou aterrado ao ler no seu rosto os progressos do mal que o queimava. Mas parecia mais lúcido, e de repente, numa voz estranhamente cavernosa, pediu que lhe trouxessem o manuscrito, que guardara numa gaveta. Tarrou deu-lhe as folhas, que ele apertou contra o peito, sem olhá-las, para em seguida estendê-las ao médico, convidando-o com um gesto a ler. Era um manuscrito curto de umas cinquenta páginas. O médico folheou-o e compreendeu que todas as páginas traziam apenas a mesma frase, indefinidamente copiada, retocada, enriquecida ou empobrecida. Incessantemente, o mês de maio, a amazona e as aleias do bosque confrontavam-se e dispunham-se de maneiras diversas. A obra continha também explicações, por vezes demasiado longas, e variantes. Mas, no fim da última página, uma mão aplicada tinha apenas escrito, com uma tinta ainda fresca: "Minha querida Jeanne, hoje é Natal..." Por cima, numa caligrafia cuidada, figurava a última versão da frase.

— Leia — disse Grand.

E Rieux leu:

— "Numa bela manhã de maio, uma esbelta amazona, montada numa suntuosa égua alazã, percorria, no meio das flores, as aleias do Bois..."

— É isso? — perguntou o velho, numa voz febril.

Rieux não levantou os olhos para ele.

— Ah! — disse o outro, agitando-se. — Bem sei. Bela, bela, não é este o termo certo.

Rieux pegou-lhe a mão por cima do cobertor.

— Deixe, doutor. Não terei tempo...

O seu peito se erguia penosamente e ele gritou de repente:

— Queime-o!

O médico hesitou, mas Grand repetiu a ordem num tom tão terrível e com tamanho sofrimento na voz, que Rieux atirou as folhas para o fogo quase apagado. O quarto iluminou-se rapidamente e um calor breve o aqueceu. Quando o médico voltou para junto do doente, este tinha as costas voltadas e quase tocava a parede com o rosto. Tarrou olhava pela janela, como estranho à cena. Depois de ter injetado o soro, Rieux disse ao amigo que Grand não passaria daquela noite e Tarrou ofereceu-se para ficar. O médico aceitou.

Toda a noite, a ideia de que Grand ia morrer o perseguiu. Mas, no dia seguinte de manhã, Rieux encontrou Grand sentado na cama, falando com Tarrou. A febre desaparecera. Restavam apenas os sinais de um esgotamento geral.

— Ah, doutor — dizia Grand. — Fiz mal. Mas vou recomeçar. Lembro-me de tudo, vai ver.

— Esperemos — disse Rieux a Tarrou.

Mas, ao meio-dia, nada mudara. À noite, Grand podia considerar-se salvo. Rieux não compreendia nada daquela ressurreição.

Mais ou menos pela mesma época, contudo, levaram a Rieux uma doente cujo estado julgou desesperador e que mandou isolar logo que chegou ao hospital. A moça estava em pleno delírio e apresentava todos os sintomas da forma pulmonar da peste. Mas, no dia seguinte de manhã, a febre baixara. O médico achou que se tratava ainda, como no caso de Grand, da remissão matinal, que a experiência o habituara a considerar como um mau sinal. Ao meio-dia, contudo, a febre não tinha subido. À noite, aumentou alguns décimos apenas e, no dia seguinte pela manhã, tinha desaparecido. A moça, embora fraca, respirava livremente no leito. Rieux disse a Tarrou que ela se salvara, contra todas as normas. Mas, durante a semana, quatro casos semelhantes se apresentaram no serviço do médico.

No fim da mesma semana, o velho asmático acolheu o médico e Tarrou com todos os sinais de uma grande agitação.

— Pronto — disse ele —, continuam a sair.

— Quem?

— Ora, os ratos!

Desde o mês de abril não se tinha descoberto nenhum rato morto.

— Será que vai recomeçar? — perguntou Tarrou a Rieux.

O velho esfregava as mãos.

— Precisa vê-los correr! É um prazer.

Tinha visto dois ratos vivos entrarem em sua casa pela porta da rua. Alguns vizinhos tinham relatado que, também em casa deles, os ratos haviam feito a sua reaparição. Nas madeiras dos forros ouvia-se de novo o rebuliço esquecido há meses. Rieux esperou a publicação da estatística geral, que ocorria no princípio de cada semana. Revelava um recuo da doença.

5

Embora essa brusca retirada da doença fosse inesperada, nossos concidadãos não se apressaram em regozijar-se. Os meses que acabavam de passar, ainda que aumentassem o desejo de libertação, ensinaram-lhes a prudência e os habituaram a contarem cada vez menos com um fim próximo da epidemia. No entanto, esse fato novo corria de boca em boca e no fundo dos corações agitava-se uma grande esperança inconfessada. Todo o resto passava para segundo plano. As novas vítimas da peste pesavam bem pouco junto a esse fato enorme: a estatística tinha baixado. Um dos sinais de que o tempo de saúde, sem ser abertamente esperado, era no entanto aguardado em segredo foi os nossos concidadãos falarem espontaneamente, a partir desse momento, embora com ares de indiferença, da maneira como a vida se reorganizaria depois da peste.

Todos estavam de acordo em pensar que as comodidades da vida passada não voltariam de repente e que era mais fácil destruir que reconstruir. Considerava-se apenas que o reabastecimento podia ser um pouco melhorado e que, desse modo, se ficaria livre da preocupação mais premente. Na verdade, porém, sob essas observações paliativas, ao mesmo tempo uma esperança insensata se desenfreava a tal ponto que nossos concidadãos às vezes tomavam consciência disso e afirmavam então com precipitação que, em todo caso, a libertação não era para o dia seguinte.

E, na realidade, a peste não cessou no dia seguinte, mas, aparentemente, enfraquecia mais depressa do que se teria podido razoavelmente esperar. Durante os primeiros dias de janeiro, o frio instalou-se com uma persistência inusitada e pareceu cristalizar-se por cima da cidade. E, contudo, nunca o céu tinha estado tão azul. Durante dias inteiros, seu esplendor imutável e gelado inundou a nossa cidade de uma luz ininterrupta. Nesse ar purificado, a peste, em três semanas, e em quedas sucessivas, pareceu esgotar-se nos cadáveres cada vez menos numerosos que alinhava. Perdeu, num curto intervalo, quase a totalidade da força que levara meses para acumular. Ao vê-la liberar presas já marcadas, como Grand ou a moça de Rieux; exacerbar-se em certos bairros durante dois ou três dias, enquanto desaparecia totalmente de outros; multiplicar as vítimas na segunda-feira e, na quarta, deixá-las escapar quase todas; ao vê-la assim esbaforir-se ou precipitar-se, poderia se dizer que ela se descontrolava por nervosismo e cansaço, que perdia, ao mesmo tempo, o domínio sobre si própria e a eficácia matemática e soberana que constituíra a sua força. O soro de Castel conhecia subitamente uma série de êxitos que lhe haviam sido recusados até então. Cada medida tomada pelos médicos e que anteriormente não dava nenhum resultado parecia, de repente, acertar em cheio. Parecia que a peste, por sua vez, estava acuada, e que sua fraqueza súbita fazia a força das armas embotadas com que até então a tinham enfrentado. Apenas uma vez ou outra a doença se animava e, numa espécie de sobressalto cego, levava três ou quatro doentes cuja cura era esperada. Eram os azarados da peste, aqueles que ela matava em plena esperança. Foi o caso do juiz Othon, que tiveram de evacuar do campo de quarentena, e Tarrou disse a seu respeito que, na verdade, não tinha tido sorte, sem que se pudesse saber se ele pensava na morte ou na vida do juiz.

No conjunto, porém, a infecção recuava em toda a linha, e os comunicados da Prefeitura, que primeiro tinham feito nascer uma tímida e secreta esperança, acabaram confirmando no espírito do público a convicção de que a vitória fora conquistada e que a doença abandonava suas posições. Na verdade, era difícil assumir que se tratava de uma vitória. Era-se apenas obrigado a verificar que a doença partia como viera. A estratégia que se lhe opunha não tinha mudado, ineficaz ontem e, hoje, aparentemente feliz. Tinha-se apenas a impressão de que a doença se esgotara por si própria, ou talvez de que se retirava depois de ter alcançado todos os seus objetivos. De qualquer maneira, o seu papel acabara.

Poderia se dizer, apesar de tudo, que nada mudara na cidade. Sempre silenciosas durante o dia, as ruas eram invadidas à noite pela mesma multidão, em que dominavam apenas os sobretudos e as echarpes. Os cinemas e os cafés faziam os mesmos negócios. Olhando-se, porém, mais de perto, podia-se ver que os rostos estavam mais descontraídos e que, às vezes, sorriam. E era então a oportunidade de verificar que, até o momento, ninguém sorria nas ruas. Na realidade, no véu opaco que havia meses cercava a cidade, acabava de abrir-se um rasgão, e, às segundas-feiras, todos podiam verificar, pelas notícias do rádio, que o rasgão aumentava e, enfim, seria permitido respirar. Era ainda um alívio inteiramente negativo e que não assumia uma expressão franca. Mas, ao passo que anteriormente não se teria notícia, sem alguma incredulidade, de que um trem tinha partido ou um navio tinha chegado, ou ainda de que os carros iam ser de novo autorizados a circular, o anúncio desses acontecimentos em meados de janeiro não teria provocado, pelo contrário, nenhuma surpresa. Era pouco, sem dúvida. Mas essa sutil mudança traduzia, na verdade, os enormes progressos realizados pelos nossos concidadãos no caminho da esperança. Pode-se dizer, aliás, que, a partir do momento em que a mais ínfima esperança se tornou possível para a população, o reinado efetivo da peste tinha terminado.

Nem por isso, durante todo o mês de janeiro, os nossos concidadãos reagiram de maneira menos contraditória. Mais exatamente, passaram por momentos alternados de excitação e de depressão. Foi assim que se registraram novas tentativas de fuga, justo quando as estatísticas eram mais favoráveis. Isso surpreendeu muito as autoridades e os próprios postos de guarda, visto que a maior parte das fugas teve êxito. Mas, na realidade, as pessoas que se evadiam nesses momentos obedeciam a sentimentos naturais. Em alguns, a peste tinha enraizado um ceticismo profundo de que não podiam se liberar. A esperança já não tinha efeito sobre eles. Mesmo quando o tempo da peste tinha passado, continuavam a viver segundo as suas normas. Estavam atrasados em relação aos acontecimentos. Em outros, pelo contrário, e estes eram especialmente os que tinham vivido até então separados dos seres que amavam, depois desse longo tempo de clausura e de abatimento, o vento de esperança que se levantava acendera uma febre e uma impaciência que lhes tirava qualquer autodomínio. Invadia-os uma espécie de pânico, ao pensamento de que podiam, tão perto do fim, morrer talvez, que não voltariam a ver o ser que amavam e que esses longos sofrimentos não lhes seriam pagos. Enquanto durante meses, com obscura tenacidade, apesar da prisão e do exílio, tinham perseverado na expectativa, a primeira esperança bastou para destruir o que o medo e o desespero não tinham conseguido abalar. Precipitaram-se como loucos para ultrapassar a peste, incapazes de acompanhar-lhe o passo até o último momento.

Ao mesmo tempo, aliás, manifestaram-se sinais espontâneos de otimismo. Foi assim que se registrou uma redução sensível dos preços. Do ponto de vista puramente econômico, esse movimento não se explicava. As dificuldades continuavam as mesmas, as formalidades da quarentena tinham sido mantidas nas portas e o abastecimento estava longe de ter melhorado. Assistia-se, portanto, a um rendimento puramente moral, como se o recuo da peste repercutisse por toda parte. Ao mesmo tempo, o otimismo dominava aqueles que viviam antes em grupos e que a peste tinha obrigado à separação. Os dois conventos da cidade começaram a reconstituir-se e a vida comum pôde recomeçar. O mesmo aconteceu com os militares, que se juntaram de novo nos quartéis livres e retomaram a vida normal da guarnição. Esses pequenos fatos eram grandes indícios.

A população viveu nessa agitação secreta até 25 de janeiro. Naquela semana as estatísticas caíram tanto que, após consultar a comissão médica, a Prefeitura anunciou que a epidemia podia considerar-se erradicada. O comunicado acrescentava, é bem verdade, que, por uma questão de prudência que não podia deixar de ser aprovada pela população, as portas da cidade continuariam fechadas durante mais duas semanas e as medidas profiláticas seriam mantidas por mais um mês. Durante esse período, ao menor sinal de que o perigo podia recomeçar, "o status quo devia ser mantido e as medidas prolongadas". Todos, no entanto, concordariam em considerar essas determinações mera formalidade, e, na noite de 25 de janeiro, uma alegre agitação encheu a cidade. Para se associar à alegria geral, o prefeito deu ordem para que fosse restabelecida a iluminação do tempo de saúde. Nas ruas iluminadas, sob um céu frio e puro, os nossos concidadãos espalharam-se então em grupos risonhos e ruidosos.

Naturalmente, em muitas casas as persianas continuaram fechadas e famílias passaram em silêncio essa vigília que outros encheram de gritos. No entanto, para muitos desses seres enlutados, o alívio também era profundo, quer pelo fato de que o medo de ver arrebatados outros parentes se acalmasse enfim, quer porque o sentimento de autopreservação deixasse de estar em alerta. Mas as famílias que se esquivaram mais à alegria geral foram, sem dúvida, as que nesse mesmo momento tinham um doente se debatendo contra a peste num hospital e que, nas casas de quarentena ou em suas próprias casas, esperavam que o flagelo acabasse verdadeiramente com eles como tinha acabado com outros. Essas concebiam, é claro, a esperança, mas faziam dela uma provisão que guardavam de reserva e proibiam-se de se servir dela antes de terem realmente esse direito. E essa expectativa, essa vigília silenciosa, situada entre a agonia e o júbilo, parecia-lhes ainda mais cruel em meio ao regozijo geral.

Essas exceções, contudo, nada tiravam à satisfação dos outros. Sem dúvida, a peste não tinha ainda acabado, e viria a prová-lo. No entanto, já em todos os espíritos, com algumas semanas de antecedência, os trens partiam, apitando sobre as intermináveis vias férreas, e os navios sulcavam os mares luminosos. No dia seguinte os espíritos estariam mais calmos e as dúvidas renasceriam. No momento, porém, a cidade inteira animava-se e abandonava os lugares fechados, sombrios e imóveis onde atirara suas raízes de pedra e punha-se, enfim, em marcha com a sua carga de sobreviventes. Nessa noite, Tarrou e Rieux, Rambert e os outros caminhavam no meio da multidão e também eles sentiam faltar-lhes o chão debaixo dos pés. Muito tempo depois de terem saído das avenidas, Tarrou e Rieux ainda ouviam a alegria persegui-los, na própria hora em que, nas ruelas desertas, passavam por janelas de persianas corridas. E, até por causa de seu cansaço, não podiam separar esse sofrimento, que se prolongava por detrás das janelas, da alegria que enchia as ruas um pouco adiante. A libertação que se aproximava tinha um semblante mesclado de risos e de lágrimas.

Num instante em que o rumor se tornou mais forte e mais alegre, Tarrou parou. Na rua sombria, uma forma corria célere. Era um gato, o primeiro que se via desde a primavera. Imobilizou-se por um momento no meio do asfalto, hesitou, lambeu a pata, passou-a rapidamente sobre a orelha direita, retomou a corrida silenciosa e desapareceu na noite. Tarrou sorriu. O velhinho também ficaria contente.

Mas, quando a peste parecia afastar-se para voltar ao covil desconhecido de onde saíra em silêncio, havia pelo menos alguém na cidade que esta partida lançava na consternação. A acreditar nos cadernos de Tarrou, esse alguém era Cottard.

A bem dizer, os cadernos tornam-se bastante estranhos a partir do momento em que a estatística começa a baixar. Talvez pelo cansaço, o certo é que a letra se torna legível e ele passa com excessiva frequência de um assunto a outro. Além disso, e pela primeira vez, esses cadernos deixam de ser objetivos e dão lugar a considerações pessoais. Encontra-se assim, no meio de longos trechos sobre o caso de Cottard, um pequeno relato sobre o velho dos gatos. A acreditar em Tarrou, a peste nunca diminuíra a consideração dele por esse personagem, que o interessava depois da epidemia como o havia interessado antes, e, infelizmente, não poderia mais interessá-lo, embora a sua própria benevolência, dele, Tarrou, não estivesse em jogo.

Porque ele tinha procurado revê-lo. Alguns dias depois da noite de 25 de janeiro, tinha ido postar-se na esquina da pequena rua. Os gatos estavam lá, aquecendo-se nas réstias de sol, fiéis ao antigo lugar de encontro. Mas, na hora habitual, as janelas continuaram teimosamente fechadas. No decurso dos dias seguintes, Tarrou nunca as viu abertas. Disto concluíra, curiosamente, que o velho estava ofendido ou morto: se estava ofendido, é porque pensava ter razão e que a peste o enganara; mas, se tinha morrido, era preciso perguntar a seu respeito, como a respeito do velho asmático, se fora um santo. Tarrou não achava, mas pensava que havia no caso do velho uma "indicação".

"Talvez", observavam os seus cadernos, "não se possa atingir senão aproximações de santidade. Nesse caso, seria necessário contentarmo-nos com um satanismo modesto e caridoso."

Sempre entremeadas de observações relativas a Cottard, encontram-se também nos cadernos numerosas observações dispersas, algumas dizendo respeito a Grand (agora convalescente e que tinha voltado ao trabalho como se nada tivesse acontecido) e outras evocando a mãe do Dr. Rieux. As poucas conversas que a convivência autorizava entre esta e Tarrou, as atitudes da velha senhora, seu sorriso, seus comentários sobre a peste são escrupulosamente anotados. Tarrou insistia sobretudo no retraimento da Sra. Rieux; na maneira como ela exprimia tudo em frases simples; no gosto particular que mostrava por certa janela que dava para a rua calma e junto à qual ela se sentava à noite, um pouco reta, com as mãos tranquilas e o olhar atento, até que o crepúsculo invadisse a sala, fazendo dela uma sombra negra na luz cinzenta que avançava pouco a pouco e dissolvia então a silhueta imóvel; na ligeireza com que se deslocava de um aposento a outro; na bondade de que nunca dera provas precisas diante de Tarrou, mas cujo brilho ele julgava ver transparecer em tudo o que dizia ou fazia; no fato, enfim, de que, segundo ele, ela sabia tudo sem nunca refletir, e, com tanto silêncio e sombra, conseguia ficar à altura de qualquer luz, até mesmo a da peste. Neste ponto, a letra de Tarrou mostrava estranhos sinais de abatimento. As linhas que se seguiam eram quase ilegíveis, e, como para dar uma nova prova desse abatimento, as últimas palavras eram as primeiras que tinham um caráter pessoal: "Minha mãe era assim; eu apreciava nela a mesma reserva e foi a ela que sempre quis me juntar. Há oito anos, não posso dizer que ela tenha morrido. Apagou-se apenas um pouco mais que de costume e, quando regressei, já não estava mais lá."

Mas é preciso voltar a Cottard. Desde que a estatística baixara, fizera várias visitas a Rieux, invocando diversos pretextos. Na realidade, porém, pedia sempre a Rieux prognósticos sobre a evolução da epidemia. Acha que ela pode parar assim, de repente, sem aviso? Era cético sobre este ponto, ou pelo menos assim o declarava. Mas as perguntas repetidas que formulava pareciam revelar uma convicção menos firme. Por volta de meados de janeiro, Rieux tinha respondido de forma bastante otimista. E, a cada vez, essas respostas, em vez de alegrarem Cottard, tinham-lhe provocado reações variáveis segundo os dias, mas que iam do mau humor ao abatimento. Seguidamente, o médico tinha sido levado a dizer-lhe, a despeito das indicações favoráveis dadas pelas estatísticas, que era melhor não cantar vitória ainda.

— Em outras palavras — observara Cottard —, nada se sabe e a coisa pode recomeçar de um dia para o outro?

— Sim, como também é possível que o movimento de cura se acelere.

Essa incerteza, inquietante para todos, aliviara visivelmente Cottard e, diante de Tarrou, ele travara com os comerciantes do seu bairro conversas em que tentava propagar a opinião de Rieux. É verdade que não tinha dificuldade em fazê-lo, já que, depois da febre das primeiras vitórias, voltara a muitos espíritos uma dúvida que devia sobreviver à excitação causada pela declaração da Prefeitura. Cottard tranquilizava-se com o espetáculo dessa inquietação, do mesmo modo que de outras vezes também desanimava. "Sim", dizia ele a Tarrou, "vão acabar abrindo as portas. E, vai ver, todos vão me abandonar!"

Até 25 de janeiro, todos notaram a instabilidade de seu caráter. Durante dias inteiros, depois de ter procurado por tanto tempo conciliar-se com seu bairro e com seus conhecidos, rompia com eles. Aparentemente, pelo menos, retirava-se então do mundo e, de um dia para o outro, punha-se a viver como selvagem. Não o viam no restaurante, nem no teatro, nem nos cafés de que gostava. E, no entanto, não parecia voltar à vida comedida e obscura que levava antes da epidemia. Vivia completamente retirado em seu apartamento e mandava vir as refeições de um restaurante vizinho. Só ao fim da tarde dava saídas furtivas, comprando aquilo de que necessitava, saindo das lojas para se lançar em ruas solitárias. Se Tarrou o encontrava então, só conseguia arrancar-lhe monossílabos. Depois, sem transição, encontravam-no sociável, falando amplamente da peste, solicitando a opinião de cada um e mergulhando todas as noites, com complacência, na vaga da multidão.

No dia da declaração da Prefeitura, Cottard saiu completamente de circulação. Dois dias depois Tarrou encontrou-o vagando pelas ruas. Cottard pediu-lhe que o acompanhasse até o subúrbio. Tarrou, que se sentia particularmente cansado, hesitou. Mas o outro insistiu. Parecia muito agitado, gesticulando de maneira desordenada, falando depressa e alto. Perguntou ao companheiro se pensava que a declaração da Prefeitura punha realmente termo à peste. Na verdade, Tarrou considerava que uma declaração administrativa não bastava, por si só, para deter um flagelo, mas era válido pensar que a epidemia, salvo qualquer imprevisto, ia cessar.

— Sim — disse Cottard —, salvo qualquer imprevisto. E há sempre o imprevisto.

Tarrou fez-lhe notar que, aliás, a Prefeitura tinha previsto, de certa forma, o imprevisto, uma vez que instituíra o prazo de duas semanas para a abertura das portas.

— E fez bem — disse Cottard, sempre taciturno e agitado —, pois, da maneira como vão as coisas, bem podia ter falado em vão.

Tarrou considerava isso possível, mas pensava que, no entanto, era melhor prever a próxima abertura das portas e o retorno à vida normal.

— Admitamos — disse-lhe Cottard —, admitamos. Mas o que chama de retorno a uma vida normal?

— Novos filmes no cinema — respondeu Tarrou, sorrindo.

Mas Cottard não sorria. Queria saber se podia pensar que a peste não mudaria nada na cidade e que tudo recomeçaria como antes, isto é, como se nada tivesse acontecido. Tarrou pensava que a peste mudaria e não mudaria a cidade; que, na verdade, o mais forte desejo dos nossos concidadãos era e seria agir como se nada tivesse mudado e que, portanto, nada, em certo sentido, seria mudado, mas que, em outro sentido, não se pode esquecer tudo, mesmo com toda a força de vontade, e a peste deixaria vestígios, pelo menos nos corações. O pequeno capitalista declarou abertamente que não se interessava pelo coração e, até mesmo, que o coração era a última de suas preocupações. O que lhe interessava era saber se a organização em si não seria transformada, se, por exemplo, todos os serviços funcionariam como no passado. E Tarrou teve de admitir que nada sabia. Segundo ele, era necessário supor que todos esses serviços, perturbados durante a epidemia, teriam uma certa dificuldade em se restabelecer. Podia-se, também, admitir que surgiriam muitos outros problemas que tornariam necessária, pelo menos, uma reorganização dos antigos serviços.

— Ah! — disse Cottard. — É possível, com efeito. Todos terão de recomeçar tudo.

Os dois chegaram perto da casa de Cottard. Este se animara, esforçando-se por se mostrar otimista. Imaginava a cidade começando a viver de novo, apagando o seu passado para recomeçar do nada.

— Bem — disse Tarrou. — Afinal, talvez as coisas se arranjem para você também. De certa forma, é uma vida nova que vai começar.

Estavam diante da porta e apertavam-se as mãos.

— Tem razão — disse Cottard, cada vez mais agitado. — Começar do zero seria uma boa coisa.

Mas, da sombra do corredor, surgiram dois homens. Tarrou mal teve tempo de ouvir o companheiro perguntar o que queriam aqueles dois sujeitos. Os sujeitos, que tinham o ar de funcionários endomingados, perguntaram, na verdade, a Cottard se ele se chamava efetivamente Cottard, e este, soltando uma espécie de exclamação surda, girou sobre si mesmo e logo mergulhava na noite, sem que os outros nem Tarrou tivessem tempo de esboçar um gesto. Passada a surpresa, Tarrou perguntou aos dois homens o que desejavam. Assumiram um ar reservado e cortês para dizer que se tratava de informações e partiram calmamente na direção que Cottard tomara.

Ao chegar em casa, Tarrou relatou esta cena e logo (a letra provava-o bem) anotava o seu cansaço. Acrescentou que ainda havia muito a fazer, mas que isso não era razão para não se estar pronto, e perguntava a si mesmo se, justamente, estava pronto. Respondia, por fim — e é aqui que os cadernos de Tarrou terminam —, que havia sempre uma hora do dia e da noite em que um homem era covarde e que ele só tinha medo dessa hora.

Menos de 48 horas depois, a poucos dias da abertura das portas, o Dr. Rieux voltava para casa ao meio-dia e perguntava a si mesmo se iria encontrar o telegrama que esperava. Embora os seus dias fossem ainda tão exaustivos como no auge da peste, a expectativa da libertação definitiva tinha dissipado nele qualquer cansaço. Agora tinha esperança e alegrava-se com isso. Não se pode manter indefinidamente a vontade em estado de tensão, e é uma felicidade poder enfim, na efusão, desatar esse feixe de forças trançadas para a luta. Se o telegrama esperado fosse, ele também, favorável, Rieux poderia recomeçar. Ele era de opinião que todos recomeçariam.

Passou diante do cubículo da entrada. O novo porteiro, com o rosto colado na vidraça, sorria-lhe. Ao subir as escadas, Rieux revia aquele rosto empalidecido pela fadiga e pela privação.

Sim, recomeçaria quando a abstração tivesse acabado, e com um pouco de sorte... No mesmo momento em que abrira a porta, sua mãe vinha ao seu encontro, para anunciar que o Sr. Tarrou não se sentia bem. Levantara-se de manhã, mas não tinha conseguido sair e acabava de se deitar de novo. A Sra. Rieux estava inquieta.

— Talvez não seja nada de grave — disse o filho.

Tarrou estava estendido, com a pesada cabeça enterrada no travesseiro, o peito forte desenhando-se sob a espessura dos cobertores. Estava com febre, doía-lhe a cabeça. Disse a Rieux que se tratava de sintomas vagos que podiam também ser os da peste.

— Não, nada de preciso por enquanto — disse Rieux, depois de examiná-lo.

Mas Tarrou sentia-se devorado pela sede. No corredor, o médico disse à mãe que podia ser o começo da peste.

— Oh! — disse ela. — Não é possível, logo agora! — E a seguir: — Vamos deixá-lo ficar, Bernard.

Rieux refletia.

— Não tenho esse direito — disse ele. — Mas as portas vão se abrir. Creio que seria esse o primeiro direito que eu tomaria para mim se você não estivesse aqui.

— Bernard — disse ela —, deixe-nos, os dois. Bem sabe que acabo de ser vacinada mais uma vez.

O médico disse que também Tarrou o fora, mas que, talvez pelo cansaço, devia ter deixado de tomar a última injeção de soro e esquecera algumas precauções.

Rieux já se dirigia ao escritório. Quando voltou ao quarto, Tarrou viu que trazia as enormes ampolas de soro.

— Ah, é isso — disse ele.

— Não, mas é uma precaução.

Como única resposta, Tarrou estendeu o braço e recebeu a interminável injeção que ele próprio tinha dado a outros doentes.

— Veremos esta tarde — disse Rieux, olhando para Tarrou de frente.

— E o isolamento, Rieux?

— Não sabemos ao certo se você tem a peste.

Tarrou sorriu com esforço.

— É a primeira vez que vejo injetar um soro sem se determinar ao mesmo tempo o isolamento.

— Mas mamãe e eu trataremos de você. Estará melhor aqui.

Tarrou calou-se e o médico, que arrumava as ampolas, esperou que ele falasse para se voltar. Por fim, dirigiu-se ao leito. O doente olhava para ele. Tinha o rosto cansado, mas os olhos cinzentos estavam serenos. Rieux sorriu-lhe.

— Veja se consegue dormir. Volto daqui a pouco.

À porta, ouviu a voz de Tarrou, que o chamava. Voltou-se para ele.

Mas Tarrou parecia debater-se contra a própria expressão do que tinha a dizer.

— Rieux — articulou, por fim —, quero que me diga tudo. Tenho necessidade de sabê-lo.

— Prometo.

O rosto maciço do outro contraiu-se num sorriso.

— Obrigado. Não tenho vontade de morrer e vou lutar. Mas, se a partida estiver perdida, quero ter um bom fim.

Rieux abaixou-se e apertou-lhe o ombro.

— Não — disse. — Para se ser santo, é preciso viver. Lute.

Durante o dia, o frio, que tinha sido intenso, diminuiu um pouco, para dar lugar, à tarde, a violentas tempestades de chuva e de granizo. Ao crepúsculo, o céu se descobriu um pouco e o frio tornou-se mais penetrante. Rieux voltou para casa no fim da tarde. Sem tirar o sobretudo, entrou no quarto do amigo. Sua mãe fazia tricô. Tarrou parecia não ter saído do mesmo lugar, mas os lábios, descorados pela febre, diziam da luta que ele travava.

— Então? — perguntou o médico.

Tarrou encolheu um pouco, fora do leito, os seus ombros fortes.

— Então — disse ele — estou perdendo a partida.

O médico curvou-se sobre ele. Tinham-se formado gânglios sob a pele ardente, o peito parecia ressoar com todos os ruídos de uma forja subterrânea. Curiosamente, Tarrou apresentava as duas espécies de sintomas. Ao erguer-se, Rieux disse que o soro ainda não tivera tempo de produzir todo o seu efeito. Mas uma onda de febre que veio rolar na sua garganta afogou as poucas palavras que Tarrou tentou pronunciar.

Depois do jantar, Rieux e a mãe vieram instalar-se junto do doente. A noite começava para ele na luta e Rieux sabia que esse duro combate com o anjo da peste devia durar até o amanhecer. Os sólidos ombros e o vasto peito de Tarrou não eram as suas melhores armas, mas antes de tudo esse sangue que Rieux fizera brotar ainda agora sob a agulha e, nesse sangue, o que era mais interior que a alma e que nenhuma ciência podia trazer à luz. E ele nada podia fazer além de ver o amigo lutar. O que ia fazer, os abscessos que devia provocar, os tônicos que era preciso inocular, vários meses de fracassos repetidos, tinham-lhe ensinado a apreciar-lhes a eficácia. Sua única tarefa, na verdade, era dar oportunidade a esse acaso que tantas vezes só age quando provocado. Era preciso que o acaso se desse ao trabalho de manifestar-se. Porque Rieux encontrava-se diante de uma face da peste que o desconcertava. Uma vez mais, ela se dedicava a despistar as estratégias erguidas contra ela, aparecia nos lugares onde não era esperada para desaparecer daqueles onde parecia já instalada. Uma vez mais, dedicava-se a causar espanto.

Tarrou lutava, imóvel. Nem uma única vez, durante a noite, opôs a agitação aos assaltos do mal, combatendo apenas com toda a sua solidez e todo o seu silêncio. Mas também não falou uma única vez, confessando assim, à sua maneira, que a distração já não lhe era possível. Rieux seguia apenas as fases do combate pelos olhos do amigo, ora abertos, ora fechados, com as pálpebras mais apertadas contra o globo ocular ou, pelo contrário, distendidas, o olhar fixo num objeto ou voltado para o médico e a mãe dele. A cada vez que Rieux encontrava esse olhar, Tarrou sorria, com grande esforço.

Em certo momento, ouviram-se passos precipitados na rua. Pareciam fugir diante de um rumor longínquo, que se aproximou pouco a pouco e acabou enchendo a rua com o seu desabamento: a chuva recomeçava, logo mesclada ao granizo que estalava nas calçadas. Os grandes cortinados ondularam diante das janelas. Na escuridão do quarto, Rieux, um instante distraído pela chuva, contemplava novamente Tarrou, iluminado por uma lâmpada de cabeceira. Sua mãe tricotava, levantando a cabeça de vez em quando para olhar atentamente para o doente. O médico tinha agora feito tudo o que havia a fazer. Depois da chuva, o silêncio tornou-se mais espesso no quarto, cheio apenas do mudo tumulto de uma guerra invisível. Crispado pela insônia, o médico imaginava ouvir nos limites do silêncio o silvo doce e regular que o acompanhara durante toda a epidemia. Fez sinal à mãe para que fosse deitar-se. Ela recusou com a cabeça, seus olhos iluminaram-se, depois examinou cuidadosamente, na ponta das agulhas, um ponto que não lhe parecia perfeito. Rieux levantou-se para dar de beber ao doente e voltou a sentar-se.

Alguns transeuntes, aproveitando a estiada, caminhavam rapidamente na calçada. Os passos diminuíam e afastavam-se. O médico, pela primeira vez, reconheceu que essa noite, cheia de notívagos retardatários e privada das sirenes das ambulâncias, era semelhante às de outrora. Era uma noite libertada da peste. E parecia que a doença, enxotada pelo frio, pelas luzes e pela multidão, fugira das profundezas obscuras da cidade para vir refugiar-se nesse quarto quente e fazer o seu último assalto ao corpo inerte de Tarrou. O flagelo já não agitava o céu da cidade. Mas sibilava suavemente no ar pesado do quarto. Era ele que Rieux ouvia já havia algumas horas. Era necessário esperar que também lá ele parasse, que também lá a peste se declarasse vencida.

Pouco antes do amanhecer, Rieux inclinou-se para a mãe.

— Você devia deitar-se para me substituir às oito horas. Faça inalações antes de se deitar.

A Sra. Rieux levantou-se, arrumou o seu tricô e dirigiu-se para o leito. Tarrou, já havia algum tempo, mantinha os olhos fechados. O suor encaracolava-lhe os cabelos sobre a fronte dura. A Sra. Rieux suspirou e o doente abriu os olhos. Viu o rosto suave curvado para ele e, sob as ondas móveis da febre, o sorriso tenaz reapareceu ainda. Mas os olhos fecharam-se logo. Só, Rieux instalou-se na poltrona que a mãe acabava de deixar. A rua estava muda e o silêncio era agora completo. O frio da manhã começava a fazer sentir-se no quarto.

O médico cochilou, mas a primeira carroça da madrugada arrancou-o à sonolência. Sentiu um arrepio e, olhando para Tarrou, compreendeu que tinha havido uma pausa e que o doente dormia também. As rodas de madeira e de ferro da carroça rolavam ainda a distância. Lá fora, ainda estava escuro. Quando o médico avançou em direção à cama, Tarrou olhou-o com olhos sem expressão, como se ainda estivesse do lado do sono.

— Dormiu, não é verdade? — perguntou Rieux.

— Dormi.

— Está respirando melhor?

— Um pouco. Isso significa alguma coisa?

Rieux calou-se e, ao fim de um momento, disse:

— Não, Tarrou, isso não significa nada. Você conhece, como eu, a remissão matinal.

Tarrou aprovou.

— Obrigado — disse. — Responda-me sempre com essa exatidão.

Rieux tinha se sentado aos pés da cama. Sentia perto dele as pernas do doente, estendidas e duras como membros de defunto. Tarrou respirava com mais força.

— A febre vai recomeçar, não é, Rieux? — perguntou numa voz ofegante.

— Vai, mas ao meio-dia saberemos alguma coisa.

Tarrou fechou os olhos, parecendo reunir as suas forças. Lia-se nas suas feições uma expressão de cansaço. Esperava a subida da febre, que já se agitava em qualquer parte no fundo dele mesmo. Quando abriu os olhos, seu olhar era baço. Só se iluminou ao ver Rieux curvado sobre ele.

— Beba — dizia-lhe este.

O outro bebeu e voltou a deixar cair a cabeça novamente.

— Demora tanto — disse.

Rieux pegou-lhe no braço, mas Tarrou, com o olhar afastado, já não reagia. E, de repente, a febre refluiu visivelmente até a sua fronte, como se tivesse arrebentado alguma represa interior. Quando o olhar de Tarrou voltou a pousar no médico, este animava-o com o rosto tenso. O sorriso que Tarrou tentou novamente esboçar não conseguiu passar dos maxilares cerrados e dos lábios cimentados por uma espuma esbranquiçada. Mas, na face endurecida, os olhos brilharam ainda com todo o fulgor da coragem.

Às sete horas, a Sra. Rieux entrou no quarto. O médico dirigiu-se ao escritório para telefonar para o hospital e providenciar sua substituição. Decidiu, também, adiar as consultas, deitou-se um momento no divã mas levantou-se logo e voltou ao quarto. Tarrou tinha a cabeça voltada para a Sra. Rieux. Olhava para a pequena sombra abatida perto dele, numa cadeira, com as mãos juntas sobre as coxas. E contemplava-a com tanta intensidade que a Sra. Rieux, pondo um dedo sobre os lábios, levantou-se para apagar a lâmpada de cabeceira. Mas, por trás das cortinas, o dia filtrava-se rapidamente e, pouco a pouco, quando as feições do doente emergiram da sombra, a Sra. Rieux pôde ver que ele continuava a olhá-la. Curvou-se sobre ele, endireitou o travesseiro e, ao levantar-se, pousou um instante a mão sobre os cabelos úmidos e emaranhados. Ouviu, então, uma voz abafada, vinda de longe, dizer-lhe obrigado e que tudo agora ia bem. Quando ela se sentou de novo, Tarrou fechara os olhos, e o rosto esgotado, apesar da boca lacrada, parecia sorrir de novo.

Ao meio-dia, a febre chegava ao máximo. Uma espécie de tosse visceral sacudia o corpo do doente, que começou a escarrar apenas sangue. Os gânglios tinham parado de inchar. Continuavam lá, duros como porcas atarraxadas no vão das articulações, e Rieux julgou impossível abri-los. Nos intervalos da febre e da tosse, Tarrou vez ou outra olhava ainda para os amigos. Mas logo os olhos começaram a abrir-se cada vez menos e a luz que vinha agora iluminar-lhe o rosto devastado tornava-se cada vez mais pálida. A tempestade que sacudia o seu corpo com sobressaltos convulsivos iluminava-o de relâmpagos cada vez mais raros, e Tarrou estava à deriva, lentamente, no fundo dessa tormenta. Rieux já não tinha diante de si senão uma máscara agora inerte, de onde o sorriso tinha desaparecido. Essa forma humana que lhe fora tão próxima, crivada agora de golpes de lança, queimada por um mal sobre-humano, retorcida pelos ventos rancorosos do céu, mergulhava diante de seus olhos nas águas da peste e ele nada podia contra esse naufrágio. Tinha de ficar na margem, com as mãos vazias e o coração oprimido, sem armas e sem recursos, uma vez mais, contra esse desastre. E, no fim, foram efetivamente as lágrimas da impotência que impediram Rieux de ver Tarrou encostar-se bruscamente na parede e expirar, num lamento surdo, como se em qualquer parte dentro dele uma corda essencial se tivesse rompido.

A noite que se seguiu não foi a da luta, mas a do silêncio. Nesse quarto separado do mundo, acima do corpo morto agora vestido, Rieux sentiu pairar a calma surpreendente que muitas noites antes, nos terraços por cima da peste, se seguira ao ataque às portas. Já naquela época, tinha pensado nesse silêncio que se elevava dos leitos onde ele deixara morrer homens. Em todo lugar era a mesma pausa, o mesmo intervalo solene, sempre o mesmo sossego que se seguia aos combates, era o silêncio da derrota. Quanto a esse que envolvia agora o amigo, era tão compacto, moldava-se tão estreitamente ao silêncio das ruas e da cidade libertada da peste, que Rieux sentia efetivamente que se tratava, dessa vez, da derrota definitiva, a que termina as guerras e faz da própria paz um sofrimento incurável. O médico não sabia se, para acabar, Tarrou tinha encontrado a paz, mas pelo menos nesse momento julgava saber que nunca haveria a possibilidade de paz para si mesmo, assim como não há armistício para a mãe amputada do filho ou para o homem que enterra o amigo.

Lá fora era a mesma noite fria, estrelas geladas num céu claro e gélido. No quarto semiobscuro, sentia-se o frio que pesava nas vidraças, a grande respiração lívida de uma noite polar. Perto do leito, a Sra. Rieux estava sentada, na sua atitude familiar, com o lado direito iluminado pela lâmpada de cabeceira. No centro do quarto, longe da luz, Rieux esperava na sua poltrona. A lembrança de sua mulher o atraía, mas ele repelia-a sempre.

No princípio da noite, os saltos dos sapatos dos transeuntes soaram nitidamente na noite fria.

— Tratou de tudo? — perguntara a Sra. Rieux.

— Sim, já telefonei.

Então retomaram a vigília silenciosa. A Sra. Rieux olhava de vez em quando para o filho. Quando ele surpreendia um desses olhares, sorria. Os ruídos familiares da noite tinham se sucedido na rua. Embora não houvesse ainda autorização, muitos veículos circulavam de novo. Sugavam rapidamente o asfalto, desapareciam e reapareciam em seguida. Vozes, chamados, o silêncio que voltava, trotes de cavalo, dois bondes rangendo numa curva, rumores imprecisos — e de novo a respiração da noite.

— Bernard!

— Que é?

— Não está cansado?

— Não.

Ele sabia o que a mãe pensava e que nesse momento ela o amava. Mas sabia também que não é grande coisa amar um ser, ou que, pelo menos, um amor não é nunca bastante forte para encontrar a sua própria expressão. Assim, sua mãe e ele se amariam sempre em silêncio. E ela morreria por sua vez — ou ele — sem que, durante toda a vida, tivessem conseguido ir mais longe na confissão da sua ternura. Da mesma forma, ele tinha vivido ao lado de Tarrou e essa noite ele morrera sem que sua amizade tivesse tido tempo de ser verdadeiramente vivida. Tarrou perdera a partida, como ele dizia. Mas ele, Rieux, o que tinha ganhado? Lucrara apenas por ter conhecido a peste e lembrar-se dela, ter conhecido a amizade e lembrar-se dela, conhecer a ternura e haver de um dia lembrar-se dela. Tudo o que o homem podia ganhar no jogo da peste e da vida era o conhecimento e a memória. Talvez fosse isso o que Tarrou chamava ganhar a partida!

De novo, um carro passou e a Sra. Rieux mexeu-se um pouco na cadeira. O filho sorriu-lhe. Ela disse-lhe que não estava cansada e logo a seguir acrescentou:

— Precisa ir descansar na montanha.

— É claro, mamãe.

Sim, iria descansar lá. Por que não? Seria também um pretexto para recordar. Mas se era isso ganhar a partida, como devia ser duro viver apenas com o que se sabe e aquilo de que se tem lembrança, privado do que se espera! Era assim, sem dúvida, que Tarrou tinha vivido, e ele tinha consciência de quanto é estéril uma vida sem ilusões. Não há paz sem esperança, e Tarrou, que recusava aos homens o direito de condenar quem quer que fosse, que sabia, contudo, que ninguém pode impedir-se de condenar e que até as vítimas se encontravam, às vezes, no papel de carrascos, Tarrou tinha vivido no sofrimento e na contradição, jamais conhecera a esperança. Seria por isso que ele tinha querido a santidade e buscara a paz a serviço dos homens? Na verdade, Rieux nada sabia, e isso pouco lhe importava. As únicas imagens de Tarrou que conservaria seriam as de um homem que pegava no volante do seu carro com mãos firmes para dirigi-lo, ou as desse corpo espesso estendido agora, sem movimento. Um calor de vida e uma imagem de morte, era isso o conhecimento.

Eis por que, sem dúvida, o Dr. Rieux recebeu com calma, de manhã, a notícia da morte de sua mulher. Estava no escritório. A mãe chegara, quase correndo, para trazer-lhe um telegrama, depois saíra para dar a gorjeta ao mensageiro. Quando voltou, o filho tinha na mão o telegrama aberto. Ela olhou para ele que, no entanto, contemplava obstinadamente pela janela uma manhã magnífica que se erguia sobre o porto.

— Bernard — disse a Sra. Rieux.

O médico olhou-a com ar distraído.

— O telegrama? — perguntou ela.

— É isso — reconheceu o médico. — Há oito dias.

A Sra. Rieux voltou a cabeça para a janela. O médico continuava calado. Depois pediu à mãe que não chorasse, que ele já esperava, mas que era difícil, apesar de tudo. Simplesmente, ao dizer isso, sabia que o seu sofrimento era sem surpresa. Havia meses e havia dois dias, era a mesma dor que continuava.

As portas da cidade abriram-se, afinal, na madrugada de uma bela manhã de fevereiro, saudadas pelo povo, pelos jornais, pelo rádio e pelos comunicados da Prefeitura. Resta, pois, ao narrador fazer-se o cronista das horas de alegria que se seguiram a essa abertura das portas, embora ele próprio estivesse entre os que não tinham a liberdade de se juntar a elas inteiramente.

Grandes festejos estavam organizados para o dia e para a noite. Ao mesmo tempo, os trens começavam a fumegar na estação, enquanto, vindos de mares longínquos, os navios já entravam no porto, acentuando, à sua maneira, que esse dia era para todos os que gemiam por estarem separados, o da grande reunião.

Se imaginará facilmente aqui o que pôde tornar-se o sentimento da separação que tinha habitado tantos dos nossos concidadãos. Os trens que, durante o dia, entraram na nossa cidade não vinham menos cheios que os que dela saíram. Todos tinham reservado o seu lugar para esse dia, no decurso de duas semanas de sursis, temendo que, no último momento, a decisão da Prefeitura fosse anulada. Alguns dos viajantes que se aproximavam da nossa cidade não vinham, aliás, inteiramente livres da sua apreensão, já que, se conheciam por alto o destino daqueles que os tocavam de perto, ignoravam tudo dos outros e da cidade em si, à qual atribuíam uma fisionomia terrível. Mas isto só era verdade para aqueles que a paixão não tinha queimado durante todo esse espaço de tempo.

Na verdade, os apaixonados estavam entregues à sua ideia fixa. Uma única coisa mudara para eles: esse tempo que, durante os meses do exílio, teriam desejado empurrar para que se apressasse, que se empenhavam em acelerar, agora que já se encontravam diante da nossa cidade desejaram pelo contrário, freá-lo, e mantê-lo suspenso desde que o trem começava a reduzir a marcha antes da parada. O sentimento ao mesmo tempo vago e agudo que havia neles, de todos esses meses de vida perdidos para o amor, fazia-os exigir confusamente uma espécie de compensação, pela qual o tempo da alegria teria corrido duas vezes mais devagar que o da espera. E aqueles que os esperavam num quarto ou no cais, como Rambert, cuja mulher, avisada semanas antes, fizera o necessário para chegar, encontravam-se na mesma impaciência e no mesmo tumulto. Porque esse amor ou essa ternura que os meses da peste tinham reduzido à abstração Rambert esperava, num tremor, confrontá-los com o ser de carne que tinha sido o seu sustentáculo.

Teria desejado voltar a ser aquele que, no princípio da epidemia, queria correr, com um único impulso, para fora da cidade e atirar-se ao encontro daquela que amava. Mas sabia que isso não era mais possível. Ele mudara, a peste tinha deixado nele uma distração que com todas as suas forças tentava negar e que, entretanto, continuava nele como uma angústia surda. De certa forma, tinha o sentimento de que a peste terminara com demasiada brutalidade, de que não recuperara a sua presença de espírito. A felicidade chegava com todo o ímpeto, o acontecimento ia mais depressa que a expectativa. Rambert compreendia que tudo lhe seria devolvido de uma vez e que a alegria é uma queimadura que não se saboreia.

Todos, aliás, mais ou menos conscientemente, estavam como ele, e é de todos que é preciso falar. Na plataforma da estação onde recomeçavam a sua vida pessoal, sentiam ainda a sua comunhão, trocando entre si olhares e sorrisos. Mas o sentimento de exílio, desde que viram a fumaça do trem, apagou-se bruscamente sob a tempestade de uma alegria confusa e perturbadora. Quando o trem parou, separações intermináveis, que em muitos casos tinham começado nessa mesma plataforma de estação, ali terminaram, num segundo, no momento em que braços se fecharam com uma avareza exultante sobre corpos cuja forma viva tinham esquecido. Rambert, por sua vez, mal teve tempo de olhar essa forma que corria para ele e já ela se abatia contra o seu peito. E, segurando-a com a força dos seus braços, apertando contra si uma cabeça de que só via os cabelos familiares, deixou correr as lágrimas, sem saber se elas vinham da felicidade presente ou de uma dor por muito tempo reprimida, seguro, pelo menos, de que elas o impediriam de verificar se esse rosto enterrado no seu ombro era aquele com que tanto sonhara ou, pelo contrário, o de uma desconhecida. Saberia mais tarde se a sua suspeita era verdadeira. Por ora, queria fazer como todos os que à sua volta pareciam acreditar que a peste podia chegar e voltar a partir sem que o coração dos homens mudasse com isso.

Apertados uns contra os outros, todos voltaram então para casa, alheios ao resto do mundo, aparentemente vencedores da peste, esquecidos de toda a desgraça e daqueles que, vindos no mesmo trem, não tinham encontrado ninguém e se dispunham a receber em casa a confirmação dos temores que um longo silêncio já fizera nascer nos corações. Para estes últimos, que não tinham agora por companhia senão a dor muito recente, para outros que se consagravam, nesse momento, à recordação de um ser desaparecido, tudo se passava de modo muito diferente e o sentimento da separação tinha atingido o auge. Para esses — mães, esposos, amantes que tinham perdido toda a alegria com o ser agora abandonado numa cova anônima ou fundido num monte de cinza — era ainda a peste.

Mas quem pensava nessas solidões? Ao meio-dia, o sol, dominando os sopros frios que lutavam no ar desde a manhã, despejava sobre a cidade os jorros ininterruptos de uma luz imóvel. O dia estava suspenso. Os canhões dos fortes, no topo das colinas, trovejavam sem cessar no céu firme. Toda a cidade lançou-se às ruas para festejar esse minuto em que acabava o tempo dos sofrimentos e ainda não começara o tempo do esquecimento.

Dançava-se em todas as praças. De um dia para o outro, o trânsito tinha aumentado consideravelmente e os carros, agora mais numerosos, circulavam com dificuldade nas ruas invadidas. Os sinos da cidade repicaram toda a tarde, enchendo com as suas vibrações um céu azul e dourado. Na verdade, nas igrejas rezavam-se ações de graças. Mas, ao mesmo tempo, os lugares de prazer transbordavam e os cafés, sem se preocuparem com o futuro, distribuíam as suas últimas doses de bebida. Diante dos balcões comprimia-se uma multidão de pessoas igualmente agitadas e, entre elas, numerosos pares enlaçados que não receavam exibir-se. Todos gritavam ou riam. A provisão de vida que tinham feito durante esses meses em que cada um tinha velado sua alma, gastavam-na nesse dia, que era como o dia da sua sobrevivência. No dia seguinte começaria a vida propriamente, com as suas precauções. No momento, pessoas de origens mais diversas acotovelavam-se e confraternizavam. A igualdade que a presença da morte não tinha realizado de fato, estabelecia-a a alegria da libertação, ao menos por algumas horas.

Mas essa exuberância banal não dizia tudo, e os que enchiam as ruas ao fim da tarde, ao lado de Rambert, disfarçavam muitas vezes, sob uma atitude plácida, felicidades mais delicadas. Muitos casais e muitas famílias pareciam apenas transeuntes pacíficos. Na realidade, a maior parte efetuava peregrinações aos lugares onde tinham sofrido. Tratava-se de mostrar aos recém-chegados os sinais evidentes ou ocultos da peste, os vestígios da sua história. Em alguns casos, contentavam-se com o papel de guias, daquele que viu muitas coisas, do contemporâneo da peste, e falavam do perigo sem evocar o medo. Esses prazeres eram inofensivos. Em outros casos, porém, tratava-se de itinerários mais frementes, em que um amante, abandonado à doce angústia da recordação, podia dizer à sua companheira: "Neste lugar, nessa época, eu desejei você, e você não estava aqui." Esses turistas da paixão eram então facilmente reconhecíveis: formavam ilhotas de sussurros e de confidências no meio do tumulto em que caminhavam. Mais que as orquestras nas praças, eram eles que anunciavam a verdadeira libertação. Porque esses casais encantados, estreitamente enlaçados e avarentos de palavras, afirmavam, no meio do tumulto, com todo o triunfo e toda a injustiça da felicidade, que acabara a peste e o terror chegara ao fim. Negavam tranquilamente, contra toda a evidência, que tivéssemos jamais conhecido esse mundo insensato em que o assassinato de um homem era tão quotidiano quanto o das moscas, essa selvageria bem definida, esse delírio calculado, essa prisão que trazia consigo uma pavorosa liberdade em relação a tudo o que não era o presente, esse cheiro de morte que entorpecia todos aqueles a quem não matava — negavam, enfim, que tivéssemos sido esse povo atordoado de que todos os dias uma parte, empilhada na boca de um forno, se evaporava em fumaça gordurosa, enquanto a outra, carregada com as correntes da impotência e do medo, esperava a sua vez.

Era isso, em todo caso, o que saltava aos olhos do Dr. Rieux, que, procurando alcançar os subúrbios, caminhava só, ao fim da tarde, em meio aos sinos, ao canhão, às músicas e aos gritos ensurdecedores. O seu trabalho continuava; para médicos, não há férias. Na bela luz purificada que descia sobre a cidade subiam os velhos odores de carne assada, álcool, anis. À sua volta, faces risonhas voltavam-se para o céu. Homens e mulheres agarravam-se uns aos outros, os rostos inflamados, com todo o desalento e o grito do desejo. Sim, a peste tinha acabado com o terror, e esses braços que se entrelaçavam diziam bem que ela tinha sido exílio e separação, no seu sentido mais profundo.

Pela primeira vez, Rieux podia dar um nome a esse ar de família que tinha lido, durante meses, em todos os rostos dos transeuntes. Bastava-lhe agora olhar à sua volta. Chegados ao fim da peste, com a miséria e as privações, todos esses homens acabaram assumindo o traje do papel que desempenhavam já havia muito tempo: o de emigrantes cujo rosto, primeiro, e agora as roupas falavam da ausência da pátria longínqua. A partir do momento em que a peste fechou as portas da cidade, tinham vivido somente na separação, afastados desse calor humano que faz esquecer tudo. Em graus diversos, em todos os cantos da cidade, esses homens e essas mulheres tinham aspirado a uma reunião que não era para todos da mesma natureza, mas que para todos era igualmente impossível. A maior parte tinha gritado com todas as suas forças por um ausente, o calor de um corpo, a ternura ou o hábito. Alguns, muitas vezes sem o saber, sofriam por estarem colocados fora da amizade dos homens, por já não poderem comunicar-se com eles pelos meios normais da amizade que são as cartas, os trens e os navios. Outros, mais raros, como Tarrou, talvez, tinham desejado a reunião com qualquer coisa que não podiam definir, mas que lhes parecia o único bem desejável. E, à falta de outro nome, chamavam-lhe às vezes de paz.

Rieux continuava a andar. À medida que avançava, a multidão crescia à sua volta, a confusão aumentava e parecia-lhe que os subúrbios que queria alcançar recuavam. Pouco a pouco, fundia-se nesse grande corpo ululante cujo grito ele compreendia cada vez melhor, esse grito que, pelo menos por um lado, era o seu grito. Sim, todos tinham sofrido juntos, tanto na carne quanto na alma, um vazio difícil, um exílio sem remédio e uma sede jamais satisfeita. Entre esses amontoados de mortos, as sirenes das ambulâncias, os avisos do que se convencionou chamar de destino, o tropel impaciente do medo e a revolta terrível do seu coração, não tinha parado de correr um grande rumor que punha de sobreaviso esses seres aterrados, dizendo-lhes que era preciso encontrarem a sua verdadeira pátria. Para todos eles, a verdadeira pátria encontrava-se para além dos muros desta cidade sufocada. Ela estava nas matas perfumadas das colinas, no mar, nos países livres e no peso do amor. E era para ela, era para a felicidade que eles queriam voltar, afastando-se do resto com repulsa.

Quanto ao sentido que podiam ter esse exílio e esse desejo de reunião, Rieux nada sabia. Caminhando sempre, comprimido de todos os lados, interpelado, chegava, pouco a pouco, às ruas menos apinhadas e pensava que não importa que essas coisas tenham um sentido ou não, é preciso ver apenas a resposta dada à esperança dos homens.

Ele sabia agora qual era essa resposta e compreendia-a melhor nas primeiras ruas dos subúrbios, quase desertas. Aqueles que, cientes do pouco que eram, tinham apenas desejado voltar à casa do seu amor eram por vezes recompensados. Decerto, alguns deles continuavam a caminhar na cidade, solitários, privados do ser que esperavam. Felizes ainda aqueles que não tinham sido duas vezes separados, como alguns que, antes da epidemia, não tinham podido construir, à primeira tentativa, o seu amor e tinham cegamente buscado, durante anos, o difícil acordo que acaba por colar um ao outro amantes inimigos. Esses tinham tido, como o próprio Rieux, a leviandade de contar com o tempo: estavam separados para sempre. Mas outros, como Rambert, que o doutor deixara nessa mesma manhã, dizendo-lhe "Coragem, é agora que é preciso ter razão", haviam reencontrado, sem hesitar, o ausente que tinham julgado perdido. Durante algum tempo, pelo menos, seriam felizes. Sabiam agora que, se há uma coisa que se pode desejar sempre e obter algumas vezes, é a ternura humana.

Para todos aqueles, pelo contrário, que se tinham lançado por cima do homem em direção a qualquer coisa que nem sequer imaginavam não houvera resposta. Tarrou parecera ter alcançado essa paz difícil de que falara, mas só a encontrara na morte, na hora em que não podia servir-lhe para nada. Se outros, pelo contrário, que Rieux avistava nas soleiras das casas, enlaçados com todas as suas forças e olhando-se com enlevo, tinham obtido o que queriam, é porque tinham pedido a única coisa que dependia deles. E Rieux, no momento de entrar na rua de Grand e de Cottard, pensava que era justo que vez por outra, pelo menos, a alegria viesse recompensar os que se contentam com o homem e o seu pobre e terrível amor.

Esta crônica chega ao fim. É tempo de o Dr. Bernard Rieux confessar que é o seu autor. Mas, antes de narrar os últimos acontecimentos, ele gostaria, ao menos, de justificar a sua intervenção e fazer compreender por que quis assumir o tom de testemunha objetiva. Ao longo de toda a duração da peste, sua profissão o colocou em condições de ver a maior parte dos seus concidadãos e de recolher os seus sentimentos. Estava, pois, em boa posição para narrar o que tinha visto e ouvido. De uma maneira geral, esforçou-se no sentido de não contar mais coisas do que pôde ver, de não atribuir aos companheiros de peste pensamentos que, afinal, eles não eram obrigados a formular e de utilizar apenas os textos que o acaso ou a desgraça lhe tinham posto nas mãos.

Tendo sido chamado a depor, por ocasião de uma espécie de crime, manteve certa reserva, como convém a uma testemunha de boa vontade. Mas, ao mesmo tempo, segundo a lei de um coração honesto, tomou deliberadamente o partido da vítima e quis juntar-se aos homens, seus concidadãos, nas únicas certezas que eles têm em comum e que são o amor, o sofrimento e o exílio. Assim é que não há uma só das angústias dos seus concidadãos que ele não tenha compartilhado, uma só situação que não tenha também sido a sua.

Para ser uma testemunha fiel, devia relatar sobretudo os atos, os documentos e os boatos. Mas o que pessoalmente tinha a dizer — a sua expectativa, as suas provações — devia omitir. Se acaso se valeu disso, foi apenas para compreender ou fazer compreender os seus concidadãos, ou para dar forma, tão precisa quanto possível, ao que, na maior parte do tempo, eles sentiam de modo confuso. Para dizer a verdade, esse esforço da razão não lhe custou nada. Quando se encontrava tentado a misturar diretamente a sua confidência às mil vozes das vítimas da peste, era detido pelo pensamento de que não havia um só dos seus sofrimentos que não fosse ao mesmo tempo o dos outros e que, num mundo em que a dor é tantas vezes solitária, isso era uma vantagem. Decididamente, devia falar por todos.

Mas há um dos nossos concidadãos, pelo menos, pelo qual o Dr. Rieux não podia falar. Trata-se, na verdade, daquele de quem Tarrou lhe tinha dito um dia: "O seu único verdadeiro crime foi ter abrigado no coração o que fazia morrer as crianças e os homens. O resto, compreendo-o, mas isto sou obrigado a perdoar-lhe." É justo que esta crônica termine com aquele que tinha um coração ignorante, quer dizer, solitário.

Quando saiu das grandes ruas barulhentas e da festa, no momento de entrar na rua de Grand e de Cottard, o Dr. Rieux, com efeito, foi detido por uma barreira de policiais. Não esperava por isso. Os rumores longínquos da festa faziam o bairro parecer silencioso e ele imaginava-o tão deserto quanto mudo. Mostrou a sua identidade.

— Impossível, doutor — disse-lhe o guarda —, há um louco que está atirando sobre a multidão. Mas fique aí, poderá ser útil.

Nesse momento, o doutor viu Grand, que se dirigia a ele. Grand também nada sabia. Impediram-no de passar e tinham-lhe dito que saíam tiros da sua casa. De longe, via-se, na verdade, a fachada, dourada pela última luz de um sol sem calor. À sua volta recortava-se um grande espaço vazio que ia até a calçada em frente. No meio da rua via-se distintamente um chapéu e um pedaço de pano sujo. Rieux e Grand podiam ver muito longe, do outro lado da rua, um cordão de policiais paralelo ao que os impedia de avançar e por trás do qual alguns habitantes do bairro passavam e tornavam a passar rapidamente. Olhando bem, viram também policiais de revólver em punho agachados nas portas dos edifícios na frente da casa. Desta, todas as persianas estavam corridas. No segundo andar, contudo, uma delas parecia meio arrancada. O silêncio era completo na rua. Ouviam-se apenas os restos de música que chegavam do centro da cidade.

Em certo momento, dos edifícios na frente da casa saíram dois tiros de revólver e saltaram estilhaços da persiana desmantelada. Depois tudo voltou a ficar em silêncio. De longe, depois do tumulto do dia, aquilo parecia um pouco irreal a Rieux.

— É a janela de Cottard — disse de repente Grand, muito agitado. — Mas Cottard desapareceu.

— Por que disparam? — perguntou Rieux a um guarda.

— Para distraí-lo. Estamos esperando um carro com o material necessário, pois ele atira sobre os que tentam entrar pela porta do edifício. Já há um guarda ferido.

— Por que ele atirou?

— Não se sabe. As pessoas divertiam-se na rua. Ao primeiro tiro de revólver, não compreenderam. No segundo houve gritos, um ferido e todos fugiram. É um louco, só pode ser!

No silêncio que voltara, os minutos pareciam arrastar-se. De repente, do outro lado da rua, viram aparecer um cão, o primeiro que Rieux via há muito tempo, um vira-lata sujo que os donos deviam ter escondido até então, e que trotava beirando o muro. Chegando à porta, hesitou, sentou-se e começou a catar as pulgas. Vários assobios dos guardas chamaram-no. Ele levantou a cabeça, depois decidiu-se a atravessar lentamente a rua para ir farejar o chapéu. No mesmo momento, um tiro partiu do segundo andar e o cão voltou-se, agitando violentamente as patas, para cair depois de flanco, sacudido por longas convulsões. Em resposta, cinco ou seis disparos vindos das portas em frente despedaçaram mais a persiana. O silêncio caiu de novo. O sol baixava um pouco e a sombra começava a aproximar-se da janela de Cottard. Freios gemeram docemente na rua, por detrás do doutor.

— Estão aí — disse o policial.

De trás deles apareceram guardas, trazendo cordas, uma escada e dois embrulhos oblongos, envolvidos em oleado. Dirigiram-se para uma rua que contornava o bloco de casas em frente ao prédio de Grand. No momento seguinte adivinhou-se, mais do que se viu, uma certa agitação às portas dessas casas. Depois esperou-se. O cão já não se mexia, estava agora caído numa poça escura.

De repente, das janelas das casas ocupadas pelos agentes saiu uma rajada de metralhadora. A persiana visada desfez-se literalmente e deixou a descoberto uma superfície negra onde Rieux e Grand, do seu lugar, nada podiam distinguir. Quando a rajada parou, uma segunda metralhadora crepitou, de outra esquina, de uma casa mais adiante. As balas entravam, sem dúvida, no quadrado da janela, já que uma delas fez saltar um estilhaço de tijolo. No mesmo segundo, três agentes atravessaram a rua correndo e mergulharam pela porta de entrada. Quase imediatamente, precipitaram-se para lá mais três, e o fogo da metralhadora parou. Mais uma espera. Duas detonações longínquas ressoaram no prédio. Depois ouviu-se um rumor e viu-se sair da casa, mais carregado do que arrastado, um homenzinho em mangas de camisa, que gritava sem parar. Como por milagre, todas as persianas fechadas da rua se abriram e as janelas guarneceram-se de curiosos, enquanto uma multidão saía das casas e se comprimia por detrás das barreiras. Por um momento, viu-se o homenzinho no meio da rua, com os pés finalmente no solo, os braços seguros atrás das costas pelos policiais. Gritava. Um policial aproximou-se dele e deu-lhe dois murros, com toda a força dos seus punhos, pausadamente, com uma espécie de calma aplicação.

— É Cottard — balbuciava Grand. — Enlouqueceu.

Cottard tinha caído. Viu-se, ainda, o policial chutar com toda a força o monte que jazia por terra. Depois um grupo confuso agitou-se e dirigiu-se para onde estavam o médico e seu velho amigo.

— Circulando! — disse o policial.

Rieux desviou os olhos quando o grupo passou diante dele.

Grand e o médico partiram no crepúsculo que terminava. Como se o acontecimento tivesse sacudido o torpor em que o bairro adormecera, essas ruas afastadas enchiam-se de novo com o zumbido de uma multidão em festa. Junto a sua casa, Grand despediu-se do doutor. Ia trabalhar. Mas, no momento de subir, disse-lhe que tinha escrito a Jeanne e que, agora, sentia-se feliz. E depois tinha recomeçado a sua frase. "Eliminei todos os adjetivos", disse.

E, com um sorriso malicioso, tirou o chapéu numa saudação cerimoniosa. Mas Rieux pensava em Cottard e no barulho surdo dos punhos que esmagavam o seu rosto, que o perseguia, enquanto se dirigia à casa do velho asmático. Talvez fosse mais duro pensar num homem culpado que num homem morto.

Quando Rieux chegou à casa do seu velho doente, a noite já devorava todo o céu. Do quarto podia-se ouvir o rumor longínquo da liberdade, enquanto o velho continuava, imperturbável, a despejar as suas ervilhas.

— Eles têm razão em divertir-se. É preciso de tudo neste mundo. E o seu colega, doutor, o que houve com ele?

Chegavam até eles detonações, mas eram pacíficas: crianças que soltavam as suas bombas.

— Morreu — disse o doutor, auscultando o peito resfolegante.

— Ah! — exclamou o velho, um pouco perplexo.

— Peste — acrescentou Rieux.

— É verdade — reconheceu o velho, um instante depois —, são os melhores que partem. É a vida. Mas era um homem que sabia o que queria.

— Por que diz isso? — perguntou o médico, arrumando o estetoscópio.

— Por nada. Nunca falava para não dizer nada. Enfim, ele me agradava. Mas é assim. Os outros dizem: "É a peste, tivemos peste." Por pouco, pediriam que os condecorassem. Mas o que quer dizer isso, a peste? É a vida, nada mais.

— Faça as suas inalações regularmente.

— Oh! Não tenha medo. Ainda vou viver muito tempo e vê-los morrer todos. Eu sei viver.

Uivos de alegria responderam-lhe ao longe. O médico parou no meio do quarto.

— Não se importa que eu vá até o terraço?

— É claro que não. Quer vê-los lá de cima, hein? À vontade. Mas são sempre os mesmos.

Rieux dirigiu-se à escada.

— Diga-me, doutor, é verdade que vão construir um monumento às vítimas da peste?

— O jornal assim o diz. Uma coluna ou uma lápide.

— Tinha certeza disso. E haverá discursos.

O velho ria com um riso estrangulado.

— Parece que consigo ouvi-los daqui: "Os nossos mortos..." E depois vão encher a pança.

Rieux já subia a escada. O grande céu frio cintilava por cima das casas e, perto das colinas, as estrelas endureciam como sílex. Essa noite não era muito diferente daquela em que Tarrou e ele tinham vindo a esse mesmo terraço para esquecer a peste. Mas, nesse dia, o mar estava mais barulhento que naquela ocasião junto às falésias. O ar estava imóvel e leve, aliviado pelos sopros salgados que o vento morno do outono trazia. O rumor da cidade, contudo, continuava a chegar aos terraços com um marulho de vaga. Mas essa noite era a da libertação e não a da revolta. Ao longe, uma mancha vermelha, escura, indicava a localização das avenidas e das praças iluminadas. Na noite agora libertada, o desejo não conhecia barreiras e era o seu rumor que chegava até Rieux.

Do morro escuro subiram os primeiros foguetes dos festejos oficiais. A cidade saudou-os com uma longa e surda exclamação. Cottard, Tarrou, aqueles e aquela que Rieux tinha amado e perdido, todos, mortos ou culpados, estavam esquecidos. O velho tinha razão, os homens eram sempre os mesmos. Mas essa era a sua força e a sua inocência, e era aqui que Rieux, acima de toda a dor, sentia que se juntava a eles. Em meio aos gritos que redobravam de força e de duração, que repercutiam longamente junto do terraço, à medida que as chuvas multicores se elevavam mais numerosas no céu, o Dr. Rieux decidiu, então, redigir esta narrativa, que termina aqui, para não ser daqueles que se calam, para depor a favor dessas vítimas da peste, para deixar ao menos uma lembrança da injustiça e da violência que lhes tinham sido feitas e para dizer simplesmente o que se aprende no meio dos flagelos: que há nos homens mais coisas a admirar que coisas a desprezar.

Mas ele sabia, porém, que esta crônica não podia ser a da vitória definitiva. Podia, apenas, ser o testemunho do que tinha sido necessário realizar e que, sem dúvida, deveriam realizar ainda, contra o terror e a sua arma infatigável, a despeito das feridas pessoais, todos os homens que, não podendo ser santos e recusando-se a admitir os flagelos, se esforçam no entanto por ser médicos.

Na verdade, ao ouvir os gritos de alegria que vinham da cidade, Rieux lembrava-se de que essa alegria estava sempre ameaçada. Porque ele sabia o que essa multidão eufórica ignorava e se pode ler nos livros: o bacilo da peste não morre nem desaparece nunca, pode ficar dezenas de anos adormecido nos móveis e na roupa, espera pacientemente nos quartos, nos porões, nos baús, nos lenços e na papelada. E sabia, também, que viria talvez o dia em que, para desgraça e ensinamento dos homens, a peste acordaria os seus ratos e os mandaria morrer numa cidade feliz.

Este livro foi composto na tipografia
Adobe Caslon Pro, em corpo 11/15,5,
e impresso em papel Pólen Bold 90g/m² na Gráfica Leograf.